Guadalupe Adámez Castro

GRITOS DE PAPEL

Las cartas de súplica del exilio español (1936-1945)

Granada, 2017

Este libro ha contado con sendas ayudas a la Publicación del Proyecto *«Scripta in itinere». Discursos, formas y apropiaciones de la cultura escrita en espacios públicos desde la primera edad moderna hasta nuestros días* (Ref. HAR2014-51883-P) del Ministerio de Economía y Competitividad y del Proyecto *Post Scriptum: A Digital Archive of Ordinary Writing (Early Modern Portugal and Spain)* (7FP/ERC Advanced Grant - GA 295562) del European Research Council.

ENVÍO DE PROPUESTAS DE PUBLICACIÓN

Las propuestas de publicación han de ser remitidas (en archivo adjunto de Word) a la siguiente dirección electrónica: libreriacomares@comares.com. Antes de aceptar una obra para su edición en la colección «Comares Historia», ésta habrá de ser sometida a una revisión anónima por pares. Los autores conocerán el resultado de la evaluación previa en un plazo no superior a 90 días. Una vez aceptada la obra, Editorial Comares se pondrá en contacto con los autores para iniciar el proceso de edición.

Gritos de papel. Las cartas de súplica del exilio español (1936-1945), de Guadalupe Adámez Castro, ha sido la obra ganadora del Primer Premio Nacional de tesis doctorales sobre Movimientos migratorios en el mundo contemporáneo, convocado conjuntamente por la Dirección General de Migraciones del Ministerio de Empleo y Seguridad Social y el Centro de Estudios de Migraciones y Exilios de la Universidad Nacional de Educación a Distancia, en el marco del convenio de colaboración existente entre ambas entidades.

Con el patrocinio del Ministerio de Empleo y Seguridad Social.

Fotografías de cubierta:
Portada BTE, 2749, n.º 8216-23 • Contraportada BTE, 2749, n.º 8216-9
CCHB Ville de Bagnères-de-Bigorre • Fonds Photographique Alix

Diseño de cubierta:
Virginia Vílchez Lomas

Polígono Juncaril
C/ Baza, parcela 208
18220 • Albolote (Granada)
Tlf.: 958 465 382
http://www.editorialcomares.com • E-mail: libreriacomares@comares.com
https://www.facebook.com/Comares • https://twitter.com/comareseditor

ISBN: 978-84-9045-491-6 • Depósito Legal: Gr. 637/2017

Fotocomposición, impresión y encuadernación: COMARES

Sumario

Capítulo IV
«Por techo el cielo y por lecho la arena»
Peticiones desde los campos de internamiento

Capítulo V
México: País de acogida
Las solicitudes al CTARE

Tantos construyendo cerrojos
*y tan pocos buscando llaves.**

A los hombres, las mujeres y los niños que son condenados a vivir entre alambradas,
personas que tienden a ser invisibles en un mundo con demasiados cerrojos.

A mi familia, por haberme enseñado que la única forma de abrir puertas
y traspasar barreras es luchando por conseguir las llaves.

A mi abuelo, por ser la mejor imagen de la palabra libertad.

* García-Teresa, Alberto, *Abrazando vértebras* (Tenerife: Baile del Sol ediciones, 2014), p. 15.

Ahora, perdidos los rostros, quedan nombres, apenas
la permanencia de lo indescifrable adivinando
lo que fue grande, pequeño, frágil, tozudo
o hermoso, tal vez mezquino, injusto o cruel,
fraterno, digno o lleno de ternura en el desconsuelo.
Ahora se salva en piedra obstinada, tosca, humilde,
que cobija lo común, esta confusión de huesos
amontonados, revueltos, inciertos, acogidos
a la suposición, a lo que fue llamado, dicho,
un tal vez que convoca, reitera, abraza en tierra
anónima, colectiva, preservada y los junta y los dice:
españoles del viento y la arena, Martínez, Goméz, Suárez,
Pérez, Martín y los llama y comparece así
lo para siempre abandonado, ciudades, pueblos
ríos, Segura, Tudela, Zamora, León, Casas, españoles de fiebre,
de un viento enloquecido, de la sal y el desamparo,
de las perdidas palabras, llevadas, guardadas, susurradas
en su resonancia de siglos, su misteriosa
correspondencia, Lobato y Montero, Espinas, Galera,
Torres, Guerrero, Mesa, Pardo, Duda, Monte, Risueño,
dicen españoles y dicen y en piedra quedan Strauss,
y Goldberg, Reinhardt, Hermann, Jacobi, Blum y Hoffmann,
Lozowsky y Korzak, españoles dicen y hablan Wasilinko,
Herder, Kurt y Adamsak y así hasta setenta
y nueve en esta piedra, en este cementerio dicho,
llamado, conocido, de los españoles, aquí reposan,
en la traspasada luz de la memoria, en este terco
suburbio de la esperanza,
aquí aguardan.*

* Crespo Massieu, Antonio, *Elegía en Portbou* (Madrid: Bartleby editores, 2011), pp. 100-101.

Siglas

AARD	Archivo de Amaro del Rosal Díaz
ACNUR	Alto Comisionado de las Naciones Unidas para los Refugiados
ACR	Acció Catalana Republicana
AFDU	Association des Françaises Diplômées des Universités
ANV	Acción Nacionalista Vasca
BDIC	Bibliotheque de Documentation Internationale Contemporaine
BINAH	Biblioteca del Instituto Nacional de Antropología e Historia
CDMH	Centro Documental de la Memoria Histórica
CGIL	Confederazione Generale Italiana del Lavoro
CGT	Confederación General del Trabajo
CICIER	Comité Internacional de Coordinación y de Información para ayuda a la España Republicana
CICR	Comité Internacional de la Cruz Roja
CIHDE	Centro de Investigaciones Históricas de la Democracia Española
CIR	Comité Intergubernamental para los Refugiados
CNT	Confederación Nacional del Trabajo
CTARE	Comité Técnico de Ayuda a los Republicanos Españoles
ERC	Entr'aide aus Republicains Catalans
ERC	Esquerra Republicana de Catalunya
FAI	Federación Anarquista Ibérica
FETE	Federación Española de los Trabajadores de la Enseñanza
FIASA	Financiera Industrial y Agrícola, Sociedad Anónima
FFLC	Fundación Francisco Largo Caballero
FOARE	Federación de Organismos de Ayuda a los Republicanos Españoles
FPI	Fundación Pablo Iglesias
FSA	Fundación Sabino Arana
INAH	Instituto Nacional de Antropología e Historia

IR	Izquierda Republicana
JARE	Junta de Ayuda a los Republicanos Españoles
OIR	Organización Internacional para los Refugiados
PCE	Partido Comunista Español
PNV	Partido Nacionalista Vasco
PSOE	Partido Socialista Obrero Español
SERE	Servicio de Evacuación a los Republicanos Españoles
SRA	Spanish Refugee Aid
SRI	Socorro Rojo Internacional
UGT	Unión General de Trabajadores
UNRRA	United Nations Relief and Rehabilitation Administration
UNRWA	United Nations Relief and Works Agency for Palestine Refugees in the Near East (Agencia de Naciones Unidas para los Refugiados de Palestina en Oriente Próximo)

Prólogo

Escribir es la primera forma del exilio:
su origen, su definición, su naturaleza.*

Queridísimo papaiño:

Tengo tantas cosas que contarte que no sé por dónde empezar [...]. Lo peor es que son todas cosas tristes. Papaiño, ¡qué bien estás tú! No vengas, por Dios, no vuelvas nunca más aquí, todo está igual para ti que cuando te has ido. Y yo, que entonces si me hablasen de dejar mi España me hubiera parecido horrible, hoy daría diez años de vida [...] por poder estar a tu lado. Sin yo quererlo, pues pienso que es un imposible, sueño con tierras de promisión, con países donde haya sol y pan, sin colas ni tarjetas de racionamiento. A veces cuando veo a mamá en estos últimos años pasar falta de cosas para ella de primera necesidad, no sabes cuánto sufro; si la vieras no la conocerías [...], encorvada y delgadísima; su único vicio era el café con leche con mucho azúcar y casi su único alimento [...]. Cuando tomes café, papaiño, tómalo muy dulce y piensa en nosotras [...]. Estuve en casa de Portal, que siempre estuvieron muy cariñosos conmigo y fueron de los que mejor se portaron, me leyó tu carta y me dio muchos recuerdos, supongo que él te escribirá. No sabes lo mucho que me alegró ver tu letra. Bueno, papaiño, no enseñes esta carta a nadie porque se formarían un pésimo concepto de la educación de tu hija [...]. Pero tú ya sabes que en mi vida supe escribir más que a mano y con letra de picos. Y sobre todo, esta máquina no la entiendo en absoluto (la tuya sigue en Lugo) y como esta carta tiene que ir escrita a máquina para que pase entre los apuntes de Carolo, tendrás que resignarte a estas cuartillitas mal hilvanadas que casi no las podrás leer. Pero estoy pasando tales apuros para escribirlas que ni siquiera acierto a expresar mis ideas con un poco de corrección [...].[1]

* Martini, Juan, «Naturaleza del exilio», en el dossier monográfico «La cultura argentina de la dictadura a la democracia», *Cuadernos Hispanoamericanos*, 517-519 (1993), p. 552.

[1] Carta de Laura López (s. l.) para Manuel López Mosquera (Durango, México), s. f. Carta anexada a la petición de Manuel López Mosquera (Durango) para José Puche Álvarez (México D. F.), 31 de mayo de

I

Es justo confesar que, desde el primer momento en el que leí la carta de Laura López a su padre, en el año 2011, sentada delante de un lector de microfilm en la Biblioteca del Instituto Nacional de Antropología e Historia (BINAH) en la ciudad de México, sentí que, si llegaba algún día a publicar la investigación que había comenzado unos años atrás, serían las palabras de Laura las que debían darle inicio. Desde ese día han sido muchas las ocasiones en las que estas líneas han venido a mi memoria y he tenido que dejar lo que estaba haciendo para volver a ellas, de forma casi impulsiva, para releerlas una y otra vez. En ellas veía el testimonio no solo de su autora sino también de miles de vencidos y derrotados, sometidos a la represión, al miedo y al hambre en cualquier periodo bélico.

Cuando Laura escribió su carta, en el mes de mayo de 1940, la cifra de desplazados por motivos bélicos o políticos rondaba los cinco millones de personas, entre los que había rusos, griegos, turcos, armenios, judíos y españoles. Y es que una de las problemáticas que caracterizan al «siglo corto»[2] son sus episodios de exilio, lo que ha llevado al historiador Bruno Groppo, entre muchos otros, a definirlo como «el siglo de los refugiados».[3] Sin embargo, el de los refugiados no es un problema del siglo XX, sino que ya se habían producido numerosos episodios de éxodo antes, entre ellos todos los que dan forma a la historia de España desde el siglo XV en adelante.[4] Y sigue siendo un problema de plena actualidad, como nos muestran las imágenes que inundan cada día los telediarios y las redes sociales y como evidencian los más de 65,3 millones de personas desplazadas forzosamente en el mundo, de los cuales 21,3 son refugiados, según el Alto Comisionado de Naciones Unidas para los Refugiados (ACNUR). Un número que va en aumento: prueba de ello es que solo en el año 2015 la cifra de refugiados creció a un ritmo de 24 personas por minuto.[5] Por poner un ejemplo, 4,9 de esos 21,3 millones corresponden a los últimos desplazados tras el conflicto de Siria que comenzó

1940. Archivo Histórico de la Biblioteca del Instituto Nacional de Antropología e Historia (AH-BINAH), Fondo del Comité Técnico de Ayuda a los Republicanos Españoles (CTARE). Sección Secretaría General, Correspondencia del Dr. José Puche, Rollo 137, exp. 6508.

[2] HOBSBAWM, Eric, *Historia del siglo XX* (Barcelona: Crítica, 2001 [1998]).

[3] GROPPO, Bruno, «Los exilios europeos en el siglo XX», en Yankelevich, Pablo (dir.), *México, país de refugio: la experiencia de los exilios en el siglo XX* (México D. F.: INAH, 2002), pp. 19-41. Otros autores coinciden con esta visión, como Claudena M. Skran, quien se refiere a la época de entreguerras en Europa como la «era de los refugiados». Cfr. SKRAN, Claudena M., *Refugees in inter-war Europe: The emergence of a regime* (Oxford: Oxford University Press, 1995), p. 32.

[4] CANAL, Jordi (ed.), *Exilios. Los éxodos políticos en la Historia de España, siglos XV-XX* (Madrid: Sílex, 2007) y CANAL, Jordi y GONZÁLEZ CALLEJA, Eduardo (eds.), *Guerras civiles. Una clave para entender la Europa de los siglos XIX y XX* (Madrid: Casa de Velázquez, 2014).

[5] ACNUR: *Tendencias globales 2015. Forzados a huir*, 2016 [Consultado en: http://acnur.es/PDF/TendenciasGlobales2015.pdf]

en el año 2011 y que aún no ha finalizado. Y por arrojar otra cifra significativa, en el mes de julio de 2014 alrededor de 150.000 palestinos fueron trasladados a la franja de Gaza huyendo de los últimos bombardeos israelíes, sumándose a los 1,2 millones de refugiados ya existentes en ese mismo lugar según la Agencia de Naciones Unidas para los Refugiados de Palestina en Oriente Próximo (United Nations Relief and Works Agency for Palestine Refugees in the Near East, UNRWA).[6]

Quizás sean estos los casos más conocidos debido a su repercusión mediática, pero no debemos olvidar a los refugiados de Liberia, Mali, Nigeria, Sudán, Somalia y un largo etcétera de países que nos muestran que la carta referida anteriormente no debe entenderse como un hecho pasado y aislado en el tiempo, sino que tenemos que situarla dentro de una problemática global que caracteriza el siglo XX, que transforma las mentalidades de los individuos y que configura un nuevo orden social, político y económico. Un problema que actualmente sigue sin resolverse, puesto que como afirman los expertos son muchos los cambios que deben realizarse a día de hoy para solucionar, o al menos aliviar, la mayor tragedia humanitaria producida desde la II Guerra Mundial, a la cual en el momento en el que nos encontramos parece que se responde más con barreras y alambradas que con políticas eficaces de acogida y auxilio. Como denuncia Sami Naïr: «El Mediterráneo y el Egeo se han transformado en cementerios, y las fronteras europeas en cuchillos tajantes sobre los cuerpos anónimos que salen de no sabemos qué funesta tragedia histórica».[7]

Parece paradigmático, pero en un mundo cada vez más globalizado resulta cada día más difícil traspasar las fronteras, especialmente para quienes buscan auxilio, cuya realidad cotidiana no dista mucho de la que hace ya 78 años vivieron los protagonistas de este trabajo, autores y autoras de miles de cartas que, como la de Laura, nos permiten conocer de primera mano esta realidad.

II

Es poco lo que conocemos de Laura, salvo que era una joven que escribió a su padre desde su Galicia natal hasta México, donde él estaba refugiado, para informarle de cuál era la situación de su familia, de su casa, de su barrio y de su España. Sin tapujos, sin miedo a la censura, sabedora de que la carta iba a ser entregada por cauces extraoficiales y que ello le permitía elevar su voz por encima de los silencios cotidianos a los que estaba obligada, Laura, en un tono cercano y familiar, le cuenta a su padre cómo sobrevivían su madre y ella a la posguerra, a la vez que le aconsejaba que no volviese nunca.

[6] Cifras oficiales de la UNRWA [Consultadas en: http://www.unrwa.es/gaza].

[7] NAÏR, Sami, *Refugiados. Frente a la catástrofe humanitaria, una solución real* (Madrid: Crítica, 2016), p. 62.

La carta de Laura nos ayuda a entender algunas de las circunstancias que han hecho posible este libro y, también, sirve para reflejar algunos de sus objetivos. Comenzando por el final nunca hubiese encontrado esta carta de no haberse creado todo un universo asistencial en el que se vieron inmersos buena parte de los refugiados españoles durante su éxodo y que acabó por condicionar, en cierta manera, parte de su desarrollo. Los refugiados escribieron a los citados organismos miles de peticiones y súplicas que éstos clasificaron, tramitaron y archivaron. En ocasiones, junto a las súplicas se conformaron extensos expedientes que podían contener otros documentos, utilizados generalmente como aval de las solicitudes y peticiones: cartas personales, carnets de afiliación, recortes de prensa, tarjetas postales...

El padre de Laura, Manuel López Mosquera, único destinatario legítimo de la misiva que encabeza esta reflexión, no cumplió con el expreso deseo de la joven de mantenerla en la más estricta intimidad. Manuel escribió al doctor Puche, presidente del Comité Técnico de Ayuda a los Republicanos Españoles (CTARE), el 31 de mayo de 1940 para suplicarle el traslado de su mujer y de su hija a México, donde podrían reunirse con él y comenzar juntos una nueva vida. Para justificar la situación familiar que atravesaba y con el ruego de que le fuese devuelta una vez leída, anexó la carta de su hija a su solicitud: «De mi especial situación, le hago aparte, una sucinta y escueta relación y adjunto una carta recibida sin censura de mi única hija, Laura [...]. De su buen criterio y discreción espero la devolución de la carta».[8]

Que haya tenido acceso a esta misiva, sin embargo, significa que la misma nunca le fue devuelta a Manuel. Su conservación responde, en parte, a la propia naturaleza administrativa de la tipología epistolar a la que nos enfrentamos, las cartas de súplica o peticiones, y de la actuación de las instituciones encargadas de su tramitación y resolución o de la finalidad represiva del régimen franquista. De una o de otra forma, lo cierto es que son fundamentales a la hora de desenterrar la historia más olvidada del exilio español: la protagonizada por los refugiados anónimos cuya existencia siempre es más difícil de rastrear porque son pocas o ninguna las huellas que nos han dejado o que han quedado de su experiencia.[9]

[8] Petición de Manuel López Mosquera (Durango) a José Puche (Oficinas del CTARE, México D. F.), 31 de mayo de 1940, AH-BINAH, CTARE, Sección Secretaría General, Correspondencia del Dr. José Puche Álvarez, Rollo 137, exp. 6508.

[9] Cabe destacar la labor que se ha hecho desde la Historia Oral para rescatar los testimonios y la historia de los refugiados anónimos. En el caso de México, destaca el proyecto Archivo de la Palabra, que se inició en 1979 bajo la dirección de Eugenia Meyer en el INAH en México D. F. Pla Brugat, Dolores, *Catálogo del fondo de historia oral: Refugiados españoles en México. Archivo de la Palabra* (México D. F.: INAH, 2011). No menos relevantes son los distintos trabajos realizados en el marco de dicha corriente historiográfica, PLA BRUGAT, Dolores, *El aroma del recuerdo. Narraciones de españoles republicanos refugiados en México* (México D. F.: INAH, 2003); y DOMÍNGUEZ PRATS, Pilar, *De ciudadanas a exiliadas. Un estudio sobre las republicanas españoles en México* (Madrid: Cinca, 2009), entre otros.

En segundo lugar, la carta de Laura sirve para entender la importancia que adquirió la escritura en dicho contexto. Las misivas escritas y recibidas por los refugiados sirvieron para unirles con un mundo que habían dejado atrás, pero que seguía pesando a sus espaldas.[10] Dicho mundo estaba representado tanto por los familiares y amigos que habían perdido o dejado al otro lado de la frontera como por el Gobierno republicano y las instituciones emanadas de él, que habían fracasado en su lucha antifascista. Para mantener la relación con todos ellos, los exiliados españoles se sirvieron de distintas estrategias, entre las que la escritura epistolar se perfiló como una de las más eficaces.

Por último, el «caso de Laura», como figuraba la ficha de este expediente en mi ordenador y en todos los apuntes que tomé sobre el mismo durante años, representa a los desheredados a uno y otro lado del océano, bien a los que se quedaron y soñaron con irse, aunque ello significase abandonar sus raíces, bien a los que se habían ido y hacían todo lo posible por reconstruir su identidad perdida en un nuevo lugar ante la imposibilidad de retornar a casa. Rescatar las palabras de esta joven gallega ha sido un intento de recuperar con ellas su historia y, junto a esta, la de un amplio número de refugiados que en algún momento de su particular viaje se sirvieron, o se sirven a día de hoy, del lapicero, de la pluma, o de las teclas inertes de una máquina de escribir o de un ordenador para dar testimonio de sus vidas, reivindicando, la mayoría seguramente sin tan siquiera saberlo, su lugar en la Historia.

III

De esta manera, la protagonista real de este libro es precisamente la escritura, las palabras que miles de refugiados anónimos escribieron durante el exilio español, especialmente aquellas que utilizaron para pedir y demandar auxilio a los organismos de ayuda que habían nacido con la voluntad de socorrerles. Durante mucho tiempo estos «refugiados del común»[11] fueron doblemente vencidos, una vez tras la Guerra Civil española y otra a la hora de construir la Historia, ya que hasta bien entrados los años 90 del pasado siglo los historiadores no les prestaron mucha atención. Solo a partir de entonces empezaron a convertirse en un objeto de estudio como señaló Nicolás Sánchez Albornoz en la introducción a una de las obras sobre el exilio que coordinó: «No hay que olvidar que la historia privilegia a quienes dejan información escrita y que, en esto, los intelectuales siempre llevan las de ganar. Que sea así no debe, sin embargo, servir de excusa. Es de desear que futuros investigadores presten mayor atención a las

[10] Las escrituras de los refugiados españoles fueron fundamentales en el proceso de reconstrucción de su memoria, tal y como han afirmado diversos autores, entre ellos GEMIE, Sharif, «The Ballad of Bourg-Madame: Memory, Exile, and the Spanish Republican Refugees of the Retirada of 1939», *International Review of Social History,* 51 (2006), pp. 1-40.

[11] PLA BRUGAT, Dolores, «La presencia española en México, 1930-1990. Caracterización e historiografía», *Migraciones & Exilios*, 2 (2001), p. 182.

actividades de obreros, técnicos y empresarios, de maestros y, sin cerrar la lista, hasta de militares».[12]

Obras como las de Nicolás Sánchez Albornoz y otros historiadores, entre los que se encuentran, por citar algunos, Louis Stein, Josefina Cuesta, Alicia Alted, Dolores Pla, Geneviève Dreyfus-Armand, Pilar Domínguez o Verónica Sierra, han contribuido, desde diferentes enfoques, al mejor conocimiento del exilio de la gente corriente, enriqueciendo la historiografía existente y cumpliendo con la deuda histórica de dar voz a los derrotados.[13] Voces que en ocasiones son difíciles de escuchar puesto que, siguiendo la cita de Nicolás Sánchez Albornoz, los exiliados comunes no han dejado tantos testimonios escritos como los intelectuales o los políticos, siendo esta una de las causas que el historiador señalaba para su olvido histórico. Ciertamente es así, como evidencian la multitud de memorias y epistolarios de exiliados con peso político o intelectual editados, en contraposición con la escasez de publicaciones cuya autoría pertenece a los exiliados anónimos.[14]

Es probable que uno de los problemas que explica esta desigualdad radique en la diferente conservación de los documentos, ya que el empeño puesto desde organismos públicos y privados en preservar la memoria de intelectuales y políticos ha sido siempre mayor que el interés prestado a los mismos documentos producidos por la gente común, cuya conservación siempre ha dependido de las familias. Sin embargo, el problema no reside tanto en la cantidad de documentos que se han conservado, sino en el lugar donde se buscan estas fuentes. Dolores Pla afirmó que es posible realizar una historia del exilio español «desde abajo» recurriendo a los archivos personales, así como a los documentos conservados en los archivos de los organismos de ayuda a los que comúnmente estos refugiados tuvieron que escribir pidiendo auxilio.[15] Y dentro de esos archivos uno de los documentos que aparece con mayor frecuencia son las diferentes peticiones y solicitudes que los exiliados les remitieron, siendo precisamente esos «gritos de papel» los que nos permiten acercarnos a la historia más desconocida del exilio español. Su testimonio estaba ahí y, como afirmó Armando Petrucci para el caso de la Roma del Renacimiento, tan sólo había que desplazar el foco hacia abajo para proyectar un haz de luz sobre estas

[12] SÁNCHEZ ALBORNOZ, Nicolás (comp.), *El destierro español en América. Un trasvase cultural,* (Madrid: Sociedad Estatal Quinto Centenario; Siruela, 1991), p. 15.

[13] Remito a la bibliografía final de este trabajo.

[14] Como es el caso del epistolario editado por la familia de Marcelino Sanz Mateo. Véase SANZ MATEO, Marcelino [edición de Anastasio Sanz Aramburu y Albán Sanz Díaz-Marta], *Francia no nos llamó. Cartas de un campesino aragonés a su familia en la tormenta de la guerra y del exilio (1939-1940)* (Vinaròs, Castellón: Antinea, 2006). En cuanto a diarios y memorias, su publicación ha sido más frecuente, especialmente en los últimos años, impulsada por algunos premios de memorialismo popular. Para más información véase el apartado de Fuentes Editadas al final del volumen.

[15] PLA BRUGAT, Dolores, «El exilio republicano en Hispanoamérica. Su Historia e Historiografía», *Historia Social*, 42 (2002), p. 120.

escrituras olvidadas.[16] Resulta casi irónico que sea a través de una práctica epistolar producida como consecuencia de las diferencias existentes en la sociedad a lo largo de la historia y motivadas, en buena parte, por episodios marcados por estados de necesidad y de vulnerabilidad del individuo, como podemos reconstruir parte de la desequilibrada construcción histórica.[17] Curioso destino de estas letras nacidas de la desigualdad, pero que nos sirven para elaborar una Historia más completa, más democrática si queremos.[18]

IV

Cronológicamente este libro pretende abarcar la trayectoria temporal y espacial seguida por buena parte de los refugiados, comenzando en España en 1937, cuando tras la caída del Frente Norte se produjeron las primeras evacuaciones, iniciándose entonces muchas de las políticas asistenciales que protegieron a los evacuados españoles. Y finalizando en México, entre 1939 y 1942, a donde llegó un gran número de refugiados que fueron atendidos, entre otros organismos, por el CTARE, la delegación del SERE (Servicio de Evacuación a los Republicanos Españoles) en el país azteca. Sin olvidar, claro está a Francia, a donde fueron a parar en torno a medio millón de exiliados españoles en el invierno de 1939, la mitad de los cuales fue recluida en campos de internamiento.

Nos encontramos con el inicio, el nudo y el desenlace de la historia de las instituciones de ayuda del exilio español, lo que me va a permitir, entre otras cosas, ver qué valor se dio al refugiado indefenso en la articulación del sistema asistencial que pretendía recoger las cenizas de la República y conformar a partir de ellas una nueva identidad capaz de aglutinar a todos los exiliados españoles bajo un ideario común, proceso indispensable para que el proyecto republicano no desapareciera.

Algunas de las preguntas que motivan estas páginas persiguen conocer mejor cuál fue la relación que mantuvieron los refugiados españoles con la escritura a lo largo de su trayectoria de desarraigo, cómo se sirvieron de la misma, cómo se autorrepresen-

[16] PETRUCCI, Armando, *La ciencia de la escritura. Primera lección de paleografía* (Buenos Aires: Fondo de Cultura Económica, 2003 [2002]), p. 33.

[17] GIBELLI, Antonio, «Lettere ai potenti: un problema di storia sociale», en Camillo Zadra y Gianluigi Fait (dirs.), *Deferenza, rivendicazione, supplica. Le lettere ai potenti* (Paese-Treviso: Pagus, 1991), pp. 1-13.

[18] Sobre las cartas de súplica son de obligada consulta: ZADRA y FAIT (dirs.), *op. cit.*; LEYS, Colin, «Petitioning in the Nineteenth and Twentieth Centuries», *Political Studies*, 3 (1955), pp. 45-64; DIDIER, Fassin, «La supplique. Stratégies rhétoriques et constructions identitaires dans les demandes d'aide d'urgence», *Annales. Histoire, Sciences Sociales,* 5-55 (2000), pp. 955-981; PETRUCCI, Armando, «La petición al señor. El caso de Lucca (1400-1430)», *Anales de historia antigua, medieval y moderna*, 34 (2001), pp. 55-63; HEERMA VAN VOSS, Lex (ed.), «Petitions in Social History», dossier monográfico de *International Review of Social History*, 46-9 (2001); SIERRA BLAS, Verónica, «"En espera de su bondad, comprensión y piedad". Cartas de súplica en los centros de reclusión de la guerra y posguerra españolas (1936-1945)», en Castillo Gómez, Antonio y Sierra Blas, Verónica (eds.), *Letras bajo sospecha: escritura y lectura en los centros de internamiento* (Gijón: Trea, 2005), pp. 165-199, y, BERCÉ, Yves-Marie, *La dernière chance. Histoire des suppliques* (París: Perrin, 2014).

taron a través de ella y qué significó para ellos el ejercicio epistolar, especialmente la redacción de miles de cartas de súplica y de solicitud. Pero no solo me interesa conocer la influencia del individuo en la escritura, sino que también quiero saber si la propia escritura condicionó el episodio histórico en el que nos centramos.

Para responder a dichas cuestiones he dividido este libro en dos grandes bloques. El primero está compuesto por dos capítulos de carácter más general en los que exploro las características y etapas del exilio y la importancia de las escrituras personales y oficiales dentro del mismo; el segundo bloque se corresponde con los últimos capítulos, más específicos, puesto que cada uno trata un estudio de caso cuyo punto de unión son las cartas de súplica del exilio español.

En el primer capítulo, «Una vida por escrito: el exilio de la gente común», he tratado de reconstruir brevemente este episodio histórico señalando sus características generales y las distintas fases que tuvo para después descender a la cotidianidad de los refugiados españoles a partir de la relación que estos mantuvieron con la escritura, sobre todo la epistolar, especialmente durante su reclusión en los campos de internamiento, ya que, como veremos, es en contextos de crisis, individuales o colectivas, cuando escribir se conecta íntimamente con la vida y pasa a convertirse en una herramienta clave de resistencia.[19] Para concluir, hago referencia a los múltiples destinos que tuvieron los refugiados tras conseguir salir de los campos de concentración, bien permaneciendo en Francia, bien siendo evacuados a otros países. Todo ello sirve para comprender y reconstruir la experiencia del exiliado a través de sus propios escritos.

En el segundo capítulo, «La súplica durante el exilio español. Un universo peticionario», desciendo al problema de la ayuda y socorro de la población desplazada, a las diferentes respuestas que se le dio desde los distintos organismos de ayuda que se generaron y al papel que desempeñó la escritura de peticiones en la organización de este sistema asistencial, configurándose como una de las piezas fundamentales de dicho engranaje. Para ello he trabajado con fondos documentales de índole muy diversa conservados en los archivos de las propias instituciones de ayuda, de los partidos políticos y sindicatos que auxiliaron a los refugiados e incluso de algunas de las embajadas que ofrecieron su apoyo a la República española. No obstante, para este capítulo, lo más relevante ha sido el descubrimiento de parte de la documentación generada por el que fuera el organismo asistencial más importante durante la primera etapa del exilio, el SERE, la cual durante mucho tiempo se había dado por perdida en su totalidad al ser requisada por la policía francesa en una de sus visitas a los locales donde se encontraba la sede del SERE en París. Sin embargo, hay una parte de la misma que se mantuvo a

[19] Castillo Gómez, Antonio, «Escribir para no morir. La escritura en las cárceles franquistas», en Castillo Gómez, Antonio y Montero García, Feliciano (coord.), *Franquismo y memoria popular. Escritura, voces y representaciones* (Madrid: Siete Mares, 2006), p. 21; Sierra Blas, Verónica, *Cartas presas. La correspondencia carcelaria en la Guerra Civil y el Franquismo* (Madrid, Marcial Pons, 2016), pp. 20-21.

salvo de esta injerencia francesa y que es prácticamente desconocida a día de hoy.[20] Su importancia bien merece un paréntesis.

Entre los principales bienes incautados por la Comisión de Recuperación de material en Francia, constituida por el Gobierno franquista para la incautación de las propiedades e instituciones en manos de la República en Francia, Bélgica y Holanda, se encontraba un palacete de la avenida Marceau, 11 (anterior sede del Gobierno vasco y del Partido Nacionalista Vasco, PNV) en el exilio. La Comisión de Recuperación se instaló en dicho edificio al mismo tiempo que incautaba documentación que consideraba útil o bienes que a su criterio debían ser devueltos al Estado español. Parte de la documentación incautada la componían los archivos de algunos organismos de ayuda en el exilio, entre ellos, el del SERE. La finalidad era trasladar todos estos papeles a España para que una vez allí sirvieran para las labores de inteligencia desarrolladas en torno a las feroces políticas de represión que se estaban llevando a cabo en ese momento.[21]

Ante el avance de la II Guerra Mundial, la Comisión fue disuelta, dejando toda la documentación que había incautado en los sótanos del edificio de la avenida Marceau, edificio que fue devuelto a los nacionalistas vascos en 1944, tras la liberación de París. Al volver a su sede, comprobaron que la Comisión de Recuperación no solo había abandonado a su suerte gran parte de la documentación incautada, sino que también se había dejado su propio archivo. Durante muchos años esta documentación permaneció abandonada en los sótanos de dicho edificio hasta que finalmente el PNV la trajo a España donde pasó a formar parte del Archivo Nacionalista Vasco en la Fundación Sabino Arana (FSA).[22] Este hallazgo ha sido fundamental para comprender verdaderamente la magnitud y el peso de la súplica en este sistema asistencial.

Volviendo al segundo capítulo, en él se describe la diferente naturaleza de los organismos de ayuda o de las instituciones que dieron auxilio a los exiliados españoles, divididos en tres grandes grupos: las instituciones pertenecientes a otros países, ya fueran dependientes de los gobiernos en cuestión, como embajadas o consulados, o no gubernamentales, como asociaciones de ayuda nacidas a través de iniciativas personales o populares; los organismos dependientes del Gobierno republicano; y las organizaciones

[20] De las pocas referencias sobre la existencia de este archivo, aunque de forma tangencial, véanse ARRIEN, Gregorio y GOIOGANA, Iñaki, *El primer exilio de los vascos. Cataluña. 1936-1939* (Barcelona: Fundación Sabino Arana / Fundació Ramon Trias Farga, 2002), pp. 431-441 y ARRIETA ALBERDI, Leyre, *Fondo Gobierno de Euzkadi (1936-1979): Historia y contenido* (Vitoria: Servicio Central de Publicaciones del Gobierno vasco, 2011), p. 26.

[21] De la misma forma que sucedió con los documentos incautados en la península, véase MICHONNEAU, Stéphane, «Les papiers de la guerre, la guerre des papiers. L'affaire des archives de Salamanque», en Artières, Philippe y Arnaud, Annick (coords.), *Lieux d'archive. Une nouvelle cartographie: de la maison au musée*, dossier monográfico de *Sociétés et Représentations*, 19 (2005), pp. 250-267.

[22] Agradezco a Eduardo Jáuregui, archivero de la FSA, sus explicaciones y guía por la documentación de este fondo. Y a Borja Montero Pérez su indispensable y entusiasta ayuda en nuestra estancia bilbaína.

políticas o sindicales en el exilio, que ofrecieron cobertura asistencial a sus militantes a la vez que jugaron un papel fundamental dentro de las instituciones oficiales republicanas, donde tuvieron una alta representatividad. Precisamente son estas dos últimas las que he elegido para el segundo bloque de este trabajo, privilegiando, por tanto, a aquellas organizaciones de contenido político emanadas de una u otra forma del Estado republicano, pues ello me permitía analizar cómo se utilizó la escritura para establecer una relación con un estado derrotado y cómo este la empleó también para estar en contacto con sus ciudadanos desterrados. Con el mismo propósito, he seleccionado las instituciones que mejor me permitían reconstruir la trayectoria vital de los refugiados anteriormente citada: así me centro en una organización con sede en España (diversas delegaciones de la Asistencia Social), otra afincada en París (Delegación de la Unión General de Trabajadores, UGT —en su papel de intermediaria ante el SERE—) y otra domiciliada en México (CTARE).

La proliferación de organismos e instituciones de ayuda en el exilio español y las condiciones especiales de conservación de las súplicas y peticiones, si bien han dado lugar, por un lado, a una envidiable amplitud y heterogeneidad de fuentes para el estudio de la súplica, por otro lado han conllevado la necesaria selección de los organismos más aptos para el estudio, dada la imposibilidad de abarcar el maremagno de súplicas producidas a raíz de las evacuaciones derivadas de la Guerra Civil. Por la misma razón, y dado el carácter minucioso y cualitativo del estudio realizado, he seleccionado para cada capítulo un corpus limitado de peticiones, compuesto de entre 80 y 150 súplicas para cada uno, eligiendo aquellas que fueran representativas de las peculiaridades de cada fondo.

Dicho esto quiero presentar brevemente los estudios de caso que componen el segundo bloque y los diferentes objetivos que he perseguido en cada uno de ellos. Comienzo, en el tercer capítulo, «Primeros pasos y primeras letras. Las súplicas a la Asistencia Social», por las solicitudes enviadas a la Asistencia Social de la Delegación del Gobierno de Euskadi en Barcelona y a la Delegación de la Asistencia Social en Santander, dependiente del Ministerio de Sanidad, durante las primeras evacuaciones en el año de 1937.[23] El propósito ha sido conocer mejor la relación que se establece entre los evacuados y la escritura de peticiones en un momento en el que los engranajes del sistema asistencial apenas acababan de ponerse en funcionamiento y, por tanto, el desconocimiento sobre el mismo por parte de los refugiados era total, lo que provoca que nos encontremos ante peticiones más espontáneas, menos influidas por el peso del exilio y de la derrota. Por este motivo, estos fondos eran los más idóneos para llevar a cabo un estudio comparativo entre la normativa que regulaba la redacción de la súplica,

[23] Conservadas en el Centro Documental de la Memoria Histórica (CDMH), fruto de las incautaciones de documentación llevadas a cabo por parte del ejército sublevado a las instituciones republicanas con el fin de obtener información relevante para la posterior represión desplegada por el régimen franquista.

tal y como figuraba en los manuales epistolares editados o reeditados en la época, y la práctica de dicho ejercicio de escritura, máxime si tenemos en cuenta que para un gran número de evacuados supuso su primer contacto con esta tipología documental.

En el siguiente capítulo, «"Por techo el cielo y por lecho la arena". Peticiones desde los campos de internamiento», me centro en las solicitudes enviadas a la Delegación de la UGT en París, tanto las que les enviaron a la propia sindical como las que le remitieron para que actuara de intermediaria ante el SERE, tras el gran éxodo producido al caer Barcelona en manos de los sublevados y el encierro de buena parte de los exiliados españoles en campos de concentración salpicados por el territorio francés.[24] La finalidad, en este caso, era realizar un viaje al interior de las súplicas de los afiliados a la UGT y, con ellas, a las propias «historias de vida» de los refugiados que las escribieron puesto que fue habitual la inclusión en dichas peticiones de autobiografías en las que narraban su peculiar exilio con el objetivo de influir en sus lectores y obtener así lo demandado. Hasta qué punto este ejercicio tuvo repercusión en la consecución de lo solicitado y cómo dicha práctica se inserta en la tradición discursiva de algunos partidos políticos y sindicatos del periodo que nos ocupa, son aspectos en los que me detengo para establecer la relación entre lenguaje y poder, de ahí el interés en señalar las distintas estrategias utilizadas por los refugiados para conseguir que sus peticiones fueran escuchadas, cuáles fueron sus argumentaciones y cómo utilizaron la palabra como un arma de lucha, a pesar de que muchos fueran «escribientes inexpertos».

Por último, el quinto capítulo, «México: país de acogida. Las solicitudes al CTARE», se centra en las diferentes peticiones que los exiliados enviaron a dicho Comité, tras su llegada a México, país en el que para muchos terminó su periplo como refugiados.[25] En este último apartado he optado por indagar en la propia historia que se esconde detrás de cada súplica: desde su redacción hasta su posterior conservación, pasando por su tramitación y resolución. Por ello, trato de desentrañar las características administrativas de las solicitudes para conocer mejor las distintas motivaciones que hubo detrás de su conservación, al mismo tiempo que ahondo en sus distintas funcionalidades y en cómo la cultura escrita del exilio español acabó siendo determinante para la configuración de su memoria.

[24] Dicha documentación se conserva en el Archivo Amaro del Rosal Díaz (AARD) que fue donado a la Fundación Pablo Iglesias (FPI) donde se conserva en la actualidad. Concretamente se trata de la documentación correspondiente a la Comisión Ejecutiva de la UGT y dentro de ella a la que se corresponde con la Representación ante el SERE. García Paz, Beatriz; Martí Motilva, Carme; Martín Nájera, Aurelio y González Quintana, Antonio, *Catálogo de los archivos donados por Amaro del Rosal Díaz* (Madrid: FPI, 1986).

[25] Dada la magnitud de este archivo solo se ha trabajado con las secciones Estadística, Subsidios y Préstamos y Gobernación y Coordinación. Ordóñez Alonso, María Magdalena, *El Comité técnico de Ayuda a los Republicanos Españoles: historia y documentos, 1939-1940* (México D.F.: INAH, 1997).

De esta forma, en estos tres capítulos finales muestro la producción, la utilización, el funcionamiento y la conservación de las cartas de súplica del exilio español, atendiendo, desde un enfoque interdisciplinar que parte de la metodología de la Historia Social de la Cultura Escrita, a la dimensión social y cultural de dicha práctica.[26] Todo ello, para comprender la relación que los refugiados mantuvieron con la escritura y cómo utilizaron la misma como tabla de salvación, tanto en lo que se refiere a la emocional, a través de sus diarios, memorias y correspondencias, como en lo que afecta a la material, utilizando las peticiones como único recurso para que su voz llegara allá donde nadie parecía escuchar sus gritos desesperados.

Por último, en el Epílogo realizo una pequeña comparación entre los tres fondos sujetos a análisis que sirve para señalar sus similitudes y diferencias y que me permite mostrar cómo la redacción de súplicas, así como su tramitación y conservación, fue clave para el mantenimiento del Estado republicano y cómo las peticiones sirvieron tanto a los refugiados como a los organismos de ayuda para la conformación de una nueva comunidad en el exilio.

Solo me queda señalar que para la mayor parte de las fuentes reproducidas en este libro he empleado transcripciones actualizadas, en las que he corregido la ortografía y la puntuación con la finalidad de agilizar la lectura de los documentos utilizados. Sin embargo, el análisis lingüístico realizado en el cuarto capítulo requería transcripciones fieles al texto de las peticiones, en ese caso he llevado a cabo transcripciones paleográficas, concretamente en el quinto apartado del citado capítulo. Las intervenciones, así como la supresión de fragmentos del texto original, van entre corchetes.

Este libro, en definitiva, pretende recoger el eco de las voces de los exiliados, visibilizando a los que han sido invisibles y demandando una mayor atención, no solo hacia ellos, sino también hacia los miles de refugiados que a día de hoy siguen huyendo de la guerra, del hambre y de la represión; colapsando carreteras, caminos, enfrentándose a la inmensidad del mar…, como una historia condenada a repetirse y de la que aún nos queda mucho por aprender.

* * *

No puedo concluir esta breve introducción sin agradecer a todos aquellos que han hecho posible esta investigación. Debo comenzar por los diferentes fondos públicos

[26] Petrucci, Armando, *Alfabetismo, escritura, sociedad* (Barcelona: Gedisa, 1999) y *La ciencia de la escritura…*; Chartier, Roger, *Escribir las prácticas: discurso, práctica y representación*, (Valencia: Fundación Cañada Blanch; Universitat de València, 1998); Castillo Gómez, Antonio, «La corte de Cadmo. Apuntes para una Historia social de la cultura escrita», *Revista de Historiografía,* ½ (2004), pp. 89-98 y *La conquista del alfabeto. Escritura y clases populares* (Gijón: Trea, 2002); Gimeno Blay, Francisco, *Scripta Manent. De las ciencias auxiliares a la historia de la cultura escrita* (Granada: Universidad de Granada, 2008).

que han financiado mi formación a lo largo de todos estos años, desde la educación pública que he recibido desde la infancia, hasta las diferentes becas pre y postdoctorales, pasando por los distintos proyectos de investigación nacionales e internacionales de los que he formado parte; todo ello ha permitido que alguien como yo pueda estar hoy escribiendo estas palabras. Sin estos fondos, estoy convencida que me hubiera quedado en el camino y no por falta de ganas.

Solo tengo palabras de agradecimiento para todos los profesores, archiveros, compañeros y colegas que me han acompañado durante estos años y que en diferentes momentos me han escuchado y aconsejado. Es imposible mencionar a todos, pero debo hacerlo con Antonio Castillo Gómez y Verónica Sierra Blas, quienes depositaron su confianza en mí desde el inicio de este camino y han estado conmigo a lo largo del mismo ayudándome a sortear cada dificultad y resolviendo todas mis dudas e inquietudes. Sin su apoyo constante, estas páginas nunca hubieran sido publicadas. Verónica, además, me regaló el primer fondo documental con el que comencé este trabajo, dándome la oportunidad de hacer lo que siempre había soñado. Junto a ellos, debo dar las gracias a todos mis compañeros y compañeras del Seminario Interdisciplinar de Estudios de la Cultura Escrita de la Universidad de Alcalá por su generosidad, su ayuda y su amistad. Soy consciente de la suerte que tengo de formar parte de ese gran grupo. De la misma forma, agradezco a Rita Marquilhas su apoyo en los últimos años, tanto en lo que se refiere a esta publicación como al resto de mi trabajo. Y con ella, también, a mis compañeros del Centro de Lingüística de la Universidade de Lisboa, especialmente a Ana Costa por su inestimable ayuda para el capítulo 4. Así como a los distintos amigos, profesores y colegas que me han acogido en mis estancias de investigación en México D.F., Florencia, Perpignan, Collioure y Nueva York. Las charlas que sobre este trabajo, y miles de cosas más, he tenido con José Miguel Escribano y Diego Gaspar han enriquecido, con perspectivas muy diferentes, notablemente el mismo. De la misma forma que los consejos que me dieron tanto los informantes como los miembros del Tribunal de mi Tesis Doctoral, los profesores Francie Cate-Arries, Josefina Cuesta, Rose Duroux, Francisco Gimeno, Anna Iuso, Fernando Larraz, y Rita Marquilhas, han servido para mejorar la primera versión que ellos leyeron y evaluaron hace casi un año. Si Miguel Ángel del Arco y el equipo de Comares no hubieran creído en esta aventura estos «gritos de papel» seguirían sin oírse. Gracias por escucharlos. Para terminar quiero agradecer al Centro de Estudios de Migraciones y Exilios de la UNED y a la Dirección General de Migraciones del Ministerio de Empleo y Seguridad Social la distinción que dieron a mi Tesis Doctoral, de la que parte este libro, otorgándole el I Premio Nacional de Tesis Doctorales sobre los Movimientos Migratorios en el Mundo Contemporáneo.

Sobra decir que nunca lo hubiera conseguido sin mi familia y sin mis amigos. Casi nada tiene sentido si no se comparte, así que gracias por soportar los peores días y por celebrar conmigo los mejores. Sé que me dejo muchos, pero debo agradecer especialmente a Justyna, Víctor Hugo, Ana, Carlos, Carol, Dani, Alicia, Ricardo, Isa y Miguel. No puedo finalizar sin mi familia, Manuel, Ascensión, José Manuel y Rocío, porque son ellos los que siempre se han empeñado en que haga aquello que me apasiona y ellos mejor que nadie saben las dificultades que hemos tenido que sortear para conseguirlo. Gracias a Borja Montero, mi marido, por hacer de este trabajo un proyecto común: leyendo y anotando cada página, acompañándome en muchos de mis viajes y, todavía más importante, siendo la banda sonora perfecta de mi vida. Y debo terminar con él, con Águedo Adámez Parada, mi abuelo, a quien dedico estas páginas, aunque no llegué a tiempo de que las viera, porque fue él quien me enseñó la importancia de contar la historia desde abajo, a pesar de que no tuviera mucha idea de qué significaba eso.

Alcalá de Henares, 1 de abril de 2017

Capítulo I
Una vida por escrito
El exilio de la gente común

He andado muchos caminos,
he abierto muchas veredas;
he navegado en cien mares,
y atracado en cien riberas.
En todas partes he visto
caravanas de tristeza,
soberbios y melancólicos
borrachos de sombra negra,
y pendatones al paño
que miran, callan, y piensan
que saben, porque no beben
el vino de las tabernas.
Mala gente que camina
Y va a apestando la tierra […].*

Cuando hablamos del exilio español producido tras las derrota del Ejército republicano en 1939 nos vienen a la memoria las imágenes de los vencidos cruzando los Pirineos con sus escasas pertenencias a cuestas, como si se tratase de esas «caravanas de la tristeza» que el poeta Antonio Machado había descrito tiempo atrás. Algunos aún pensaban que podían salvar algo de su mundo. Otros, los que sabían que ya no tenían nada más que perder, iban solo con lo puesto. La aviación franquista, concretamente la Legión Cóndor, bombardeaba sin descanso los caminos por los que ellos intentaban escapar. Todavía hoy, cuando se recorre a pie ese paso fronterizo, que se ha convertido

* Machado, Antonio (edición crítica de Oreste Macrí), *Soledades, Galerías, Otros poemas, Poesías Completa* (Madrid: Espasa-Calpe, 1989), pp. 428-429.

en todo un «lugar de memoria»[1] del exilio español, se pueden sentir la dureza y lo abrupto del terreno, máxime si se cruza en pleno invierno y soplando la tramontana típica del clima del lugar.

Todos, quienes más, quienes menos, hemos tenido en nuestras manos algún libro, folleto o periódico donde se reproducían algunas de estas fotografías o las hemos visto a través de una pantalla. La mayoría nos hemos conmovido al ver la imagen del padre cruzando la frontera con su hija de la mano, las caras de pavor de las mujeres con sus niños pequeños en brazos mientras esperaban la autorización para entrar en Francia en el puesto fronterizo de Le Perthus, el peso de la derrota en los ojos de los militares que buscaban un refugio y dejaban amontonadas sus armas y, con ellas, su pasado, en un rincón. Hemos observado sus rostros, pero de poco conocemos su historia máxime cuando nos referimos a los personajes anónimos del exilio. El objetivo de las páginas que siguen es asomarnos un poco a la historia particular de estos refugiados, conocer cuáles fueron sus pasos y sus inquietudes y ver qué relación mantuvieron con la escritura durante su experiencia de desarraigo.

1. Momentos y características del éxodo

Aunque generalmente se asocie el inicio del exilio español a estas imágenes correspondientes a la derrota republicana en Barcelona, las evacuaciones de la población, tanto de un bando como de otro,[2] fueron prácticamente paralelas al desarrollo de la propia guerra. La mayor parte de los estudios han dividido las fases del exilio español en cinco, siguiendo la propuesta de Javier Rubio, aunque muchos aspectos y cifras que este aportaba han sido matizadas posteriormente por otros historiadores como Alicia Alted y Geneviève Dreyfus-Armand, entre otros.[3]

La primera evacuación colectiva hacia Francia se produjo tras la derrota del Ejército republicano en la campaña de Guipúzcoa, desarrollada entre agosto y septiembre de 1936. Los movimientos de población comenzaron a producirse tras la batalla de Irún. En la noche del 30 al 31 de agosto más de 2.000 refugiados llegaron a Hendaya. Después de la caída de San Sebastián, el número de exiliados españoles en Francia aumentó aproximadamente entre 10.000 y 20.000, si bien en su mayoría no llegaron

[1] Para entender a qué me refiero al utilizar el término «lugar de memoria» remito a Nora, Pierre (dir.), *Les lieux de mémoire* (París: Gallimard, 2004). Sobre la construcción de memoria en España en el siglo XX puede verse, entre otros, Cuesta Bustillo, Josefina, *La odisea de la memoria. Historia de la memoria en España, siglo* XX (Madrid: Alianza editorial, 2008).

[2] Para más información sobre las evacuaciones de la zona sublevada remito a Duarte, Ángel, «Monárquicos y derechas», en Canal (ed.), *Exilios. Los éxodos políticos en la Historia de España...*, pp. 217-240.

[3] Rubio, Javier, *La emigración de la Guerra Civil de 1936-1939* (Madrid: Editorial San Martín, 1977, Vol. 1), pp. 35-88; Alted Vigil, Alicia, *La voz de los vencidos. El exilio republicano de 1939* (Madrid: Aguilar, 2005), pp. 30-130; y, Dreyfus-Armand, Geneviève, *El exilio de los republicanos españoles en Francia. De la Guerra Civil a la muerte de Franco* (Barcelona: Crítica, 2000), pp. 34-50.

a establecerse en el país vecino, permaneciendo en el mismo alrededor de 5.000. La política de acogida francesa, a pesar de permitir el paso tanto a los militares como a los civiles que se encontraban en su territorio, puso un especial interés en fomentar su repatriación a España cuanto antes. En este mismo momento, en octubre de 1936, comenzaron también las primeras evacuaciones infantiles de la zona republicana con el objetivo de alejar a los niños del frente de batalla, primero hacia las colonias escolares de la Comunidad Valenciana y Cataluña, y después hacia distintos países que se prestaron a acoger a la infancia española (Francia, Bélgica, Inglaterra, URSS y México).[4]

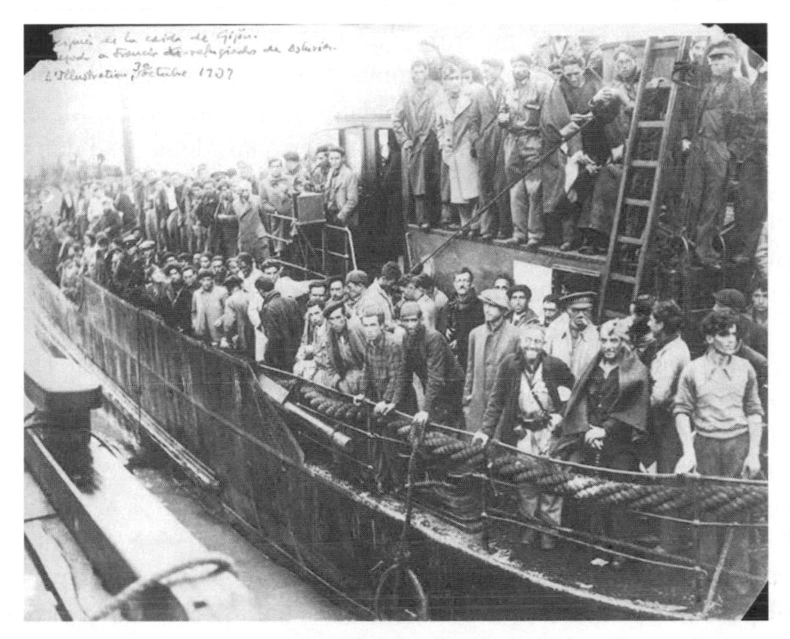

Figura 1. *Fotografía de la llegada a Francia de refugiados procedentes de Asturias, 30 de octubre de 1937. Recorte de prensa, publicado en* L'Illustration, *30 de octubre de 1937. Archivo Fotográfico de la FPI, Fondo Manuel Albar, FOT 001883.*

El segundo choque bélico que trajo consigo un movimiento masivo de población fue el producido en el Frente Norte entre junio y octubre de 1937, cuando el número de españoles evacuados a Francia llegó a 200.000. El Gobierno francés comenzó a

[4] ALTED VIGIL, Alicia, «Las consecuencias de la Guerra Civil española en los niños de la República: de la dispersión al exilio», *Espacio, Tiempo y Forma, Serie V, Historia Contemporánea,* 9 (1996), pp. 207-228. También puede verse PONS PRADES, Eduardo, *Los niños republicanos: el exilio* (Madrid: Oberon, 2005) y BELL, Adrian, *Solo serán tres meses: los niños vascos refugiados en el exilio* (Barcelona: Plataforma, 2011 [1996]). Finalmente, cabe destacar ALTED VIGIL, Alicia; GONZÁLEZ MARTELL, Roger y MILLÁN, María José, *El exilio de los niños* (Madrid: FPI; FFLC, 2003).

sentirse desbordado ante tal afluencia de refugiados, por lo que reforzó su política de repatriaciones, consiguiendo devolver a España, concretamente a Cataluña, a la mayoría de los combatientes refugiados en su territorio, permitiendo quedarse únicamente a aquellos que no supusieran una carga económica para el país, exceptuando a las mujeres, a los niños, a los ancianos y a los enfermos, a partir del 27 de noviembre de 1937.

Avanzando en el desarrollo de la contienda llegamos a la tercera fase de evacuación, correspondiente, en este caso, a la ofensiva del bando sublevado en el Alto Aragón durante la primavera de 1938. La derrota republicana en la batalla de Teruel fue la causante de que un gran número de militares tuviera que atravesar los Pirineos por pasos nevados y, por tanto, prácticamente infranqueables, durante los últimos días del mes de marzo y primeros de abril. A su vez, también fue evacuada población civil que, una vez en Francia, fue trasladada a los departamentos del interior. Alicia Alted estima que se vieron afectadas por esta oleada unas 24.000 personas, de las que dos tercios eran combatientes que fueron repatriados,[5] no sin antes preguntarles a qué zona de España querían volver, lo que produjo una firme queja del Gobierno republicano ante las autoridades francesas, puesto que se entendió que ello constituía una manera de reconocer al ejército sublevado y de facilitar la incorporación en sus filas de soldados que debían seguir sirviendo fielmente a la República española.

A estos movimientos de población hacia el exterior, en concreto hacia Francia por su proximidad geográfica, hay que sumar durante este periodo los movimientos de civiles evacuados que se produjeron dentro de la propia Península Ibérica según iban teniendo lugar los avances del Ejército sublevado. Madrid, primero, y Cataluña, después, especialmente cuando en el mes de enero de 1938 se instó a la población civil a que abandonara la capital y buscara un lugar más seguro para vivir, fueron los destinos principales de esta evacuación interior.[6]

Con el paso de los meses, las victorias del bando sublevado y el desgaste del ejército republicano comenzaron a revelar el final de la contienda a principios del año 1939. Fue entonces cuando se produjo el mayor éxodo conocido en la historia de España, que empujó, durante enero y febrero, a casi 500.000 españoles a abandonar sus hogares y huir de su país, al que muchos nunca retornaron. La toma de Tarragona el 14 de enero y la entrada de las tropas sublevadas en Barcelona pocos días después provocaron la salida generalizada hacia Francia, tanto de civiles como de los militares en retirada. Los historiadores que han analizado este penúltimo periodo coinciden en que el miedo ante posibles represalias y el caos reinante se adueñaron de los civiles,

[5] Alted Vigil, *La voz de los vencidos...*, pp. 41-42.

[6] Orden de evacuación de la población civil de Madrid, publicada el 5 de enero de 1938 en la *Gaceta de la República*, 5, pp. 52-53. [consultado en: http://www.boe.es/datos/pdfs/BOE//1938 005/B00052-00053.pdf].

que colapsaron los caminos y carreteras que conducían hacia la frontera francesa.[7] Era el «horror del sálvese quien pueda», según Antony Beevor.[8] Silvia Mistral, seudónimo de Hortensia Blanch Pita, narra en su diario esta huida que ella realizó el 4 de febrero de 1939:

> Caravanas de hombres, de mujeres y de niños. De soldados dispersos y campesinos fugitivos. Apenas nadie habla, sino es para quejarse de cansancio o para animar a proseguir esta ruta que parece no tener fin. Las pupilas se cansan, y hasta el alma, de esta emocionante visión del éxodo, de tanto contemplar —unos a otros— la marcha hacia nuevos horizontes. Un soldado cuenta que había estado en las retiradas de Bilbao, Santander y Gijón; luego en la del Ebro y finalmente en esta que, acaso, no hay que afirmarlo mucho, sea la última. Por eso alguien dijo que «los soldados españoles son soldados de alpargata».[9]

Ese medio millón de exiliados se fue agolpando poco a poco en los puestos fronterizos franceses que, desbordados, decidieron cerrar sus puertas durante los días 26 y 27 de enero. Finalmente, el día 28 por la mañana se abrió el paso a los civiles, si bien el resto tuvo que esperar hasta el 5 de febrero. Una vez pasada la frontera se llevó a cabo la separación de las familias. Los hombres en edad militar fueron conducidos a improvisados campos de internamiento, mientras que las mujeres, niños y ancianos fueron trasladados a los departamentos del interior, según la versión oficial ya que hay testimonios de mujeres y niños que demuestran que compartieron la misma fortuna que los varones. En lo que quedaba del año 1939, la suerte que corrieron los evacuados fue muy dispar, como tendremos oportunidad de ver. Las cifras apuntan que 360.000 volvieron a España a finales de año, repatriados por el Gobierno francés,[10] otros tantos prosiguieron en los campos de concentración y los más afortunados fueron trasladados a otros países que brindaron su ayuda a la fracasada II República española.

[7] THOMAS, Hugh, *La Guerra Civil española* (Barcelona-Buenos Aires-México: Grijalbo, 1976, Vol. 2), pp. 941-942.

[8] BEEVOR, Antony, *La guerra civil española* (Barcelona: Crítica, 2005), p. 573.

[9] MISTRAL, Silvia (edición a cargo de José F. Colmeiro), *Éxodo. Diario de una refugiada española* (Barcelona: Icaria, 2008), p. 73.

[10] Cifra extraída de RUBIO, *La emigración de la Guerra Civil...*, p. 124. Otros autores manejan una cifra bastante menor, así Geneviève Dreyfus-Armand afirma que fueron 300.000 los españoles que habían abandonado Francia a finales de 1939 contando entre éstos tanto a los repatriados como a los reemigrados a un tercer país. DREYFUS-ARMAND, *El exilio de los republicanos españoles en Francia...*, p. 79.

Figura 2. *Puesto fronterizo, posiblemente Le Perthus, enero-febrero 1939. CDMH, Archivo fotográfico de Albert Louis Deschamps, foto 37.*

No obstante, y volviendo al invierno de 1939, cuando la Guerra Civil española aún no había concluido, se produjo la última de las fases del exilio, que ya no tuvo como destino la Francia metropolitana, sino sus colonias en el Norte de África. Desde los primeros días del mes de marzo, los últimos refugiados españoles se dirigieron, a través del Mediterráneo, hacia Túnez. Sin embargo, la acción más importante fue la evacuación, o al menos el intento de ella, de miles de refugiados a través del puerto de Alicante el 28 de marzo de 1939, justo cuando acababa de caer Madrid. Los dos últimos barcos que salieron de este puerto fueron el *Marítima* y el *Stanbrook*, que llevaban a más de 2.000 refugiados apiñados hacia Orán. En total, entre 15.000 y 17.000 españoles pudieron escapar en estas últimas horas antes de la victoria franquista. A Argelia llegaron entre 10.000 y 12.000, mientras que a Orán lo hicieron unos 7.000. Muchos otros, sin embargo, quedaron atrapados en el puerto esperando un barco que nunca arribó.[11] La llegada de estos refugiados al Norte de África fue muy similar a la llegada de los exiliados de febrero de 1939 a la metrópoli y las políticas fueron prácticamente las mismas. Solo cambió la situación geográfica y, si a los refugiados que se agolparon en los Pirineos en los últimos días del mes de enero de 1939 les hicieron esperar a la apertura de la frontera durante días, a una parte de los refugiados que atracaron en Orán les tuvieron algo más de un mes recluidos en el buque que les había conducido hasta allí, el *Stanbrook*.

Así recordaba Miguel Martínez en sus memorias su llegada a Orán junto a su familia a bordo de un pesquero. Cuando desembarcó una de las primeras imágenes con las que se encontró fue con el *Stanbrook* atracado en el puerto, contaba apenas con 7 años de edad pero la imagen se quedó para siempre grabada en su memoria:

> [...] Mantengo apretada la mano del padre, quien me señala con la mirada un barco desbordante de seres humanos, puntos minúsculos que se agitan, lanzan invectivas a los cuatro vientos y nos saludan a gritos.
>
> —El *Stanbrook*, me dice escuetamente el padre.
>
> Años después descubriré la historia del famoso transatlántico inglés y la odisea de los que subieron a su bordo.[12]

Figura 3. *El* Stanbrook *en el puerto de Orán (Argelia), 1939. Archivo Fotográfico de la FPI, Fondo Amaro del Rosal, FO-003519.*

[11] Para más información véase VILAR, Juan B., «El exilio español de 1939 en el Norte de África», en MATEOS, Abdón (ed.), *¡Ay de los vencidos! El exilio y los países de acogida* (Madrid: Eneida, 2009), pp. 71-102.

[12] MARTÍNEZ LÓPEZ, Miguel, *Alcazaba del olvido. El exilio de los refugiados políticos españoles en Argelia (1939-1962)* (Madrid: Endymion, 2006 [2004]), p. 31.

Aunque las descritas son las fases principales del exilio español, no debemos olvidar que existieron otros exiliados que, aunque no formaron parte de este primer exilio, abandonaron España posteriormente, en los años 40 ó 50, o incluso después, como consecuencia igualmente de la Guerra Civil. Estos «nuevos refugiados» decidieron salir de España siguiendo los consejos de familiares y amigos que ya estaban en el exilio. Otros, en cambio, realizaron su viaje con el fin de conseguir la reagrupación familiar, mujeres y niños que deseaban encontrarse con el padre exiliado o viceversa. Es el caso de Purificación Nicanor Almarza, quien llegó a México junto a su madre y a sus hermanos en julio de 1953 por petición de su padre, que se encontraba allí desde 1939-1940. El testimonio de Puri nos muestra las dificultades por las que tuvo que pasar esta generación de exiliados que, a diferencia de los protagonistas del primer exilio, ya no contaban con las instituciones de ayuda republicana (muchas habían desaparecido) y tampoco eran considerados como exiliados de primer orden dentro de los grupos de refugiados ya formados, tanto fue así que ellos mismos terminaron por convencerse de que no eran «refugiados», ya que ellos habían conseguido llegar a México por cauces legales, como ella misma explica:

> [...] Incluso para nuestros familiares, padre y tías (hermanas de mi padre) consideraban y repetían que nosotros no éramos refugiados porque teníamos pasaportes y no habíamos llegado en barcos gratuitos de refugiados. Terminamos convencidos de que tenían razón: No somos refugiados, nosotros no huimos de ningún lado, tenemos y hemos tenido las puertas de España, nuestra tierra, abierta para nosotros y si llegamos con papeles que si nos concedió el Gobierno de España, mandara en ese Gobierno quien mandara, y pagamos nuestros pasajes.[13]

A este rechazo por parte del colectivo anterior de refugiados había que sumar la difícil convivencia familiar tras tantos años de separación. Factores, todos ellos, que hicieron muy difícil su adaptación forzada.

Las diferencias entre los refugiados españoles iban, sin embargo, mucho más allá de la fecha en la que estos habían decidido dar comienzo a su éxodo. La heterogeneidad del exilio español es una de sus características más importantes. Desde el lugar de origen, pasando por la profesión y el nivel de estudios, hasta la procedencia social, fueron muchas las disimilitudes entre los exiliados. Por ejemplo, en lo que concierne al mundo laboral, podemos encontrarnos con multitud de oficios: agricultores, ganaderos, obreros, médicos, abogados, maestros, etc. Tanto es así que muchos autores piensan que los refugiados que llegaron a Francia reflejan a la perfección cómo era la sociedad

[13] Entrevista realizada por Guadalupe Adámez Castro a Purificación Almarza el 8 de octubre de 2011 (México D. F.). Agradezco a Puri y su familia la hospitalidad con la que me acogieron en su casa y la generosidad con la que me contó su historia. Para más información remito a sus memorias, ALMARZA CHAVES, Purificación, *Arrancados de Raíz* (México: autoedición, 2001).

española de su época.[14] En cambio, para la emigración hacia terceros países, se produjo una selección previa por parte de las autoridades, tanto de las españolas como, en muchas ocasiones, de las del país de destino correspondiente, lo que provocó la división de este grupo inicialmente heterogéneo y la formación de otros grupos con características similares. Esta pluralidad nos lleva a afirmar que no existe un solo exilio español, sino que hay muchos «exilios», característica que, sin duda, condiciona su desarrollo y evolución.

Otra peculiaridad de este éxodo fue su larga duración, pues muchos refugiados no volvieron a España hasta la promulgación en marzo de 1969 del primer Decreto-Ley en el que se declaraban prescritos todos los delitos relacionados con la Guerra Civil. Hubo también quienes se negaron a regresar hasta que el dictador, Francisco Franco, no hubiera muerto e incluso hubo un gran número de refugiados que nunca volvieron a pisar la tierra que les vio nacer.[15]

Característica clave de este fenómeno es también la reconstitución del Gobierno de la República en el exilio, conformado a partir de las distintas «culturas políticas» que pugnaron por el protagonismo durante casi todo el tiempo que este duró,[16] provocando la falta de representatividad de las instituciones y los continuos cambios de Gobierno, lo que derivó en su escasa operatividad y en su progresiva marginación. A pesar de ello, las instituciones de la República, con menor o mayor peso, no dejaron de funcionar hasta las primeras elecciones democráticas en España, puesto que fue entonces cuando dieron por finalizada su labor histórica.[17]

Gracias al Gobierno de la República en el exilio, los refugiados contaron con apoyo económico y asistencial, algo que no tiene muchos precedentes en los distintos exilios sucedidos hasta ese momento, salvo durante la I Guerra Mundial cuando comenzó a mostrarse un interés evidente en la ayuda a los desplazados. Por ello, Dolores Pla ha afirmado que: «El exilio español, a diferencia de muchos otros, con seguridad la inmensa mayoría, contó con recursos económicos, y eso fue posible porque junto con los refugiados se exilió también su estructura de gobierno».[18]

[14] DREYFUS-ARMAND, *El exilio de los republicanos españoles en Francia...*, p. 188.

[15] Una aproximación al problema del retorno de los refugiados españoles, centrado en México, pero con conclusiones comunes a todos los exiliados, puede verse en CORDERO OLIVERO, Inmaculada: «El retorno del exiliado», *Estudios de historia moderna y contemporánea de México,* 17 (1996), pp. 141-162.

[16] DE HOYOS PUENTE, Jorge, «Las Españas del exilio, una mirada a las culturas políticas refugiadas en México, 1939-1950», *Estudios Migratorios Latinoamericanos,* 24/69 (2010), pp. 235-262.

[17] Sobre la historia política de la República en el exilio, entre muchos otros, son de obligada consulta ALTED VIGIL, *La voz de los vencidos...*, pp. 311-338; CABEZA SÁNCHEZ-ALBORNOZ, Sonsoles, *Historia política de la Segunda República en el exilio* (Madrid: Fundación Universitaria española, 1997) y FLORES, Xavier, «El Gobierno de la República en el exilio. Crónica de un imposible retorno», *Espacio, Tiempo y Forma, Serie V, Historia Contemporánea*, 14 (2001), pp. 309-350.

[18] PLA BRUGAT, Dolores, «Un río español de sangre roja. Los refugiados republicanos en México», en Pla Brugat, Dolores (coord.), *Pan, trabajo y hogar. Exilio republicano español en América Latina* (México D. F: Centro de Estudios Migratorios, INAH, DGE Ediciones, 2007), p. 51.

Los dos organismos principales de ayuda creados por el Gobierno republicano en el exilio, financiados con los fondos que se habían conseguido salvar, fueron el ya citado SERE, capitaneado por Juan Negrín, cuya delegación en México estuvo liderada por José Puche, el CTARE y la Junta de Ayuda a los Republicanos Españoles (JARE), con Indalecio Prieto a la cabeza. En el siguiente capítulo tendremos oportunidad de describir más detalladamente estas instituciones, así como otras, lo que nos ayudará a profundizar en el marcado carácter asistencial del exilio español.

2. Una acogida inesperada. Los campos de internamiento

La llegada de miles de españoles a Francia en el mes de febrero de 1939 conmocionó al Gobierno galo, que poco o nada había previsto para atenderlos. De la misma manera, la avalancha humana de derrotados republicanos atravesando los Pirineos, sucios, enfermos, agotados y hambrientos, se quedó grabada para siempre en la memoria colectiva de los habitantes del suroeste francés. Este suceso dividió a la prensa y a la sociedad francesa. Por un lado, fueron defendidos y se pidió su auxilio urgente. Por otro, por el contrario, fueron criticados y desprestigiados, derivado de lo que Louis Stein denominó el «gran miedo».[19] Por ejemplo, mientras que en periódicos como *L'Humanité* se denunciaba el trato que se les estaba dando y se aludía al deber de las autoridades francesas de atender correctamente a estos «héroes de la libertad»; en otros medios, como *L'Ouest-Eclain* les tachaban de delincuentes y fugitivos peligrosos.[20]

La decisión del Gobierno francés, que no fue espontánea a pesar de lo que tradicionalmente se ha señalado, fue recluir a la mayor parte de los exiliados en campos de concentración o de internamiento.[21] Sobre la denominación de «campos de concentración» y «campos de internamiento o de refugiados» es mucho lo que se ha debatido hasta el momento. El término «campo de concentración» aparece por primera vez en el contexto de la guerra de los Boers en Inglaterra y se popularizó durante la I Guerra Mundial en referencia a los campos creados por franceses y británicos para internar a prisioneros alemanes, austrohúngaros y otomanos, principalmente. En cuanto a los campos a los que me refiero en este apartado, aquellos en los que recluyeron a los refugiados españoles, el propio Gobierno francés los denominó en un inicio como «campos de concentración» pero, con el avance de la II Guerra Mundial, y ante la posible equiparación de estos

[19] Stein, Louis, *Beyond Death and Exile: The Spanish Republicans in France, 1939-1955* (Massachusetts: Harvard University Press, 1979), pp. 39-45.

[20] Véanse *L'Humanité* (n.º 14.464, 26 de enero de 1939; n.º 14.650, 30 de enero de 1939; n.º 14.653, 2 de febrero de 1939; n.º 14.657, 6 de febrero de 1939) y *L'Ouest-Eclair* (n.º 15.422, 31 de enero de 1939), entre otros. Biblioteca Nacional de Francia.

[21] Según los últimos estudios, a principios del año 1938 el Gobierno francés ya preveía estos lugares de internamiento para los futuros perdedores de la Guerra Civil española. Cfr. Solé, Felip y Tuban, Grégory: *Camp d'Argelers, 1939-1942* (Barcelona: Cossetània, 2011), p. 32.

con los campos de concentración nazis, comenzaron a denominarlos a partir de 1941 como «centre de hébergement».[22] Actualmente, en casi toda la historiografía aparecen denominados como «campos de internamiento» para diferenciarlos de los «campos de concentración» nazis de la II Guerra Mundial.

Mapa 1. *Principales campos de internamiento y de castigo habilitados para los republicanos en 1939. Realizado por Secundino Serrano Fernández,* La última gesta. Los republicanos que vencieron a Hitler (1939-1945) *(Madrid: Aguilar ediciones,* El País, *2005), p. 651.*

Joël Kotek y Pierre Rigoulot en su estudio sobre los campos del siglo XX apuntaron la dificultad para establecer las diferencias entre las distintas tipologías, así como para denominarlos de forma correcta. Finalmente, apostaron por realizar una definición dependiente de la función de cada uno, distinguiendo entre campos de internamiento, campos de concentración y campos de exterminio. Para ellos, los primeros tuvieron como objetivo aislar temporalmente a los individuos sospechosos o considerados peligrosos, entrando en esta categoría los campos creados durante los conflictos con la finalidad

[22] GRANDO, René; QUERALT, Jacques y FEBRÉS, Xavier, *Camps du Mépris, des chemins d'exil à ceux de la résistance, 1939-1945* (Canet: Trabucaire, 2004), p. 63.

de recluir a los enemigos nacionales o a los que se percibían como tal, poniendo como uno de los ejemplos justo a los campos franceses que nos ocupan. En segundo lugar, los campos de concentración, cuya finalidad era la degradación, la reeducación, el trabajo forzoso y la aniquilación, propios de los periodos de guerra, especialmente de los periodos totalitarios, algunos ejemplos son los campos de trabajo nazis y el *Gulag*. Por último, estaban los centros de exterminio relacionados directamente con los campos de exterminio nazi o de «muerte inmediata» cuyo propósito era la exterminación de la raza judía.[23]

Siguiendo esta conceptualización, podemos decir que los campos en los que estuvieron recluidos los refugiados españoles responden a las características de los «campos de internamiento».[24] No obstante, tal y como apuntan algunos investigadores como Dreyfus-Armand y Gaspar Celaya, en la memoria colectiva de los refugiados españoles, así como en la mayor parte de su producción escrita, estos campos aparecen denominados como «campos de concentración» quizás persiguiendo la finalidad de subrayar el profundo sufrimiento físico y moral que padecieron dentro de los mismos.[25]

En cuanto al número de internos en estos campos se han barajado varias cifras. Parece ser que en febrero de 1939 la población rondaba los 250.000 exiliados,[26] mientras que en los años siguientes estos fueron descendiendo hasta los 4.327 registrados en enero de 1942.[27] No se sabe con certeza cuántos campos llegó a haber, pero casi todos los especialistas coinciden en que fueron más de una decena [Mapa 1.1.]. A los primeros, como Argelès-sur-Mer o Saint-Cyprien, que en sus inicios eran poco más que unas alambradas puestas sobre la arena de las playas del Rosellón, les siguieron muchos otros: Bram (Aude), creado para descongestionar a los anteriormente citados; Gurs (Bajos Pirineos); Agde (Hérault), con un alto número de catalanes; Septfonds

[23] Kotek, Joël y Rigoulot, Pierre, *Le siècle des camps. Détention, concentration, extermination. Cent ans de mal radical* (París: Lattès, 2000), pp. 20-22.

[24] Sobre esta problemática es de obligada consulta Peschanski, Denis, *La France des camps. L'internement, 1938-1946* (París: Gallimard, 2002), pp. 36-71.

[25] Dreyfus-Armand, Geneviève, «De quelques termes employés (camps d'internement, de concentration, d'extermination): de leur signification Historique à leur poids mémoriel», en Sicot, Bernard, *De l'exil et des camps: écrire et peindre, de Max Aub à Ramón Gaya* (París, Université Paris-Ouest Nanterre La Défense, 12-2008), pp. 19-31; y, Gaspar Celaya, Diego, *La guerra continúa. Voluntarios españoles al servicio de la Francia libre (1940-1945)* (Madrid: Marcial Pons, 2015), pp. 111-114.

[26] El dato oficial que dio Jan Ybernégaray en la Cámara de los Diputados fue de 226.000 españoles, según lo recogido por Dreyfus-Armand. Alted maneja números más elevados, aumentado a 275.000 los recluidos a mediados de febrero de 1939. Dreyfus-Armand, *El exilio de los republicanos españoles en Francia...*, p. 59 y Alted Vigil, *La voz de los vencidos...*, p. 70.

[27] Rubio, Javier, «Política francesa de acogida. Los campos de internamiento», en Cuesta, Josefina y Bermejo, Benito (coord.), *Emigración y exilio. Españoles en Francia, 1936-1946* (Madrid: Eudema, 1996), p. 102.

(Tarn-et-Garonne); Barcarès (Pirineos Orientales); Rivesaltes (Pirineos Orientales), con una elevada población infantil, etc.[28]

Además, hubo algunos disciplinarios o de castigo, como Rieucros (Lozère), Le Vernet-d'Ariège (Ariège) y Fort-Collioure (Collioure), más conocido como «el primer calabozo del exilio».[29] La misma suerte que los exiliados en la metrópoli francesa corrieron los que llegaron a sus colonias del Norte de África, donde también fueron recluidos en campos de internamiento: Morand, Bizerta, Djelfa, Meridja, fueron algunos de los más conocidos, aunque su historia todavía no se conoce completamente a pesar de que contamos con algunos magníficos testimonios, como, por ejemplo, el poemario *Diario de Djelfa* de Max Aub, donde recoge su experiencia como exiliado.[30]

Las condiciones de vida en los campos, como ha quedado reflejado en las memorias publicadas o inéditas de los exiliados españoles, fueron muy duras. En un principio, apenas contaban con barracas en las que guarecerse del frío del invierno y, cuando las hubo, estas albergaban en su interior al doble o el triple número de hombres para el que estaban habilitadas. La comida era insuficiente, poco más que un mendrugo de pan y alguna que otra lata de conservas, y el agua insalubre (en muchas ocasiones depurada del mar). Debido a ello pronto hicieron aparición los piojos, las pulgas y las chinches, así como un gran número de enfermedades infecciosas, como la disentería o la avitaminosis, sin olvidar los numerosos problemas psíquicos que afectaban a los refugiados y que pronto se conocieron como la «arenitis».[31]

Estas malas condiciones y sus consecuencias empeoraron la ya maltrecha salud de los exiliados y produjeron un elevado número de muertos, según Geneviève Dreyfus fueron 14.672 fallecidos durante los primeros seis meses de exilio, tanto fuera como dentro de los campos, aunque advertía que esta cifra requería una profunda revisión.[32] A pesar de la dificultad para cuantificar el número de fallecidos durante estos meses,

[28] Sobre los principales campos remito a CHUECA, Josu, *Gurs, el campo vasco,* (Navarra: Txalaparta, 2006); BLAS MÍNGUEZ, Adrián, *Campos de Argelès, Saint-Cyprien y Barcarès, 1939-1942* (Madrid: Memoria Viva. Asociación para el estudio de la deportación y del exilio español, 2012); y HUSSER, Beate: *Histoire du camp militaire Joffre de Rivesaltes* (París: Lienart - Les Cahiers de Rivesaltes, 2014).

[29] Para un conocimiento general sobre los campos, véanse DREYFUS-ARMAND, Geneviève y TEMIME, Émile, *Les Camps sur la plage, un exil espagnol* (París: Éditions Autrement, 1995) y RAFANEAU-BOJ, Marie-Claude, *Los campos de concentración de los refugiados españoles en Francia (1939-1945)* (Barcelona: Ediciones Omega, 1995).

[30] AUB, Max [ed. de Xelo Candel Vila], *Diario de Djelfa* (Valencia: Edicions de la Guerra & Café Malvarrosa, 1998).

[31] Cfr. FERRER, Eulalio, *Entre Alambradas* (Barcelona: Grijalbo, 1988), pp. 69-70 y p. 94. Sobre los problemas psíquicos que produjo a los refugiados el paso por los campos véase MINARRO, Anna, «Camp d'Argelers: el rastro (rostre) de la violència», en Barrié, Roger; Camiade, Martine y Font, Jordi (dir.), *Déplacements forcés et exils en Europe au XXe siècle. Le corps et l'esprits / Desplaçaments forçosos i exilis a l'Europa del segle XX. El cos i l'esperit* (Perpignan: Talaia, 2013), pp. 131-148.

[32] Cfr. DREYFUS-ARMAND, *El exilio de los republicanos en Francia...*, p. 65.

lo que está claro es que la mortalidad fue muy elevada, tanto que algunos refugiados bautizaron a estas playas como las «playas de la muerte».[33] Otros realizaban profundas reflexiones en las que los campos eran vistos como verdaderos cementerios, como por ejemplo Jaime Espinar quien describía de la siguiente forma el campo de Argelès-sur-Mer en sus memorias, escritas durante su reclusión y publicadas desde su exilio venezolano en 1940:

> Ni siquiera era un «campo» que, en último caso, representa un mínimum de previsiones y organización. Un punto de la costa mediterránea, un sitio inhóspito, donde se citaban los vientos de febrero para sacudir sus trallas sobre carne española. Para cementerio, cualquier lugar de la tierra sirve. Una playa o una montaña. Más distante o cercana la nube, es lo mismo. El Gobierno francés canaliza, el río desbordado de nuestra emigración, a la vera del mar. Llega a Argelès, repasa el poblado y dice: ¡Aquí! Y allí se estableció el dique. El río vino a aquietarse, hasta convertirse en lago de sangre.[34]

A pesar de estas duras condiciones de vida, los exiliados españoles pronto se organizaron y buscaron con qué entretenerse en las largas y tediosas horas de espera, algo que les proporcionara la evasión suficiente como para seguir viviendo mientras conseguían ser liberados, una nueva arma que les diera la oportunidad de continuar su lucha. La cultura y la educación fueron así las mejores herramientas para recuperar la dignidad perdida,[35] tanto que algunos autores, como Scott Soo, afirman que si consiguieron sobrevivir a la monotonía y a la desesperación de los campos fue gracias a estas actividades.[36] En este contexto, la escritura se convirtió en indispensable y quedó para siempre ligada a la vida de los refugiados.

3. La escritura o la vida: la cultura de la resistencia

Clases, conferencias, debates, exposiciones, boletines, redacción de cartas, etc., hicieron posible mantener la identidad republicana y resistir. Además del valor ideológico y político, estas actividades permitían la cohesión o unión de todos los refugiados,[37] el despertar en ellos de un sentimiento de «comunidad» que les permitiera ayudarse y sobrevivir. Francie Cate-Arries en su estudio sobre la «cultura literaria» del exilio

[33] Marcó Gil, Jaime, *De punta de N'Amer a St. Cyprien. La olimpiada del 18 de julio de 1936* (Palma de Mallorca: autoedición, 1990), p. 128.

[34] Espinar, Jaime, *Argelès-sur-Mer. Campo de concentración para españoles* (Caracas: Elite, 1940), p. 79.

[35] Dreyfus-Armand y Temime, *Les Camps sur la plage…*, p. 103.

[36] Soo, Scott, «Between Borders, The Remembrance Practices of Spanish Exiles in the South West of France», en Altink, Henrice y Gemie, Sharif (dirs.), *At the border. Margins and Peripheries in Modern France* (Cardiff: University of Wales Press, 2007), p. 103.

[37] Vilanova i Vila-Abadal, Francesc, «En el exilio: de los campos franceses al umbral de la deportación», Molinero, Carme; Sala, Margarida y Sobrequés, Jaume (eds.), *Una inmensa prisión. Los campos de concentración y las prisiones durante la guerra civil y el franquismo* (Barcelona: Crítica, 2003), p. 97.

español en los campos de concentración hace especial hincapié en que a pesar de que estos ocupaban un espacio negativo en la memoria de los refugiados, ella los califica como «lugares desiertos», se acabaron transformando, gracias a un discurso común, en «lugares de memoria», siendo un elemento clave en los procesos de «construcción nacional» que los exiliados españoles afrontarán después. En palabras de Cate-Arries: «Sostengo que los campos se configuran frecuentemente como un tipo de solar en construcción para la nación en el exilio, un lugar dónde los supervivientes de la Guerra Civil empezaron tanto a escribir una nueva historia nacional como a ensamblar de nuevo su identidad política como luchadores de la justicia social».[38] En este sentido, se llegó a asimilar simbólicamente el proceso de edificación de las barracas, en el que muchos refugiados tuvieron que participar debido al caos reinante, con el rescate del mundo perdido que querían recuperar.[39]

Nació de esta forma lo que algunos autores han denominado como la «cultura de las arenas»,[40] que tuvo tres vértices principales: la creación de los conocidos como «barracones de la cultura», a los que los refugiados asistían para recibir distintas lecciones y clases y adquirir o completar su formación; la confección de periódicos y boletines; y la vinculación del refugiado con las escrituras personales, ya fueran estas epistolares o autobiográficas, gracias a las cuales afirmaba su identidad y obtenía sostén psicológico para hacer frente a las adversidades.

Difundir para educar. Barracones de cultura y boletines

Los «barracones de la cultura» funcionaron gracias a los propios refugiados, especialmente a aquellos que eran maestros o profesores y que, en su mayoría, pertenecían a la Federación de Trabajadores de la Enseñanza (FETE).[41] Realizaron una loable labor organizativa y pedagógica a través de distintas actividades culturales y educativas que sirvieron para cultivar la mente y levantar el ánimo de los exiliados.[42] Herederos de los ideales educativos y culturales propulsados por la II República española y continuados durante la Guerra Civil, como si de una «milicia cultural republicana» se tratase,[43] consi-

[38] CATE-ARRIES, Francie, *Culturas del exilio español entre las alambradas. Literatura y memoria de los campos de concentración en Francia, 1939-1945* (Barcelona: Anthropos, 2012 [2004]), p. 23.

[39] CATE-ARRIES, *op.cit.,* pp. 209-210.

[40] RAFANEAU-BOJ, *Los campos de concentración de los refugiados españoles...,* p. 141.

[41] Sobre la FETE remito a DE LUIS MARTÍN, Francisco, *La FETE en la Guerra Civil española (1936-1939)* (Barcelona: Ariel, 2002).

[42] CRUZ OROZCO, José Ignacio, «Los barracones de cultura. Noticias sobre las actividades educativas de los exiliados españoles en los campos de refugiados», *Clío,* 26 (2002), pp. 1-21.

[43] Cfr. CUESTA BUSTILLO, Josefina, «Las capas de la memoria. Contemporaneidad, sucesión y transmisión generacionales en España (1931-2006)», *Hispania Nova. Revista de Historia Contemporánea*, 7 (2007), sin paginar.

deraron los campos como espacios donde proyectar esa experiencia previa y desarrollarla en la medida de lo posible, tal y como afirman en sus boletines:

> No es nada nuevo; continuamos simplemente una labor que se inició en España: lucha contra el analfabetismo, milicias de la cultura, misiones pedagógicas, etc. Y estamos simplemente en nuestro puesto; españoles y antifascistas, conscientes de nuestra misión, estamos donde hay camaradas a quienes podemos ser útiles.[44]

En algunos campos hubo barracones destinados específicamente a estas actividades. En otros, sin embargo, no tuvieron tanta suerte y tuvieron que realizarse en espacios cedidos por los propios refugiados, quienes dejaban libres algunas barracas con este fin, o en lugares comunes, en muchas ocasiones al aire libre. Manuel García Gerpe en sus memorias explica cómo consiguieron que el mando francés en el campo de Septfonds les dejara una barraca para llevar a cabo estas actividades: «[...] El número de las clases matutinas fue aumentando, hasta el extremo de que llegamos a conseguir del "jefe francés" del campo, se habilitase una barraca (la 11) exclusivamente para enseñanza».[45]

Por regla general, los refugiados recibieron escasa ayuda de las instituciones de auxilio, al menos del SERE y la JARE pero sí contaron con algunas donaciones de otras asociaciones, como, por ejemplo, los cuáqueros, especialmente la Comisión Internacional y de Ayuda de los Cuáqueros provenientes de los EEUU, que enviaban algunos materiales, como lápices, cuadernos, libros, etc.[46] Igualmente hubo aportaciones particulares, bien de franceses o bien de algunos españoles, que hicieron posible que, a pesar de todas las dificultades, estas actividades se pudieran desarrollar, como por ejemplo los maestros franceses de los pueblos cercanos quiénes facilitaron material escolar a los exiliados españoles e incluso se ofrecieron para impartir clases de francés.[47]

Además de los testimonios de los propios refugiados, se han conservado informes que permiten hacernos una idea de cuál fue la magnitud de esta labor educativa y cultural en los campos. Por ejemplo, el realizado por Amparo Ruiz, representante de la FETE, el 8 de julio de 1939, donde esta afirma que solo en el campo de Saint-Cyprien había un total de 108 maestros y 4.048 alumnos que recibían, principalmente, clases de cultura general y de francés. A pesar de ser el que tenía una mayor actividad, en dicho informe se destacaba que trabajos de igual índole se realizaban en los campos de Agde,

[44] *Boletín de los Profesionales de la Enseñanza*, 28, 10 de agosto de 1939, Saint-Cyprien, FPI-AARD, Caja 270, carpeta 2.

[45] García Gerpe, Manuel, *Alambradas. Mis nueve meses por los campos de concentración de Francia* (Buenos Aires: Editorial Celta, 1941), pp. 110-111.

[46] Informe de Cecilio Palomares para Amaro del Rosal, 29 de octubre de 1940. FPI-AARD, Caja 270, carpeta 2. Para más información sobre esta labor humanitaria véase Kershner, Howard E., *La labor asistencial de los cuáqueros durante la Guerra Civil española y la posguerra. España y Francia. 1936-1941* (Madrid: Siddharth Mehta Ediciones, 2011).

[47] Informe del campo de Agde (29 de junio de 1939), de Ezequiel Delgado Ureña Martínez, delegado de la UGT, para Amaro del Rosal. FPI-AARD, Caja 270, carpeta 2.

Barcarès, Septfonds, Montolieu, etc.[48] A estos informes, en ocasiones, acompañaban gráficos con los que se ilustraba esta tarea educativa y cultural realizada en los campos, como el que reproduzco a continuación, remitido a Amaro del Rosal, responsable de la delegación de la UGT en París para que este conociera el trabajo cultural desempeñado en el campo de Gurs.

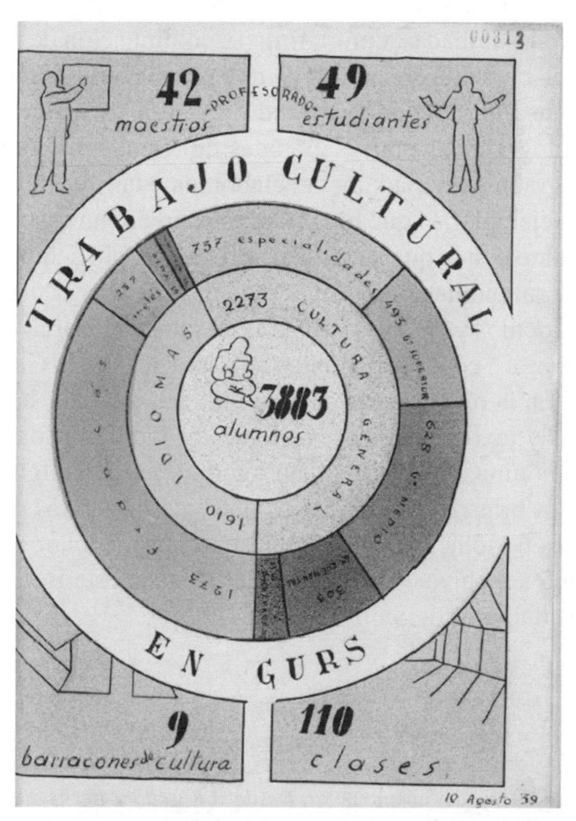

Figura 4. *Organigrama que representa cómo se dividía el trabajo en Gurs. Informe de Amparo Ruiz (representante de la FETE) sobre la actividad cultural en los campos remitido a Amaro del Rosal, 8 de julio de 1939, FPI-AARD, caja 270, carpeta 2.*

Por otro lado, los boletines de información y las publicaciones periódicas realizadas dentro de los propios campos solían explicar de forma detallada a qué clases y actividades culturales podían asistir los internos.[49] Dichos boletines se realizaban de una forma

[48] Informe de Amparo Ruiz, representante de la FETE, sobre la actividad cultural en los campos, remitido a Amaro de Rosal (Delegación de la UGT, París), 8 de julio de 1939. FPI-AARD, Caja 270, carpeta 2.

[49] Para conocer mejor estos boletines remito a VILLEGAS, Jean-Claude (coord.), *Plages d'exil. Les camps de réfugiés espagnols en France, 1939* (Nanterre: Bibliothèque de documentation internationale

muy rudimentaria, aunque muchos de ellos tenían un gran valor artístico. Normalmente se elaboraba un número original, manuscrito o mecanografiado, dependiendo de las posibilidades que hubiera en cada campo y de este se realizaban entre quince y veinte copias, aunque de algunas de estas publicaciones, debido a la escasez de medios, solo se hicieran dos ejemplares, lo que diferenciaba el nivel de circulación de unas y otras.[50]

Solían tener una periodicidad irregular, a veces semanal y otras mensual, salvo el caso de las publicaciones radiadas, como *Altavoz*, continuación de *Radio Chabola*, que era diaria, ya que su elaboración era menos compleja y requería de menos tiempo porque en sus páginas se transcribía lo que se difundía a través de las ondas.[51] Las ediciones manuscritas y mecanografiadas eran elaboradas de forma artesanal, su redacción era muy cuidada, la caligrafía extremadamente elaborada y las ilustraciones eran copiadas y coloreadas en cada ejemplar, lo que hacía de cada número un caso único. El contenido estaba relacionado tanto con lo que sucedía dentro del propio campo como con noticias del exterior, si bien eran publicaciones muy mediatizadas por la censura. Combinaban los noticiarios con artículos y ensayos de temas de interés general, como la Sanidad, la Educación o la Historia, así como con asuntos relacionados con la Guerra Civil, la URSS, la II República, etc. En la mayor parte de los boletines, además, había una importante presencia de poemas y textos literarios, compuestos tanto por los intelectuales como por los refugiados anónimos que no habían tenido presencia alguna en el mundo de las letras.[52] Incluso los brigadistas internacionales internos en los campos tuvieron sus propias publicaciones periódicas como demuestran los ejemplares que de estas se han conservado en distintos archivos entre las cuales destaco este Boletín realizado por el grupo de brigadistas italianos de Saint-Cyprien.[53]

---

contemporaine (BDIC), 1989); y, del mismo autor, *Desde el Rosellón: Écrits d'exil.* Barraca *et* Desde el Rosellon. *Albums d'art de littérature à Argelès-sur-Mer, en 1939, par un groupe de républicans espagnols réfugiés* (Sète: Nouvelles presses du Languedoc, Gap, 2008).

[50] Así sucede con la publicación *Exilio*, liderada por Césareo Borque Echevarría y editada en Bram, de la que tan solo se podían realizar dos ejemplares, lo que provocaba que sus autores aconsejaran a los refugiados cómo debía ser su circulación y su lectura para evitar su extravío. Cfr. *Exilio,* 4 de mayo de 1939, Bram. [Consultado en: http://www.exiliadosrepublicanos.info/es/testimonios-campos/revista-exilio].

[51] Véase VILLEGAS, Jean-Claude, «La cultura des sables: presse et édition dans les camps de réfugiés», en Villegas, *Plages d'exil...,* p. 136.

[52] ADÁMEZ CASTRO, Guadalupe, «La primera prensa del exilio español. La edición de boletines en los campos de internamiento del suroeste francés (1939-1940)», en Gómez Bravo, Gutmaro y Pallol Trigueros, Rubén (ed.), *Posguerras. Actas congreso 75 aniversario guerra civil española* (Madrid: FPI, 2015), edición digital, sin paginar.

[53] *Bollettino la vita del campo*, 3, Saint-Cyprien, 2 de abril de 1939. Abraham Lincoln Brigade Archive (ALBA), Tamiment Library & Robert F. Wagner Labor Archives, University of New York (NYU), Moscow Microfilm, Opis 4, f. 16-29. Debo agradecer a Diego Gaspar Celaya que me diera a conocer esta documentación.

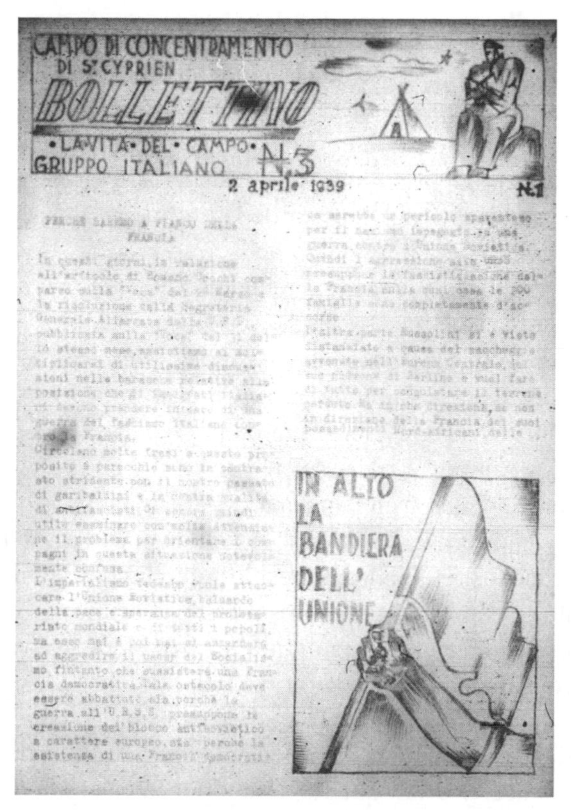
CAMPO DI CONCENTRAMENTO
DI S. CYPRIEN
BOLLETTINO
• LA VITA • DEL • CAMPO •
GRUPPO ITALIANO
N.3
2 aprile 1939
N.1

IN ALTO
LA
BANDIERA
DELL'
UNIONE

Figura 5. Bollettino la vita del campo*, 3, Saint-Cyprien, 2 de abril de 1939.*
ALBA-NYU Moscow Microfilm, Opis 4, f. 16-29.

Para participar en las actividades culturales y educativas realizadas en los campos era fundamental el conocimiento, aunque fuese precario, de la escritura y de la lectura. Ante los altos índices de analfabetismo de los refugiados desde las «barracas de la cultura» se puso un empeño especial en las clases para los analfabetos para garantizar su acceso al mundo del escrito algo imprescindible en reclusión. Prueba de ello la encontramos en el informe ya citado de Amparo Ruiz en el que esta deja constancia de que gracias a la lucha contra el analfabetismo desarrollada en los campos muchos refugiados pudieron redactar su primera carta: «Y si en el Ejército republicano se combatió enérgicamente contra el analfabetismo, sigue hoy la misma noble milicia en los campos de concentración y tenemos ya ejemplos conmovedores de refugiados españoles que han escrito desde el campo la primera carta de su vida».[54]

[54] Informe de Amparo Ruiz, representante de la FETE, remitido a Amaro de Rosal (Delegación de la UGT, París), 8 de julio de 1939. FPI-AARD, Caja 270, carpeta 2. Algo similar sucedió durante la Guerra Civil cuando también se realizó una «alfabetización de urgencia». Cfr. SIERRA BLAS, Verónica, «Alfabe-

La escritura íntima: diarios y correspondencia

Escribir cartas, como veremos a continuación, fue una de las actividades principales de los refugiados durante su internamiento y también durante todo su exilio, tanto que podemos afirmar que este ejercicio se convirtió en un mecanismo de evasión fundamental para el exiliado, al tiempo que en una de sus principales armas para luchar contra el destino que le había sido impuesto. A pesar de la profusión de las cartas que salieron y llegaron a los campos, han sido muy pocas las que se han conservado y menos aún las que han sido editadas, lo que provoca que tengamos que recurrir a otro tipo de fuentes complementarias y alternativas que nos ayuden a conocer mejor los motivos, la frecuencia e incluso los distintos usos que los refugiados españoles realizaron de la escritura epistolar, como, por ejemplo, los diarios y autobiografías escritos por los refugiados durante su reclusión y exilio. Muchas de estas obras fueron publicadas al poco tiempo, después de salir sus autores de los campos y exiliarse en otro país (México, Argentina, etc.). También hubo algunas que se editaron en España una vez concluida la dictadura. En cambio, otras tardaron años y años en ver la luz, sobre todo las que fueron escritas a posteriori de los hechos. Para muchos refugiados no resultó sencilla la tarea de recordar, de hecho revivir esos momentos fue un proceso doloroso, como le ocurrió al dramaturgo y exiliado español Jorge Semprún, quien en sus memorias afirmaba que le costaba «sobrevivir a la escritura que le roía el alma».[55] Por el contrario, otros entendieron esta escritura como una terapia que les ayudó a reconciliarse con el mundo exterior y también consigo mismos, a recuperar una identidad que creían perdida y a dejar su testimonio de vida en la historia, con el fin de dar a conocer y evitar que lo pasado pueda en algún momento repetirse.[56]

En todas estas producciones autobiográficas, fueran escritas antes o después, se relatan episodios de la vida cotidiana de sus protagonistas. Sin faltar entre ellas la recepción o envío del correo durante su reclusión descrito casi siempre como uno de los mayores acontecimientos que podían tener lugar dentro de los campos.[57] Así se refleja en el testimonio recogido por Avel-lí Artis Gener de un refugiado interno en el campo de Prats de Molló:

---

tización y cultura escrita durante la Guerra Civil española», dossier monográfico de *Cultura Escrita & Sociedad*, 4 (2007), p. 102; Castillo Gómez, Antonio y Sierra Blas, Verónica, «Si mi pluma valiera tu pistola. Adquisición y usos de la escritura en los frentes republicanos durante la Guerra Civil española», *Ayer,* 67 (2007), pp. 179-205; y, Cobb, Cristopher H., *Los milicianos de la Cultura* (Bilbao: Universidad del País Vasco, 1995).

[55] Semprún, Jorge, *La escritura o la vida* (Barcelona: Tusquets Editores, 1995), p. 180.

[56] Para comprender mejor la función de la escritura autobiográfica como terapia remito a Alberca, Manuel, *La escritura invisible. Testimonios sobre el diario íntimo* (Oiartzun: Sendoa, Colección Tinta Náufraga, 2000), p. 32. Para entender la dimensión que estas construcciones autobiográficas tuvieron en la conformación de la memoria del exilio español véase Simón, Paula, *Exilio y memoria en los testimonios españoles sobre los campos de concentración y franceses. La escritura de las alambradas* (Vigo: Academia del Hispanismo, 2012).

[57] Adámez Castro, Guadalupe, «La escritura necesaria: el uso de la correspondencia en las memorias y autobiografías de los exiliados españoles», en Ibarra, Alejandra (ed.), *No es país para jóvenes. III*

> Un día dispusimos ya de papel y lápiz para escribir y jamás tantos catalanes lo habían hecho en castellano, porque nadie imaginaba que una carta escrita en nuestra lengua pudiera llegar a su destino peninsular. Después vinieron respuestas y se inauguró la época en la que el cartero era esperado con mayor ansiedad que el camión de la carne hervida.[58]

Este mismo hecho lo atestiguan los diversos informes elaborados por los representantes de la UGT en el exilio, encargados de visitar periódicamente los campos para informar a la delegación sindical exiliada en París de cuáles eran las necesidades y los problemas de sus afiliados internados. En ellos había un apartado dedicado a los asuntos derivados de las dificultades para el envío de correspondencia, lo que nos demuestra la magnitud del problema, puesto que sin correo no era posible el contacto con el exterior,[59] siendo esta una de las necesidades más acuciantes como muestra Ezequiel Delgado Ureña Martínez en su informe de Argelès-sur-Mer refiriéndose al intercambio de noticias:

> No existe hacía el exterior del campo. Se procura y alcanza a través de la correspondencia individual y con la divulgación de las noticias de cada carta. En la divulgación las noticias adquieren sentidos de realidades diversos que corresponden a la interpretación de cada agente transformado a su vez en divulgador.[60]

Esa fue la razón por la que los exiliados españoles hicieron uso de la escritura epistolar siempre que pudieron: recuperar la unión familiar perdida, aunque tan solo fuera a través de las dos cartas al mes que tenían permitidas, de un máximo de cuatro páginas si eran enviadas a Francia y de dos si se remitían a España, y que eran severamente censuradas, al igual que las que recibían.[61]

No obstante, los refugiados fueron capaces de elaborar diferentes estrategias para escapar de esta férrea censura. La más eficaz, aunque no siempre la más sencilla, era conseguir que alguien sacase la misiva de los campos utilizando cauces extraoficiales, lo que permitía evadir totalmente a los censores. Fue también habitual escribir los mensajes comprometidos debajo de los sellos o redactar con tinta de limón mensajes ocultos entre líneas en el reverso, o en los márgenes, como hizo Manuel Agudín. Desafortunadamente no disponemos de muchos datos ni personales ni oficiales de este exiliado, salvo que estuvo primero en Marsella, desde donde fue a Lammenezan (Francia), pasó por el campo de internamiento de Vernet d'Ariège y terminó su éxodo

---

Encuentro de Jóvenes Investigadores de la Asociación de Historia Contemporánea (Vitoria: Universidad del País Vasco; Instituto de Historia Social Valentín de Foronda, 2012, edición digital, sin paginar).

[58] ARTIS GENER, Avel-lí, *La diáspora republicana* (Madrid: Euros, 1975), p. 60.

[59] Los problemas derivados del correo eran una constante en los informes enviados a la sindical. Informes de diversos campos de Ezequiel Delgado Ureña Martínez y Daniel Anguiano Mangado remitidos a Amaro del Rosal (Delegación de la UGT, París), 12 de junio de 1939 y 29 de junio de 1939. FPI-AARD, Caja 270, carpeta 2; y del 26 y 30 de mayo de 1939. FPI-AARD, Caja 299, carpeta 13.

[60] Informe de Ezequiel Delgado Ureña Martínez y Daniel Anguiano Mangado remitido a Amaro del Rosal, 12 de junio de 1939, FPI-AARD, Caja 270, carpeta 2.

[61] RAFANEAU-BOJ, *Los campos de concentración de los refugiados españoles...*, pp. 175-176.

en México D. F., previo paso por Casablanca (Marruecos). Durante todo el tiempo que duró su exilio francés mantuvo una extensa correspondencia con Pilar, quien parece ser su hermana o su cuñada. Manuel utilizó en todas sus misivas la tinta invisible para contar entre líneas aquello que no quería que fuese leído por ojos extraños. La mayor parte de los mensajes que aparecen con esta tinta, a pesar de su difícil lectura, hablan de la posibilidad de huir a otro país y del miedo que tenía de volver a España, puesto que todo indica que tenía alguna condena pendiente por cumplir.

La carta que se reproduce a continuación fue enviada desde el campo de Vernet y, en realidad, son dos misivas en una. Por un lado, aparece el texto «oficial», situado en el recto y en el verso, donde informaba a Pilar de su nueva ubicación y le decía que no se preocupase ni se extrañase por esto, ya que se debía a que por el trabajo le enviaban a sitios muy diversos. Y, por otro lado, tenemos el mensaje «oculto», escrito en el interlineado del reverso de la carta, donde le cuenta a Pilar que el verdadero motivo de encontrarse en el campo de Vernet se debía a una medida intimidatoria realizada por el Gobierno francés para forzar a los españoles que vagaban por Francia a su retorno a España. En unas líneas de complicada lectura, Manuel le decía a Pilar que no iba a ceder ante estos chantajes y que estaba ahorrando para poder comprar un pasaje que le condujese a otro país. La carta pasó sin ningún problema la censura del campo, como muestran los sellos de control que aparecen en el margen izquierdo del recto, consiguiendo así Manuel su propósito [Figura 6].[62]

Por último, otro de los mecanismos más utilizados fue el recurso a la cifra o los mensajes crípticos que solo el destinatario y el emisor de la misiva entendían. De hecho, no es raro encontrar, tanto en las memorias como en algunas correspondencias, pasajes en los que se describe cómo los refugiados se afanaban por encontrar el sentido a los avisos que sus familiares y amigos intentaban hacerles llegar a través de juegos de palabras, dobles sentidos, etc. Lluís Montagut, un comunista que pasó por los campos de Barcarès y Argelès, cuenta el estupor de los internos en los campos cuando comienzan a recibir este tipo de mensajes y cómo, en un principio, les costaba descifrarlos:

> Un hombre de cierta edad me muestra la que ha recibido [se refiere a una carta] de su mujer. Él tampoco entiende nada de lo que le explica: «Podrás ir a trabajar al campo que se encuentra no lejos de casa. Contratan a mucha gente». Dado que su domicilio se encuentra en el barrio de Poble Nou de Barcelona, el campo en cuestión no es otro que el Camp de la Bota, donde tradicionalmente tienen lugar las ejecuciones de los condenados por los tribunales militares.[63]

[62] Carta de Manuel Agudín (Campo de Vernet d'Ariège, Barraca 21) para Pilar (Cangas del Narcea, Asturias), 29 de enero de 1942. Colección particular de Juaco López Álvarez. Quiero agradecer a Verónica Sierra Blas que me mostrara esta documentación y a Juaco López que me haya cedido la reproducción de los documentos.

[63] Montagut, Lluís, *Yo fui soldado de la República, 1936-1945* (Barcelona: Inédita Editores, 2004), pp. 137-138. Otras memorias que nos hablan de estrategias similares son las de Sarlé-Roigé, Lluís (edi-

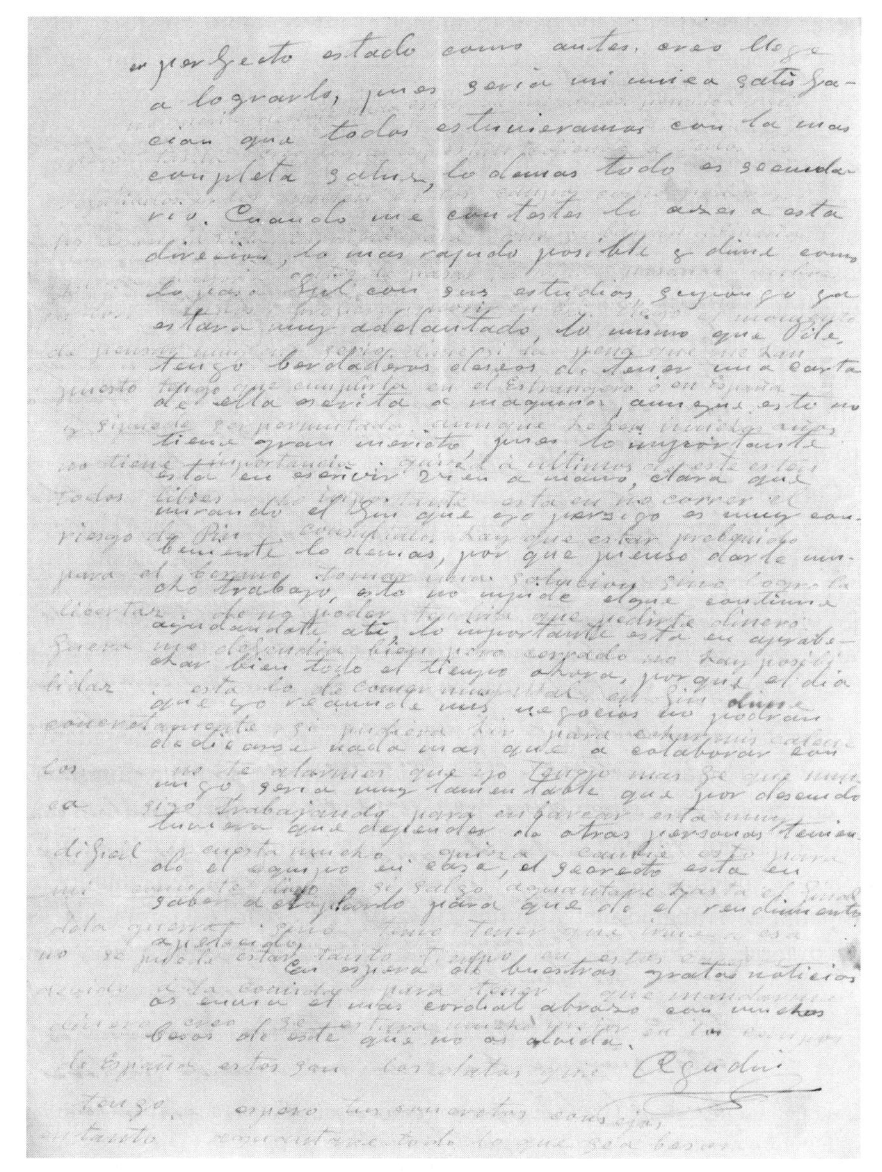

Figura 6. *Reverso de la carta de Manuel Agudín (Campo de Vernet d'Ariège) para Pilar (Cangas del Narcea, Asturias), 29 de enero de 1942. Colección particular de Juaco López Álvarez.*

ción y recopilación a cargo de Joseph Marimon y Pere Vigués), *Ombres de la vida i de la mort. Un exiliat català en els camps de reclusió i els sanatoris francesos* (Barcelona: Editorial Portics, 1981), pp. 57 y ss.; y MORAL I QUEROL, Ramón, *Diari d'un exiliat. Fets viscuts. (1936-1945)* (Barcelona: Publicaciones de l'Abadía de Montserrat, 1979), p. 41.

A pesar de las dificultades para mantener el intercambio epistolar, el volumen de correspondencia que llegaba cada día a los campos fue en aumento a medida que avanzaba el tiempo lo que provocó que se instaurara un sistema de correos que permitió que en el mes de abril de 1939 se recibieran diariamente entre 2.000 y 10.000 misivas, dependiendo, obviamente, del lugar y el momento.[64] Dicho sistema contó con la ayuda del personal de correos español recluido, quienes se presentaron voluntarios para ayudar en su distribución y reparto ante el colapso existente en el servicio de correos francés.[65] En los campos más grandes funcionó incluso la «barraca del correo», que hacía las veces de estafeta, donde los refugiados que eran elegidos como «carteros del barracón» acudían diariamente en busca de las preciadas cartas que traían noticias y mensajes de ánimo.[66]

También hubo carteros franceses, especialmente, en los refugios como revela, entre otros testimonios, Silvia Mistral quien recoge en sus memorias el momento en el que el cartero llegaba a su refugio en *Les Mages*:

> Cuando el sol declina en el horizonte… llega el correo. El cobrador de un autocar tira el saco de la correspondencia sobre la acera. Lo rodeamos hasta que el cartero llega, lo carga al hombro y lo traslada, sonriendo de nuestra ansia, hasta la oficina. […] Cuando viene a repartir las cartas, el cartero tiene un rostro feliz como cuando se reparten juguetes a los niños pobres. […] Cuando las ha dado todas, se queda, con las manos sobre la ventanilla, observando la impresión que nos produce. Este hombre goza de nuestra felicidad. Se rasgan los sobres y los ojos corren ávidos sobre las misivas.[67]

La labor del cartero era fundamental puesto que aseguraba la llegada de correspondencia y recibir cartas era para los refugiados el mejor alimento anímico de cada día, tal y como podemos ver en las memorias de Eulalio Ferrer, quien con tan solo 18 años conoció la dura realidad de los campos de internamiento. Argelès-sur-Mer, Barcarès y Saint-Cyprien, son el eje central de sus diarios que terminan cuando ingresó en una Compañía de Trabajadores y no fue capaz de conservar la energía necesaria para continuar su tarea. En los tres cuadernos y cinco libretas que conformaron su memoria

[64] García Sánchez, Jesús, «La correspondencia de los españoles en Francia (1936-1946)», en Cuesta y Bermejo (coord.), *Emigración y exilio. Españoles en Francia…*, pp. 330-343. Sobre este tema véase también Adámez Castro, Guadalupe, «Cartas entre alambradas. La organización del correo en los campos de refugiados españoles durante el primer exilio (1939-1945)», en Castillo Gómez, Antonio y Sierra Blas, Verónica (dirs.), *Cartas-lettres-lettere. Discursos, prácticas y representaciones epistolares (siglos xiv-xx)* (Alcalá de Henares, Madrid: Servicio de Publicaciones de la Universidad de Alcalá, 2014), pp. 499-515.

[65] Bordes Muñoz, Juan Carlos, *El Servicio de Correos durante el régimen franquista (1939-1975). Depuración de funcionarios y reorganización de los servicios postales* (Madrid: Cinca; Fundación Largo Caballero, 2009), p. 183.

[66] Así lo demuestran algunos de los testimonios de los refugiados españoles, como el de Baldó, Ricardo, *Exiliados españoles en el Sahara. 1939-1943* (Alcoy: Imprenta la Victoria. Santo Tomás, 1977), p. 48.

[67] Mistral, *Éxodo. Diario de una refugiada…*, p. 126.

escrita afirmaba que las cartas que recibía durante su reclusión le sustentaban más incluso que la comida:

> [...] La correspondencia es un elemento vital de nuestro presente destino, significa tanto o más que la comida. Es el lazo que nos une con el mundo, contribuyendo a acentuar o disminuir nuestras incertidumbres. Por eso, la barraca del correo es la más visitada del campo. Desde primera hora se forman largas filas. La ansiedad es gesto de todos. Una carta en la mano es un indicador de orgullo, independientemente de lo que contenga. Hay compañeros que no se despegan de esta barraca en busca de la carta que esperan. Otros no pueden contener su impaciencia y la abren de inmediato, delante de todos. Hay gritos y saltos de alegría. Y no faltan quienes, por el contrario, caen abatidos o se alejan crispados por las noticias que reciben.[68]

Por este motivo, y persiguiendo el objetivo de que todo aquel que lo deseara pudiera recibir las noticias de sus seres queridos, pronto las instituciones de ayuda, independientemente de su naturaleza, se dieron cuenta de que el mantenimiento del sistema de correos, o de alguno alternativo que permitiera la comunicación, era esencial, por lo que llevaron a cabo distintas medidas para facilitarla. Algunas iban encaminadas a solucionar el problema de la obtención de sellos, sobre todo una vez cancelada la franquicia postal francesa de la que se habían beneficiado miles de refugiados españoles durante los primeros meses de su reclusión. Razón por la que dentro de las partidas presupuestarias de ayuda decretadas por el Gobierno republicano una estaba destinada a la compra de sellos, papel, sobres y tinta, por la importancia que estos sencillos elementos tenían en la vida cotidiana de los refugiados,[69] lo que también explica que estos objetos fueran los más demandados en el mercado negro que funcionaba en algunos de los campos, como el de Saint-Cyprien, según escribió Manuel Andújar en sus memorias: «Los artículos del mercado se clasifican en habituales y de circunstancias, al igual que los ocasionales traficantes. Entre los primeros, un muestrario riquísimo de cuadernos, papel de cartas, sobres, plumas, tinta, lápices, sellos, encendedores de yesca, cigarrillos [...]».[70]

Otras instituciones colaboraron en la búsqueda de familiares e idearon un sistema alternativo y gratuito para el intercambio de noticias entre los refugiados. La que más destacó en esta tarea fue la Cruz Roja Internacional,[71] responsable de que entre el 15 de

[68] FERRER, *Entre alambradas...*, p. 97.

[69] Concretamente se destinaron a este propósito 7.850 francos. Cfr. MÍNGUEZ ANAYA, Blas, *Campo de Agde* (Madrid: Memoria Viva. Asociación para el estudio de la deportación y del exilio español, 2006), p. 52.

[70] ANDÚJAR, Manuel, *St. Cyprien, Plage... Campo de concentración* (Huelva: El fantasma de la glorieta, 1990), pp. 73-74.

[71] Sobre la labor de la Cruz Roja Internacional durante la Guerra Civil española y el posterior exilio remito a MARQUÉS, Pierre, *La croix-rouge pendant la guerre d'Espagne (1936-1939). Les Missionnaires de l'humanitaire* (París: L'Harmattan, 2000); y a CUESTA BUSTILLO, Josefina, «Derecho humanitario en la Europa de Entreguerras. La Cruz Roja en la Guerra de España», en Alted Vigil, Alicia y Fernández Martínez, Dolores, *Tiempos de exilio y solidaridad: la Maternidad Suiza de Elna (1939-1944)* (Madrid: Universidad Nacional a Distancia, 2014), pp. 15-42.

abril y el 15 de junio de 1939 se realizaran 88.869 envíos de boletines de noticias desde diversos campos, destacando de forma especial Barcarès, con cerca de 30.000 envíos, y Saint-Cyprien, con más de 13.000 [Figura 7]. Tal abundancia se explica por el mayor número de refugiados internos en estos campos [Tabla 1.1], a pesar de que existieron otros igualmente poblados, como Agde, con alrededor de 8.000 envíos, que no responden a esta lógica, probablemente debido a la fluctuación del número de refugiados durante este periodo y hasta la segunda quincena de junio de 1939.[72]

Los boletines de noticias eran muy simples. En ellos el destinatario podía escribir a su emisor un breve mensaje, incluso desconociendo su paradero, y la Cruz Roja Internacional se encargaba de buscarle y remitirle la respuesta [Figura 8]. Este servicio fue imprescindible para poner en contacto a los refugiados con sus familias, pues muchos se habían perdido la pista debido a los numerosos cambios de residencia durante la contienda y por la salida hacia el exilio. Sin duda, esta ayuda prestada a los republicanos españoles le sirvió a la Cruz Roja Internacional de experiencia previa a la labor que posteriormente llevó a cabo durante la II Guerra Mundial, cuando se constituyó en la intermediaria postal por excelencia en los campos de exterminio nazis.[73]

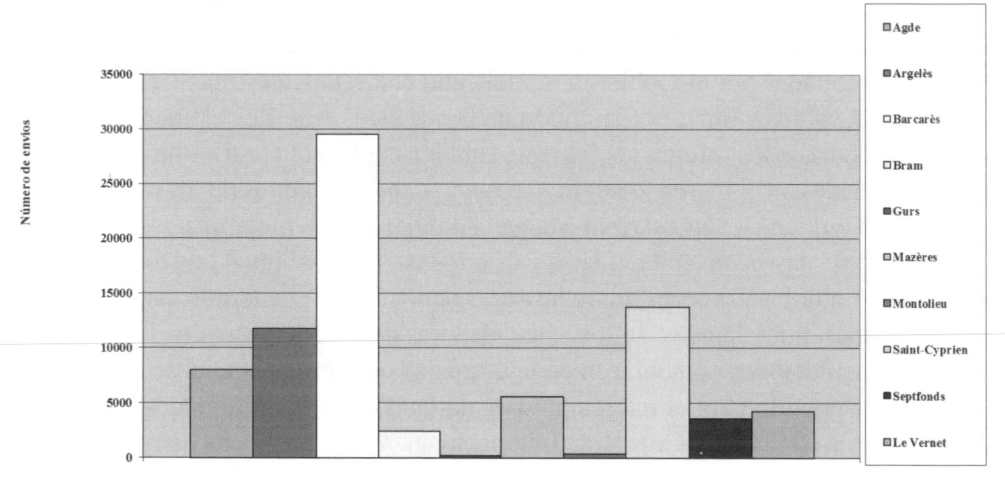

Figura 7. *Gráfico representativo del envío de formularios de correspondencia entre el 15 de abril y el 15 de junio de 1939. Formularios de correspondencia. CDMH, Fondo del Comité de la Cruz Internacional, C-ESCI, exp. 5, doc. 15. Elaboración propia.*

[72] Estadística del correo proveniente de los campos militares (Formularios de correspondencia), del 15 de abril al 15 de junio de 1939. CDMH, Fondo del Comité Internacional de la Cruz Roja, C-ESCI, exp. 5.

[73] Lajournade, Julien, *Le courrier dans les camps de concentration, 1933-1945. Système et rôle politique,* (París: Editions L'Image document, 1989), pp. 103-109. Para más información sobre el correo en los campos de concentración nazis remito a Rouhart, Jean-Louis, *Lettres de l'ombre. Correspondance illégale dans les camps de concentration nazis* (Liège: Territoire de la Mémoire, 2015) y Bermejo, Benito y Checa, Sandra, *Cartas desde Mauthausen* (Madrid: Espasa Libros, 2016).

Campos de concentración	*N.º de refugiados en junio de 1939*
Barcarès	55.000
Saint-Cyprien	16.000
Argelès-sur-Mer	5.000
Gurs	19.100
Septfonds	15.600
Agde	25.000
Bram	13.332
Le Vernet d'Ariège	14.640

Tabla 1. *Distribución de los refugiados españoles en los principales campos de concentración de Francia en el mes de junio de 1939.* Cfr. Javier Rubio: *La emigración de la Guerra Civil de 1936-1939,* Madrid: Editorial San Martin, 1977, Vol. 1, p. 319.[74]

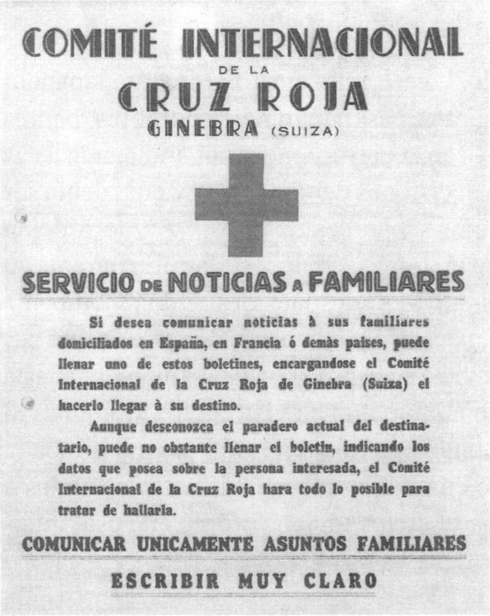
COMITÉ INTERNACIONAL
DE LA
CRUZ ROJA
GINEBRA (SUIZA)

SERVICIO DE NOTICIAS A FAMILIARES

Si desea comunicar noticias à sus familiares domiciliados en España, en Francia ó demàs paises, puede llenar uno de estos boletines, encargandose el Comité Internacional de la Cruz Roja de Ginebra (Suiza) el hacerlo llegar à su destino.

Aunque desconozca el paradero actual del destinatario, puede no obstante llenar el boletin, indicando los datos que posea sobre la persona interesada, el Comité Internacional de la Cruz Roja hara todo lo posible para tratar de hallarla.

COMUNICAR UNICAMENTE ASUNTOS FAMILIARES

ESCRIBIR MUY CLARO

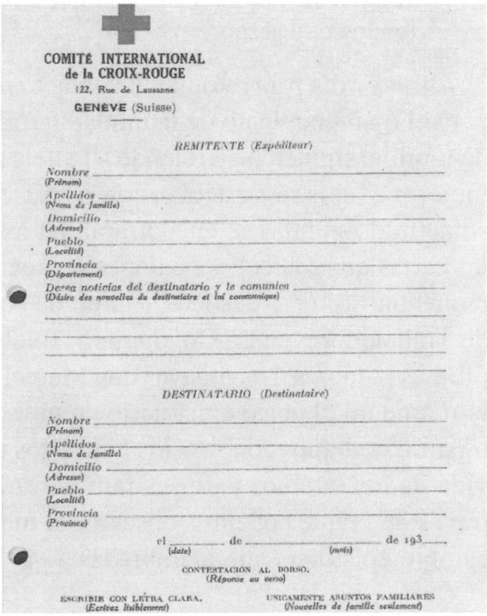
COMITÉ INTERNATIONAL
de la CROIX-ROUGE
122, Rue de Lausanne
GENÈVE (Suisse)

REMITENTE (Expéditeur)

Nombre (Prénom)
Apellidos (Noms de famille)
Domicilio (Adresse)
Pueblo (Localité)
Provincia (Département)
Desea noticias del destinatario y le comunica (Désire des nouvelles du destinataire et lui communique)

DESTINATARIO (Destinataire)

Nombre (Prénom)
Apellidos (Noms de famille)
Domicilio (Adresse)
Pueblo (Localité)
Provincia (Province)

el ____ (date) de ____ (mois) de 193__

CONTESTACION AL DORSO. (Réponse au verso)

ESCRIBIR CON LETRA CLARA. (Ecrivez lisiblement)

UNICAMENTE ASUNTOS FAMILIARES (Nouvelles de famille seulement)

Figura 8. *Boletín de noticias de la Cruz Roja Internacional. CDMH, Fondo del Comité de la Cruz Roja, C-ESCI, exp. 5.*

[74] Esta tabla fue elaborada por Javier Rubio con los datos procedentes de la Conferencia Internacional de Ayuda a los Refugiados Españoles, correspondientes a mediados del mes de junio de 1939. Aunque el autor reconoce que para muchos campos tan solo se trata de una aproximación, son las cifras más fiables de las disponemos hasta el momento.

Antes de este recurso, los refugiados españoles habían recurrido a otros medios para contactar con los suyos, teniendo especial relevancia dos: la transmisión de noticias de forma oral a través de la lectura en voz alta de las cartas recibidas por familiares y amigos para compartir información y datos y la divulgación de anuncios aparecidos en prensa a través de los conocidos como «postes de noticias» de los campos tal y como los describe Lluís Ferran de Pol en su autobiografía, donde narra su paso por el campo de Barcarès y su salida del mismo gracias a la ayuda del Comité Británico de Ayuda a España:

> Lo único que, en todo el campo, descansa un poco el espíritu es lo que se ha dado en llamar el poste de las noticias. Contra las placas metálicas de un transformador eléctrico los soldados pegan trozos de papel con llamadas a sus amigos, avisos, indicaciones... Este poste reemplaza nuestro periódico matinal. Como en un diario moderno, todos los temas son tocados: la nota de sucesos —angustiosa y vulgar, humana y despreciable—. Al pasar la frontera este padre que apenas sabe escribir perdió a sus dos hijitos; su ortografía bárbara y su manera simple de expresarse se convierten en un grito arrancado del fondo de su pecho.[75]

Todo valía para retomar el contacto perdido. La escritura epistolar fue fundamental para el mantenimiento de la unidad familiar. Tanto es así que muchos hombres, padres de familia, siguieron ejerciendo su tutela a través de la correspondencia, indicando a sus mujeres e hijos cómo debían comportarse, qué decisiones debían tomar y cuál debía ser su actitud mientras se encontraran en los campos separados de ellos.[76] Así lo reflejan las cartas que Marcelino, campesino anarquista aragonés, envió a su familia durante su reclusión, primero desde el campo de Argelès-sur-Mer, después desde una Compañía de Trabajadores en La Condaime y, finalmente, desde Mauthausen, donde escribió sus últimas palabras. Las misivas que Marcelino envió a su esposa son probablemente hasta el momento el único epistolario de un exiliado común que ha visto la luz y, gracias al mismo, podemos conocer los entresijos del mundo epistolar en torno al cual giraba la vida de los internos y de sus familiares. Baste como ejemplo una de estas epístolas a través de la que podemos observar la mayor parte de los tópicos propios de este intercambio epistolar entre alambradas:

[75] FERRAN DE POL, Lluís, *Campo de concentración (1939)* (Barcelona: Publicacions de l'Abadía de Montserrat; Ajuntament d'Arenys de Mar, 2003), p. 61.

[76] Igual que sucede en las escrituras de la emigración. Véase SIERRA BLAS, Verónica, «Puentes de papel. Apuntes sobre las escrituras de la emigración», *Horizontes Antropológicos. Cultura escrita e praticas de leitura,* 22/10 (2004), pp. 121-147; MARTÍNEZ MARTÍN, Laura, «Escribir en cadena. Solidaridad y control en las cartas de los emigrantes», en Castillo Gómez y Sierra Blas (dirs.), *Cartas - Lettres – Lettere...*, pp. 445-463; y DAUPHIN, Cécile; POUBLAN, Danièle y LEBRUN-PÉZERAT, Pierrette, *Les bonnes lettres. Une correspondance familiale au XIXe siècle* (París: Albin Michel, 1995).

Queridos esposa e hijos:

Quedo completamente satisfecho al recibir la vuestra del 10, por la que veo que estáis todos juntos y disfrutáis de buena salud, como yo por ahora [...].

Sebastián, también con tu carta quedo complacido porque veo en ella tu buena voluntad de trabajar, ya que es el camino del hombre; pero te voy a dar un consejo [...], te hago saber que no estás documentado, y como los jóvenes no estáis advertidos en lo que puede sobrevenir, te advierto que con la bicicleta no te des paseos largos fuera del pueblo sin la compañía de ese hombre con quien tú trabajas, o sin la documentación para poder circular, porque podrían detenerte y sería un disgusto para todos nosotros [...]. De lo que me preguntáis sobre el frente, pues no ha pasado nada más de lo que sabéis. Ya os contaré todo cuanto estemos juntos [...].

Para olvidar pensar que vendrán tiempos mejores porque siempre se ha comprobado que después de la tormenta viene la calma. Mismo en el caso que Franco nos impidiere de regresar a nuestra nación, hay varios países que desean acogernos. Si acaso llegamos a este extremo, nosotros elegiremos América.

Me pedís noticias de los Amposta. Pues los primeros días vimos al padre, al Agustín y al Nisen, pero hace mucho tiempo que no los hemos vuelto a ver [...].

Sin nada más, recuerdos para todos de nuestra parte, y vosotros recibid el cariño de este, vuestro esposo y padre, que tanto desea abrazaros.[77]

Una lectura entre líneas de esta misiva nos sirve para profundizar en algunas de las características de la correspondencia familiar de los refugiados. En primer lugar, como acabo de advertir, los consejos del padre al resto de su familia e incluso la muestra de autoridad a la hora de tomar las decisiones que afectaban a todos: *Si acaso llegamos a este extremo, nosotros elegiremos América*, sentencia que deja claro a la familia de Marcelino qué deben contestar en el caso de que alguien les pregunte adónde quieren ir desde Francia. Observamos también la reticencia a hablar de asuntos delicados que pudieran poner alerta al censor: *De lo que me preguntáis sobre el frente, pues no ha pasado nada más de lo que sabéis. Ya os contaré todo cuanto estemos juntos*. Finalmente, esta carta nos ayuda a comprender cómo funcionaban las redes de solidaridad y difusión de noticias entre los refugiados españoles en Francia, utilizando los pocos contactos que había entre los campos y el exterior para intentar indagar el paradero de otros refugiados: *Me pedís noticias de los Amposta. Pues los primeros días vimos al padre, al Agustín y al Nisen, pero hace mucho tiempo que no los hemos vuelto a ver.*

A través de este ejemplo podemos ver qué funciones cumplió la correspondencia y cómo se configuró en el principal sustento de la familia en el exilio, pero no fueron estos los únicos usos que tuvieron.[78] Las misivas se convirtieron durante el exilio

[77] Carta de Marcelino Sanz (Argelès-sur-Mer) para su esposa e hijos (Mézin, Lot-et-Garonne), 13 de marzo de 1939. Cfr. Sanz Mateo, *Francia no nos llamó. Cartas de un campesino aragonés...*, p. 10.

[78] Sobre las funciones de la escritura epistolar durante el exilio español remito a Sierra Blas, Verónica, «Exilios epistolares. La Asociación de padres y familiares de los niños españoles refugiados en México (1937-1940)», en Castillo Gómez, Antonio y Sierra Blas, Verónica (coords.), *Cinco siglos de*

español en un elemento de salvación para los refugiados, entendiendo este concepto en sus dos sentidos, es decir, les sirvieron como hilo de unión con un mundo perdido, como espejo en el que mirar el reflejo de lo que sucedía en el exterior, aunque fuera a través de mensajes ocultos, enrevesados y crípticos; mientras que, al mismo tiempo, fueron indispensables para ayudarles a salir de su reclusión y en todas sus necesidades derivadas de su exilio, puesto que muchos consiguieron su ansiada libertad a través de la redacción de una carta de súplica en la que pedían auxilio a distintas asociaciones de ayuda, a familiares o a personajes relevantes, convirtiéndose el recurso a estas peticiones en una verdadera obsesión y colapsando, en mucha ocasiones, a las oficinas de los organismos asistenciales, como veremos en el siguiente capítulo.

Todos, de una manera o de otra, se aferraron a la escritura como tabla de salvación. Este concepto de escritura como salvación no es exclusivo del exilio español, al contrario, está muy presente a lo largo de los episodios de movilización masiva del siglo XIX, y especialmente, del siglo XX, jalonado por continuas guerras, migraciones y exilios.[79] Las migraciones masivas de finales del siglo XIX y el desarrollo de la I Guerra Mundial, que implicó de lleno a la sociedad civil en el conflicto, provocaron una revolución en la relación que las clases populares habían tenido hasta ese momento con la escritura, convirtiendo el uso de la misma en imprescindible.[80] Algunos ejemplos, cercanos al caso estudiado, los tenemos en el universo penitenciario franquista,[81] los guetos judíos[82] o los campos de concentración de la II Guerra Mundial.[83] Estos estudios nos demuestran

---

cartas: Historia y prácticas epistolares en las épocas moderna y contemporánea (Huelva: Universidad de Huelva, 2014), pp. 313-336.

[79] PETRUCCI, Armando, *Scrivere lettere. Una storia plurimillenaria* (Roma-Bari: Laterza, 2008), pp. 173-190.

[80] CAFFARENA, Fabio, *Lettere dalla grande guerra. Scritture del quotidiano, monumenti della memoria, fonti per la storia. Il caso italiano* (Milán: Unicopli, 2005); GIBELLI, Antonio, *L'officina della guerra. La Grande Guerra e le trasformazioni del mondo mentale* (Turín: Bollati Boringhieri, 2008); CAFFARENA, Fabio y MARTÍNEZ MARTÍN, Laura, *Scritture migranti. Uno sguardo italo-spagnolo* (Milán: FrancoAngeli, 2012); y LYONS, Martyn, *The Writing Culture of ordinary people in Europe, c. 1860-1920* (Cambridge: Cambridge University Press, 2013).

[81] CASTILLO GÓMEZ, «Escribir para no morir. La escritura en las cárceles…»; SIERRA BLAS, Verónica, «Del papel al muro. Una aproximación al universo gráfico carcelario de la guerra y la posguerra españolas», en Carmen Ortíz (coord.), *Lugares de represión. Paisajes de la memoria. Aspectos materiales y simbólicos de la cárcel de Carabanchel* (Madrid: Los Libros de la Catarata, 2013), pp. 327-366; y, de la misma autora, *Cartas presas. La correspondencia carcelaria en la Guerra Civil…*

[82] VANIA WAXMAN, Zoë, *Writing the Holocaust. Identity, Testimony, Representation* (Oxford: Oxford University Press, 2006), pp. 6-50.

[83] FRANCHINI, Giuliana, «Leer y escribir en los lager. Modalidades de resistencia de los prisioneros italianos en Alemania durante la segunda guerra mundial» y RUBALCABA PÉREZ, Carmen, «"Escribo aquello que no sabría decirle a nadie". La escritura en reclusión», ambos en Castillo Gómez y Sierra Blas (eds.), *Letras bajo sospecha…*, pp. 201-216 y pp. 217-236, respectivamente; y SÁNCHEZ ZAPATERO, Javier, *Escribir el horror. Literatura y campos de concentración* (Barcelona: Montesinos, 2010).

cómo la escritura pasó a formar parte de la vida cotidiana de la gente común en estos momentos de crisis, dejando constancia de su necesidad de escribir, bien como medio de comunicación, bien como forma de superar las experiencias traumáticas que les tocó vivir, bien como fruto de su voluntad de dejar constancia de existencia, de construir su memoria.[84]

4. Vías de escape

Una vez descritas las fases del exilio español, sus características principales y la realidad que vivieron miles de refugiados en los campos de internamiento, así como puesta de manifiesto cuál fue su relación con la escritura, quiero esbozar brevemente cuáles fueron las distintas opciones que el Gobierno francés ofreció a los españoles para salir de los campos y cómo se produjo la reemigración hacia aquellos países que les ofrecieron asilo.

Cinco fueron las opciones a las que los exiliados pudieron acogerse: la repatriación, la emigración a otro país y, en menor grado, la posibilidad de obtener un contrato laboral fuera del campo, alistarse en la Legión Extranjera para combatir en la II Guerra Mundial o formar parte de las Compañías de Trabajadores que comenzaron a aflorar ante la incipiente necesidad de mano de obra provocada por el conflicto. Poder optar a alguna de estas posibilidades produjo que se redujera notablemente el número de los recluidos en los campos, tanto que en abril de 1940 quedaban en Francia 30.000 españoles internos.[85]

Desde el primer momento, en la que se puso más empeño de todas estas salidas fue en fomentar o incluso forzar el regreso a España. Una gran parte de los refugiados, especialmente los que no tenían o creían no tener responsabilidades políticas ni habían participado de forma activa en la contienda, aceptaron volver. Esta opción aumentó de forma significativa tras el reconocimiento oficial del Gobierno de Franco el 27 de febrero de 1939 por parte de Francia y el Reino Unido. No obstante, antes de que finalizara el año se ralentizó el número de repatriaciones ante el temor a las posibles represalias que podían sufrir en España los refugiados. Sin duda, este miedo a las consecuencias que podía tener su retorno no era una mera sospecha, sino que se sustentaba en las noticias que les llegaban sobre la feroz represión que los vencedores estaban llevando a cabo contra los vencidos.[86] Por ejemplo, Remedios Oliva Berenguer, exiliada en Argelès, nos

[84] Castillo Gómez, Antonio, «De la suscripción a la necesidad de escribir», en Castillo Gómez (coord.), *La conquista del alfabeto…*, p. 36.

[85] Tanto este dato como los diferentes caminos que se debían seguir para salir de un campo de internamiento están extraídos de Dreyfus-Armand, *El exilio de los republicanos españoles…*, pp. 71-80.

[86] Guixé Coromines, Jordi, *La República perseguida. Exilio y represión en la Francia de Franco, 1937-1951* (Valencia: Universidad de Valencia, 2012).

cuenta cómo su hermano, huido de ese mismo campo, prefería que le ingresaran en el campo de castigo de Collioure a regresar a Barcelona:

> A los quince días recibimos una carta de la cárcel de Collioure; mi hermano había llegado hasta los alrededores de Barcelona, pero era tan difícil que le dio miedo y regresó [...]. Todos temíamos a las represalias; la gente escribía a sus familiares o amigos y las respuestas no tardaron. Con medias palabras, nos sugerían que no volviéramos: los familiares nos proponían ir a vivir con Fulano o Mengano, personas que sabíamos que habían fallecido mucho tiempo atrás.[87]

Las cartas que llegaban con estas noticias de España influyeron en la negativa de los refugiados a regresar, pero también sirvieron para inclinar la balanza del lado contrario, cuando familiares y amigos conseguían cartas de aval que les ofrecían alguna garantía para regresar sin temor.[88] A su vez, las presiones ejercidas por las autoridades francesas para fomentar las repatriaciones acabaron haciendo que muchos exiliados flaquearan y se decidieran a volver a pesar del miedo y la incertidumbre que sentían. Estas campañas de propaganda, plagadas de mentiras y chantajes, fueron denunciadas, entre otros, por los informadores de la UGT. Así lo explicaban los responsables de Septfonds a la delegación sindical el 6 de agosto de 1939:

> Una alocución incongruente y amenazadora dio principio a la campaña coercitiva, dirigida por el Teniente Coronel Jefe francés de este campo, y encaminada a obtener positivos resultados para Franco en lo que se refiere al regreso a España de los compañeros refugiados. En su alocución soez [...], se nos habló del pan que nos comemos, producto del sudor del trabajador francés, se nos dijo que tendríamos que pagar, con tres años de trabajo por 0,50 centavos de jornal diario, la ciudadanía francesa, o en su defecto, el derecho de asilo; en fin, se nos aconsejó el retorno a España en la que, después de obtener nuestro seguro perdón, hacían falta nuestros brazos para hacerla próspera y feliz.[89]

La UGT ante este tipo de presiones, al igual que la de otras organizaciones políticas, aconsejó a los refugiados que ayudaran a los compañeros a mantenerse fuertes para no caer en la trampa, al mismo tiempo que les advertía de la dura situación que se estaba viviendo en España e incluso les aconsejaba que si no había otra opción se enrolaran en las Compañías de Trabajadores francesas, pues así podrían permanecer en Francia, donde podían prestarles auxilio.

> Debe ayudarse a los compañeros para que no pierdan la perspectiva ni la serenidad, y comprendan que nada puede beneficiarles una resolución irreflexiva de volver a España,

[87] OLIVA BERENGUER, Remedios, *Éxodo. Del campo de Argelès a la maternidad de Elne* (Barcelona: Viena ediciones, 2007), p. 49.

[88] Informe de los campos de Septfonds y Argelès de Ezequiel Delgado Ureña Martínez y Daniel Anguiano Mangado para Amaro del Rosal (Delegación de la UGT, París), 12 de junio de 1939. FPI-AARD, Caja 270, carpeta 2.

[89] Breve informe sobre el campo de Septfonds de Daniel Anguiano Mangado para la Comisión Ejecutiva de la UGT (Toulouse), 15 de agosto de 1939, FPI-AARD, Caja 267, carpeta 1.

> si es que no cuentan con suficientes garantías. Como mal menor, y con el fin de salvar la situación que tenemos creada, aconsejamos que acepten las Brigadas de Trabajo, pues es evidente que mientras que estén aquí existe una posibilidad de ser incorporados a la economía francesa o salir en alguna expedición. En cuanto crucen la frontera, es natural que ninguna ayuda podremos prestarles.[90]

Motivados por estos consejos y advertencias, por la presión ejercida por los mandos franceses o por el propio deseo de salir del campo muchos optaron por enrolarse en estas Compañías de Trabajadores, que se incrementaron ante la inminente llegada de la II Guerra Mundial y aún más durante el desarrollo de la contienda, así como por unirse a la Legión Extranjera o a los Regimientos de Marcha de Voluntarios Extranjeros.[91]

Las Compañías de Trabajadores les eran mostradas a los exiliados como una gran oportunidad para huir de los campos puesto que les ofrecían, a cambio de su trabajo, libertad, proximidad con sus familias si estas estaban en Francia, una mejora considerable en la comida y en el alojamiento, un pequeño sueldo y poder ir vestidos de paisanos y no como prisioneros. La mayor parte de estas promesas no se cumplieron, como reflejan los testimonios de los que formaron parte de ellas, entre los que se encuentra el de Rafael del Castillo, quien escribió una carta a Amaro del Rosal explicándole la lamentable situación en la que se encontraba en la 17.ª Compañía de Trabajadores en Bonifacio (Isla de Córcega) donde había llegado tras su paso por *Las Garrigues* (Nimes). Rafael, refugiado interno en Saint-Cyprien, había optado por la salida del campo enrolándose en las Compañías de Trabajadores ilusionado, como él mismo cuenta, por todas las garantías que el Gobierno francés les había prometido:

> […] En nuestro deseo de salir de aquel campo, donde tantos camaradas dejaron su vida, y previa consulta a elementos directivos tanto de Partidos como de Organizaciones sindicales, nos contratamos voluntariamente, ya que según la orden no perdíamos nuestra condición de refugiados, y salimos para Las Garrigues (Nimes). En este campamento se nos vistió, despiojó y se nos dio de comer bastante bien, pero solo duró este pequeño bienestar unos 20 días, después la comida disminuyó bastante, tanto en calidad como en cantidad, pero sin llegar a parecerse a la de Saint-Cyprien. Trabajamos en la construcción de carreteras por espacio de 45 horas semanales. […] Allí hemos permanecido las dos compañías que salimos de Saint-Cyprien, hasta el 6 de julio pasado, fecha en que por orden, según nos dijeron del Gobierno francés, debíamos embarcar para esta isla […]. Nuestra llegada a Bonifacio nos causó un efecto deplorable […] aquí querían reforzar la vigilancia, por

[90] Carta de Amaro del Rosal (Delegación de la UGT, París) para el refugiado D. Palomares (Campo de Septfonds, barraca 12), 10 de agosto de 1939, en respuesta a la suya en la que le hablaba de la posibilidad de volver a España ante las presiones que estaban sufriendo por parte de las autoridades francesas en los campos. FPI-AARD, Caja 267, carpeta 1.

[91] GASPAR CELAYA, Diego, «Un exilio al combate: republicanos españoles en Francia. 1939-1945», en Pereira, Víctor y Ceamanos Llorens, Roberto (coords.), *Migraciones y exilios. España y Francia. Aproximaciones desde Aquitania y Aragón* (Pau: Éditions Cairn, 2015), pp. 117-137; y GASPAR CELAYA, *La guerra continúa…*

tener informes del mando militar de que éramos unos seres parecidos a los presidiarios. [...]. Pretextando que los víveres son más caros [...] nos han disminuido más la comida y hemos vuelto a los días de Saint-Cyprien. Con tal motivo han aumentado las protestas, pero han encerrado a los camaradas en una tienda de campaña con centinelas de vista. El trabajo que realizamos aquí, es el de construcción de carreteras. Salimos para el trabajo a las 4 de la mañana, y a esta hora el capitán francés obliga a los enfermos a formar al aire libre, aun cuando después los mandé a la barraca [...]. Esa es nuestra situación, camarada Amaro del Rosal, trabajando como negros para la Defensa Nacional de Francia.[92]

El testimonio de Rafael es muy ilustrativo y muestra la realidad a la que se tuvieron que enfrentar muchos de los españoles enrolados en estas compañías que, al fin y al cabo, no dejaban de ser unidades militares que estaban dirigidas por oficiales franceses; compuestas, por lo general, por 250 individuos que actuaban comúnmente en las zonas fronterizas o en los campos militares del interior del país, desarrollando trabajos muy duros y en unas condiciones pésimas. El problema fue que el Gobierno francés entendió que los refugiados eran, en realidad, «prestatarios de servicios» y no trabajadores libres, condición que no tuvieron hasta mucho más tarde de lo que les prometieron.[93] La decepción de los refugiados españoles llegó hasta tal punto que pronto se redujeron notablemente los voluntarios. Ante esta situación los mandos franceses comenzaron a forzar a los refugiados para que se unieran a estas compañías. Esto trajo consigo numerosos conflictos: por ejemplo en el campo de Agde los refugiados organizaron una huelga de hambre de tres días para que cesaran dichas presiones. En una copia de un informe enviado al SERE se detalla cómo se habían producido los hechos:

Comenzaron a salir las primeras Compañías, encuadradas con Oficiales españoles, pero bajo el mando de Oficiales franceses. No se conocían bien las condiciones de trabajo y, algunas actuaciones indiscretas hicieron suponer que estas eran excesivamente favorables [...]. En la Dirección del SERE existen varias cartas, principalmente de los Campos, dando cuenta de esta situación que fue en aumento al obligarse al Mando francés a que diariamente se hicieran por los españoles dos horas de instrucción militar en orden cerrado. En casi todas las Compañías, produjo esta decisión del Mando francés una fuerte resistencia, que motivó castigos a los oficiales y soldados. Asimismo tuvieron conocimiento en los Campos de que en los trabajos eran custodiados por gendarmes y que el régimen era igual al de los Campos de Concentración, en cuanto a vigilancia y libertad, siendo únicamente favorecidos por un ligero mejoramiento en la comida, vino y 0,50 fr[ancos] diarios. Como digo anteriormente, estas noticias motivaron el que muchos de los que se

[92] Carta de Rafael del Castillo (Isla Bonifacio, Córcega) para Amaro del Rosal (Delegación de la UGT, París), 2 de agosto de 1939. FPI-AARD, Caja 267, carpeta 2.

[93] Bennassar, Bartolomé, «L'apport des réfugiés espagnols à l'économie (1939-1941)», en VV.AA, *Républicans espagnols en Midi-Pyrénées. Exil, histoire et mémoire* (Lavaur: Presses Universitaires du Mirail, 2005), pp. 155-157. Sobre este tema véase Gaspar Celaya, *La guerra continúa...*, pp. 145-155.

habían apuntado a las Compañías de Trabajadores, al conocer las condiciones reales de vida de estas Unidades, expresaran su deseo de no ser incluidos en ella.[94]

Por todo ello, no era de extrañar que las opciones que más interesaron y atrajeron a los exiliados fueran las de conseguir un contrato de trabajo fuera de los campos que les permitiera integrarse en la economía y sociedad francesa y, por tanto, ser ciudadanos de pleno derecho, o emigrar hacia otros países, generalmente a América, que les brindara la oportunidad que Francia les negaba.

Conseguir un contrato laboral no era una tarea fácil, sobre todo durante los primeros meses en los que la mayor parte de la población francesa desconfiaba de los refugiados españoles. En cambio, sí que eran reclamados para algunas campañas agrícolas, como, por ejemplo, la vendimia, en la que solían participar durante un par de meses y tras la cual retornaban a los campos, en la mayor parte sin cobrar ningún sueldo como sucedía en el campo de Rivesaltes según el testimonio de Anita Pujol recogido por Federica Montseny:

> En septiembre de 1941 nos obligaron a hacer las vendimias. Nos llevaban a todas a una sala del Comisariado Central, nos hacían poner en línea y ante nosotras desfilaban los patronos, eligiendo las que se les antojaban. Unos preferían las más fuertes, otros las más agraciadas. Nosotras, como esclavas, esperábamos a ser cedidas, sin que tuviéramos derecho a protesta alguna, a elección de condiciones y de personas. El Estado francés nos alquilaba y los patronos debían pagar nuestro salario a la Administración francesa.[95]

Esto se modificó con la llegada de la II Guerra Mundial y la necesidad de hombres en edad laboral. Tanto fue así que algunos autores han llegado a afirmar que los campos se convirtieron en reservas de mano de obra para el Gobierno galo.[96] De hecho, como demuestran muchos testimonios los franceses que querían contratar a refugiados podían ir a los campos para ver y seleccionar a quiénes querían como trabajadores. Así lo describe Joan Gaspar Cirera, catalán que consiguió salir del campo de Argelès-sur-Mer porque una mujer francesa le eligió para trabajar en su propiedad situada en el pueblo de Rivesaltes:

> [...] La gent del país venien a veure els presoners i al mateix temps, com el tema de les esclaves, les persones deien: té, aquest xicot, té, aquell xicot. [...] Va ser una dona que em va escollir, em va dir: aquest xicot. Hi havien altres, hi havien homes i dones que buscaven treballadors i llavors anàvem a treballar tant que ja de base, ja ens quedàvem a

[94] Copia de un informe remitido al SERE sobre lo sucedido en el campo de Agde, s. l., s. f. Fundación Sabino Arana (FSA) – Archivo del Nacionalismo Vasco (ANV) - Archivo del SERE, Caja 23, carpeta 1, sin foliar.

[95] Cfr. MONTSENY, Federica, *Pasión y muerte de los españoles en Francia* (Toulouse: Ediciones Espoir, 1969), p. 45.

[96] BENNASSAR, «L'apport des réfugiés espagnols à l'économie...», p. 159.

dormir a la casa, se'm feien nota d'això. I així és com vaig entrar a Ribesaltes, una dona em va dir em, va dir: tu, aquell [...].[97]

En relación a la emigración hacia otro país en busca de una vida mejor, no todos tuvieron la oportunidad de ver cumplir su sueño, ya que ni todos los países que recibieron refugiados españoles tuvieron los mismos objetivos ni las condiciones que pusieron fueron las mismas.[98]

En líneas generales, el continente europeo fue el que se mostró más reticente. Salvo el caso de Francia, que más que ofrecerse a ello fue lo que le vino impuesto, en el resto de países apenas hubo emigración de españoles. En Gran Bretaña a los 4.000 niños vascos evacuados durante la Guerra Civil se unieron 350 exiliados adultos. En Bélgica a los 5.000 niños que llegaron durante la contienda, y de los que solo se quedaron alrededor de 500 en familias adoptivas, se sumó otro grupo de exiliados que pasó desde Francia. En Suiza el número fue muy escaso, ya que solo se permitió la acogida de españoles tras la invasión alemana de la zona libre de Francia. En la URSS, de la que quizás se esperaba que fuera el mayor aliado para los refugiados, apenas llegaron pequeños colectivos de forma intermitente, predominando los niños (2.895 niños entre 1937 y 1938) y los exiliados políticos (unas 1.300, reemigrados desde Francia o desde el Norte de África). Desde este país algunos se marcharon a otros lugares de la órbita soviética, no llegando en total al centenar.[99]

El continente americano se mostró más generoso, aunque la voz cantante la llevó México, puesto que de los 35.000 exiliados que cruzaron el Océano entre 20.000 y 24.000 fueron a parar al país azteca.[100] A República Dominicana llegaron alrededor de 4.000 exiliados en expediciones financiadas por el SERE y ante el deseo del dictador Trujillo, que brindó su ayuda a la maltrecha República para limpiar su imagen tras la matanza de cerca de 20.000 haitianos en 1937 y con el deseo de fomentar el mestizaje y reforzar la influencia de lo español frente a los componentes africanos.[101] Los españoles

[97] Entrevista realizada a Joan Gaspar Cirera por el Banco Audiovisual de Testimonios del Memorial Democratic. Repositorio Digital. [consultado en: http://bancmemorial.gencat.cat/web/ search_advanced/?proyecto=&informant=Joan+Gaspar&lugarN=&municipioID=&idioma=&filtro=y].

[98] Sobre la acogida de españoles en diferentes países europeos y americanos remito a Mateos (ed.), *¡Ay de los vencidos! El exilio y los países de acogida...*

[99] Cifras y datos, de aquí en adelante, extraídos de Alted Vigil, *La voz de los vencidos...*, pp. 260-301. Para el caso concreto de Rusia véanse las páginas 143-163.

[100] Para comprender mejor la incidencia del exilio español en América Latina remito a Pla Brugat, *Pan, trabajo y hogar. Exilio republicano español en América...*; Naharro Calderón, José María, *El exilio de las Españas de 1939 en las Américas: ¿adónde fue la canción?* (Barcelona: Anthropos, 1991); y al dossier coordinado por Naranjo Orovio, Consuelo, «Los destinos inciertos: el exilio republicano español en América Latina», dossier monográfico de *Arbor: Ciencia, Pensamiento y Cultura,* 735 (2009), pp. 1-153.

[101] Naranjo Orovio, Consuelo y Puig-Samper Mulero, Miguel Ángel, «De isla en isla: los españoles exiliados en República Dominicana, Puerto Rico y Cuba», *Arbor: Ciencia, pensamiento y cultura,* 735 (2009), pp. 87-112; y Alfonseca Giner de los Ríos, Juan B., *El incidente del trasatlántico Cuba. Una*

que llegaron allí se dieron cuenta de que no tenían medios para trabajar en las colonias agrícolas a las que habían sido destinados y la gran mayoría optó por marcharse a otros países americanos, especialmente a México, para lo cual recurrieron a los organismos asistenciales o intentaron llegar por sus propios medios.

Otros países americanos se convirtieron en lugares de paso para los exiliados españoles como Puerto Rico o Cuba, destacando la presencia de algunos intelectuales. Mención especial merece Chile, donde llegaron 2.500 españoles a bordo del *Winnipeg*, más otros 1.000 exiliados a bordo de otros buques, fruto de la reemigración de otros países. Esta emigración fue financiada por el SERE y fue posible gracias al presidente chileno, Pedro Aguirre Cerda, y al escritor Pablo Neruda, nombrado cónsul especial para la Inmigración española en París. En Argentina se refugiaron aproximadamente unos 2.500 españoles que, aunque tuvieron algunos problemas de integración laboral, influyeron de forma decisiva en la cultura del país y, especialmente, en el mundo editorial.[102]

En estos países comenzó una nueva lucha para los exiliados: la búsqueda de empleo, la formación de un hogar, la superación de los problemas de adaptación, la integración en un nuevo mundo, etc. Poco a poco, tanto los refugiados en países europeos como en el continente americano, se fueron convenciendo de que el exilio iba a ser más largo de lo que pensaron en su huida. Al término de la II Guerra Mundial, y tras los reconocimientos oficiales al Gobierno franquista, muchos comenzaron a deshacer sus maletas y a resignarse a su suerte. El exilio temporal acabó por convertirse en permanente y algunos tuvieron que olvidarse de su deseo de volver a España. Sin embargo, nunca perdieron su memoria, que siguieron manteniendo en pie gracias, en parte, a ese instrumento que les había servido tan fielmente cuando fueron desahuciados del mundo: la escritura. Esta les sirvió, una vez más, para dar forma a sus recuerdos y dejar su huella en la historia: «Pero los vencidos de Franco que perdieron su lugar en la tierra nacional, no perdieron asimismo la memoria; llevaron sus historias y experiencias como los bultos sobre sus espaldas con los que cruzaron la frontera del exilio».[103]

---

historia del exilio republicano español en la sociedad dominicana, 1938-1944 (Santo Domingo: Archivo General de la Nación, 2012).

[102] Para más información véase Binns, Niall, *Argentina y la guerra civil española. La voz de los intelectuales* (Madrid: Calambur, Serie Hispanoamérica y la Guerra Civil española, 2012, Vol. 2.)

[103] Cate-Arries, *Culturas del exilio español entre las alambradas...*, p. 19.

Capítulo II
La Súplica durante el éxodo español: un universo peticionario

Si el cielo fuera el papel y todos los mares del mundo
fueran tinta [...]*

Si la escritura significó para el refugiado, en muchas ocasiones, el único eslabón que le mantuvo unido a todo aquello que podía recordarle quien era; no es menos cierto que ésta también se convirtió en un pasaporte hacia una nueva vida. Gracias a las cartas de súplicas, los exiliados españoles pudieron ponerse en contacto con los diversos organismos de ayuda existentes. Unas veces sus gritos de auxilio tuvieron respuesta, otras no, pero todos volcaron en sus peticiones, sus esperanzas e ilusiones y pusieron en juego los recursos que tuvieron a su alcance para obtener aquello que demandaban. Analizar qué tipo de organismos asistenciales funcionaron en el exilio español, cómo se articularon, qué papel jugó la escritura en su funcionamiento y cómo las súplicas se convirtieron en el principal nexo de unión entre el fallido Estado Republicano y aquellos que habían formado parte de él antes de ser desahuciados, son los objetivos principales de este capítulo.

Para conseguir profundizar en estos aspectos, comenzaré por situar la problemática que nos ocupa en el contexto internacional, pues debido a los numerosos conflictos existentes se fue conformando en la primera mitad del siglo XX un clima proclive al auxilio de los refugiados civiles que alcanzó su punto álgido entre los años 40 y 50, momento en el que se produjo la aparición de los primeros organismos asistenciales supranacionales. A continuación, se realizará una descripción lo más detallada posible de los distintos organismos de ayuda destinados a los republicanos españoles, dando

* Fragmento de la carta de despedida de Chaim, un joven campesino polaco de 14 años, a su familia. Se trata de uno de los fragmentos seleccionados por Luigi Nonno para su obra *Il canto sospeso,* 1956. Luigi Nono: *Il canto sospeso* / Mahler: Kindertotenlieder - Berlin Philharmonic Orchestra / Claudio Abbado.

relevancia a aquellas instituciones que más destacaron y que mejor permiten aproximarnos al complejo «universo peticionario» del exilio español. Finalmente, descenderemos a la organización de dichos organismos para comprender cómo la escritura fue clave para su buen funcionamiento, cómo el exiliado se relacionó con la misma y cómo las peticiones acabaron por convertirse en uno de los pilares que sostuvieron el burocrático entramado asistencial.

1. Un «exilio asistido»

El sistema asistencial del exilio español fue paralelo al desarrollo en Europa del derecho de asilo y de protección a los refugiados, que comenzó a despuntar en el periodo de entreguerras, cuando se produjo la creación de un organismo internacional que se ocupara del socorro y del sustento de la población exiliada.[1] La necesidad era acuciante, ya que de 1919 a 1939 fueron más de cinco millones las personas desplazadas debido a la sucesión de diversos conflictos como la I Guerra Mundial, las Guerras Balcánicas, la Revolución y contrarrevolución rusa o la Guerra Civil española.[2] Desde 1921 todos estos refugiados, entre los que había rusos, griegos, turcos, armenios, judíos y republicanos españoles fueron atendidos por el «Alto Comisionado para los refugiados», dependiente de la Sociedad de Naciones y dirigido por el noruego Fridtjof Nansen, conocido por ser el creador del Pasaporte Nansen, que permitía a los refugiados moverse por aquellos países que estuvieran adscritos al mismo.

Posteriormente, en 1938, y como consecuencia de los acontecimientos que tuvieron lugar en Alemania tras la ascensión del Gobierno nacionalsocialista al poder, vio la luz el «Comité Intergubernamental para los Refugiados» (CIR), en el que participaron 31 estados y que funcionó de forma paralela al citado «Alto Comisionado de la Sociedad de Naciones», que a partir de 1943 se convirtió en la «Administración de las Naciones Unidas de Socorro y Reconstrucción» (United Nations Relief and Rehabilitation Administration, UNRRA), de la que formaron parte 44 países. Las actividades de la UNRRA junto con las del CIR fueron asumidas en julio de 1947 por la Organización Internacional para los Refugiados (OIR). Dicha institución fue el germen de la actual Oficina del Alto Comisionado de las Naciones Unidas para los Refugiados (ACNUR) que desde 1950 se ocupa de la protección de los miles de refugiados que a día de hoy sigue habiendo en el mundo, no solo por tener que huir de su país de origen por motivos

[1] Para conocer mejor el problema de los refugiados en este periodo remito a Skran, *Refugees in Inter-war Europe...*; y a Gratell, Peter, *The making of the modern refugee* (Oxford: Oxford University Press, 2013) pp. 53-81. Por otro lado, en cuanto a los esfuerzos realizados a nivel humanitario para socorrer a la población civil puede verse Dreyfus-Armand, Geneviève: «Poblaciones civiles y organizaciones de ayuda humanitaria en el periodo de entreguerras», en Alted Vigil y Fernández Martínez (eds.), *Tiempos de exilio y solidaridad: la Maternidad Suiza de Elna...*, pp. 43-60.

[2] ACNUR, *La situación de los refugiados en el mundo: Cincuenta años de acción humanitaria,* p. 18.

políticos, religiosos o culturales, sino también como consecuencia de las confrontaciones bélicas y de los desastres naturales.[3]

Pero, más allá de los organismos supranacionales, la historia de la protección a los refugiados comenzó a escribirse de forma más modesta, con pequeñas instituciones, que se ocuparon de socorrer a los evacuados de los conflictos bélicos.[4] Peso especial tuvieron en ella algunas asociaciones no gubernamentales como, por ejemplo, el Comité Internacional de la Cruz Roja (CICR), pero también fueron esenciales las instituciones creadas por los gobiernos de los lugares afectados por estas guerras, como fue el caso del Imperio austro-húngaro con la población civil trentina durante la I Guerra Mundial.[5] Estas experiencias previas sentaron las bases para la creación posterior de los sistemas asistenciales supranacionales que dieron la oportunidad a miles de refugiados de comenzar una nueva vida.

Descendiendo al caso que nos ocupa, y como ya se señaló en la Introducción, aunque el exilio provocado por la Guerra Civil no fue el primero que tuvo que soportar la población española, ya que nuestra historia tiene una larga tradición de destierros desde el siglo XV en adelante, sí fue esta la primera vez que junto a los refugiados se exilió una parte importante del Gobierno, que, además, consiguió salvar algunos de sus recursos económicos. Si bien el uso de estos fondos ha dado lugar a muchos debates,[6] tanto en el momento como después, no puede dudarse de que una proporción importante del dinero se destinó al auxilio de los refugiados, lo que convirtió al éxodo español en un «exilio asistido» o subvencionado.[7] Cierto es también que el reparto no fue equitativo,

[3] Sobre el concepto de refugiado véase SHACKNOVE, Andrew, «Who is a refugee?», *Ethics*, 95/2, (1985), pp. 274-284.

[4] Una de las primeras asociaciones civiles que tejió una red de solidaridad al servicio de los intelectuales durante la I y la II Guerra Mundial fue la *Association des Françaises diplômées des Universités* (AFDU). Algunas de las súplicas que recibieron pueden verse en CAZALS, Rémy, *Lettres de réfugiées. Le réseau de Borieblanque. Des étrangères dans la France de Vichy* (París: Tallandier, 2003).

[5] Cfr. ANTONELLI, Quinto y ZADRA, Camillo, «Lettere di profughi trentini ai comitati di soccorso nella Grande Guerra» y BRICCHETTO, Enrica, «"Casi Miserandi" Lettere di civili, profughi e militari al Comitato di Assistenza di Alessandria (1915-1918)», ambos en Zadra y Fait (dirs.): *Deferenza, rivendicazione, supplica...*, pp. 35-41 y pp. 43-52, respectivamente; y LEONI, Diego y ZADRA, Camillo, *La città di legno. Profughi trentini in Austria (1915-1918)* (Trento: Editrici Temi, 1982).

[6] VIÑAS MARTÍN, Ángel, *El oro español en la Guerra Civil* (Madrid: Instituto de estudios fiscales, Ministerio de Hacienda, 1976); MARTÍN ACEÑA, Pablo, *El oro de Moscú y el oro de Berlín* (Madrid: Taurus, 2001); y BOTELLA PASTOR, Virgilio, *Entre memorias. Las finanzas del Gobierno español en el exilio* (Sevilla: Renacimiento, 2007).

[7] El término se debe a VELÁZQUEZ HERNÁNDEZ, Aurelio, «El exilio republicano español en México: una emigración subvencionada (1939-1949)», en Barrio Alonso, Ángeles; De Hoyos Puente, Jorge y Saavedra Arias, Rebeca (eds.), *Nuevos horizontes en el pasado. Culturas políticas, identidades y formas de representación* (Santander: Publican; Ediciones de la Universidad de Cantabria, 2011, edición digital, sin paginar).

pues solo una parte de los afectados pudo disfrutar de esta ayuda, mientras que otros nunca tuvieron la suerte de acceder a la misma.[8]

En líneas generales, podemos establecer tres niveles o sistemas de ayuda en el marco del exilio español en función de los organismos responsables y de la procedencia de su financiación, pues no toda la asistencia fue sufragada con los fondos del Gobierno republicano, sino que también muchos refugiados se beneficiaron de la generosidad de numerosos particulares y de diversas asociaciones. En primer lugar, estarían las instituciones vinculadas directamente con la II República y sustentadas con los fondos que los líderes políticos consiguieron salvar antes de la derrota. En un segundo puesto se encontrarían los distintos partidos políticos y sindicatos exiliados, que desde muy pronto, atendieron a sus afiliados refugiados, especialmente en Francia, creando para ello diversas delegaciones de ayuda que estuvieron en estrecha relación con los organismos asistenciales republicanos. En un tercer y último lugar, aunque no por ello menos importante, estarían aquellos organismos procedentes de otros países. Algunos dependían del Gobierno, como las embajadas y consulados, mientras que otros tuvieron un carácter humanitario y no gubernamental, como las asociaciones de ayuda, algunas ya existentes antes de la contienda española y otras surgidas específicamente con el propósito de ayudar a los exiliados españoles [Figura 1].

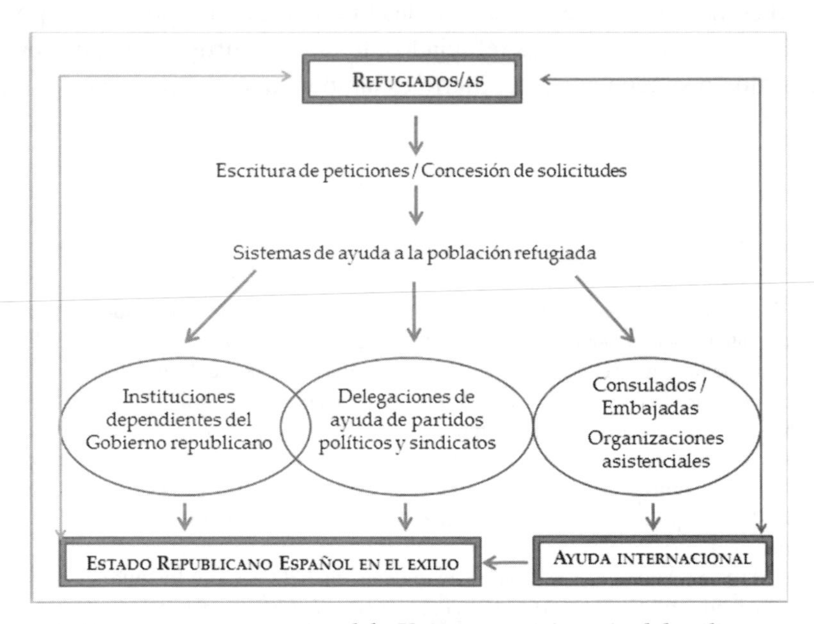

Figura 1. *Esquema representativo del «Universo peticionario del exilio español», Elaboración propia.*

[8] MATEOS, Abdón, *La batalla de México. Final de la Guerra Civil y ayuda a los refugiados, 1939-1945* (Madrid: Alianza Editorial, 2009), p. 281.

Estos tres grandes grupos conforman el sistema asistencial del exilio español. Los diversos organismos que los constituyeron interactuaron entre sí, apoyándose en algunos momentos y enfrentándose en otros: en algunas ocasiones trabajaron juntos para aunar esfuerzos y conseguir mejores resultados, pero no faltaron momentos de crispación y lucha motivados por sus diferencias ideológicas y sus distintos objetivos. Por ello, no se pueden entender unos sin otros, especialmente en el caso del primero y del segundo nivel cuya actuación fue, la mayor parte de las veces, conjunta. Para comprender el funcionamiento de dicho sistema es fundamental que se analice cada uno de estos sectores por separado, ilustrándolos con varios ejemplos específicos, tanto de su actuación conjunta como de sus actuaciones individuales, que sirvan para apreciar y señalar las diferencias y similitudes entre ellos y que ayuden a desentrañar la relación que los refugiados establecieron, a través de la escritura, con los diferentes organismos de ayuda.

1.1. **Organismos dependientes del Gobierno republicano**

La actividad de los organismos asistenciales dependientes de la República española, tanto política como económicamente, como he señalado, empezó a desarrollarse durante la contienda. Inicialmente, el cometido de estas instituciones era evacuar a la población civil en riesgo a zonas seguras, especialmente a los niños/as. Las campañas de evacuación se tornaron principalmente importantes tras la caída del Frente Norte en 1937. A partir de este momento, y ante la desfavorable evolución de la guerra para la República, no bastó con resguardar a la población en refugios del interior del país, sino que fue necesario trasladar a los refugiados al extranjero convirtiéndose Francia en el país principal de acogida.

Para la ayuda y auxilio de estos primeros refugiados se contó con las diversas delegaciones de Asistencia Social. Uno de sus cometidos fue poner en contacto a los refugiados con los familiares que habían dejado atrás y ayudarles a recomponer la unidad familiar rota. Numerosos ejemplos de esta labor los tenemos en las peticiones que se han conservado de la Delegación de la Asistencia Social de Euzkadi dependiente del Gobierno vasco, afincada en Barcelona tras la caída de Santander. Cientos refugiados vascos escribieron a dicha Delegación para conocer el paradero de aquellos seres queridos a los que habían perdido la pista, como, por ejemplo, Celia Ruiz Uriarte, quien solicitó el 13 de febrero de 1938 información sobre dos amigos:

> Señores Delegados Vascos:
>
> La presente tiene como objeto el comunicarles que desearía saber el paradero de Tomás Echevarría, concejal del Ayuntamiento de Baracaldo, y, al mismo tiempo, también desearía saber la dirección de Martín Retuerto Loizaga, éste último del Comité de Acción Vasca y al mismo tiempo forma parte del Frente Popular de Euzkadi.
>
> Les pido dispensen mi atrevimiento, pero como todos los días estoy leyendo en el periódico que no hay necesidad de trasladarse a esa, y que ustedes se cuidarán de avisar para poder hacer lo que al alcance de ustedes está.

Tengo la completa seguridad que me contesten a esta tan pronto como me puedan dar los datos que les pido.

Con un fuerte: «Gora Euzkadi» les saluda esta vasca.[9]

También fue en estos momentos, hacia 1937, aunque con unos objetivos mucho más modestos que los que tuvo después, cuando algunos autores sitúan el nacimiento del SERE, cuya tarea inicial fue la evacuación a Francia de los refugiados de la zona norte del Cantábrico y su posterior exilio a terceros países así como la concesión de subsidios a algunos refugiados.[10] A pesar de que por el momento no se ha encontrado documentación oficial del citado organismo hasta 1939 cuando, tras la caída de Barcelona y el éxodo masivo del pueblo español, este entró en pleno funcionamiento.[11] El SERE estaba formado por un Consejo ejecutivo o Comité en el que estaban representados todos los partidos políticos y cuyo presidente era Pablo de Azcárate, quien estuvo acompañado por Bibiano Osorio y Tafall y José Ignacio Mantecón, director y secretario de la institución, respectivamente. Además, existía una Ponencia ministerial, un órgano de decisión más reducido presidido por Juan Negrín.[12]

No todos los refugiados en el país galo podían ser evacuados a otros lugares, por lo que desde el SERE comenzó una ingente labor de selección de los afortunados, que se llevaba a cabo a partir de la evaluación de sus peticiones de ayuda en colaboración con partidos políticos y sindicatos, como veremos en el siguiente apartado y como se constata de la documentación conservada del SERE en el Archivo del Nacionalismo Vasco en la FSA (Bilbao).

Este sistema de selección fue pronto duramente criticado, tanto por los propios exiliados como por el resto de facciones políticas del exilio, así como la política de concesión de subsidios que el SERE llevó a cabo. Además, también fue muy discutido el destino que debían tener los fondos de la República, pues no todos estaban de acuerdo en que con ellos se sufragara el exilio de los refugiados a terceros países. Este aspecto fue el centro de las disputas entre el SERE y su organización rival, la JARE, liderada por Indalecio Prieto y financiada con los fondos conseguidos gracias a la incautación

[9] Petición de Celia Ruiz Uriarte (Torrebeses, Lérida) para la Delegación de la Asistencia Social de Euskadi (Barcelona), 13 de febrero de 1938, CDMH, PS Barcelona, caja 913, exp. 18, doc. 55.

[10] Alted Vigil, Alicia, «Ayuda humanitaria y reorganización institucional en el exilio», en Cuesta y Bermejo (coord.), *Emigración y exilio. Españoles en Francia…*, p. 205.

[11] Del Valle, José María, *Las instituciones de la República española en el exilio* (Chatillon-Sous-Bagneux: Ruedo Ibérico, 1976).

[12] Sobre el funcionamiento interno del SERE véanse Behrens, Benedikt, «Las autoridades mexicanas y el SERE en el rescate de los refugiados republicanos en 1939: colaboración y conflictos», *Congreso Internacional 1939: México y España,* 11-13 de marzo de 2009, Centro de Investigaciones Históricas de la Democracia española (CIHDE), versión on-line, sin paginar [consultado en: http://www.cihde.es/sites/default /files/congresos/pdf/BENEDIKT_BHERENS.pdf]; De Azcárate, Pablo, *En defensa de la República. Con Negrín en el exilio* (Barcelona: Crítica, 2010), pp. 111-117; y, Velázquez Hernández, Aurelio, «La labor de solidaridad del Gobierno Negrín en el exilio: el SERE (1939-1940)», *Ayer*, 97 (2015), pp. 141-168.

del yate *Vita* cuando este llegó a México, donde había sido enviado por Negrín para que el doctor José Puche, presidente del CTARE, la delegación del SERE en dicho país, dispusiera de este dinero.[13] La apropiación de estos bienes por parte de Prieto terminó de dividir a los grupos políticos exiliados y provocó la instrumentalización política de dichas organizaciones de ayuda.[14]

Esto explica, por ejemplo, que estas instituciones hicieran firmar una especie de declaración a los refugiados que recibían sus ayudas con el fin de asegurarse de que no percibían auxilio de otro organismo, como en algunos casos sucedió, sino que su organización era la única verdaderamente dependiente del Gobierno republicano y, por tanto, la única legítima para este trabajo asistencial. Como muestra Javier Rubio en su libro cuando afirma que los solicitantes debían firmar la siguiente declaración antes de percibir la ayuda del SERE:

> Considero al SERE como el único organismo habilitado para administrar los fondos recibidos de la solidaridad internacional y que administra el último gobierno constitucional de España, y declaro no tener ninguna relación ni percibir fondos de otra organización similar al SERE.[15]

La firma de este compromiso significaba, por tanto, que el refugiado beneficiario de la ayuda estaba dando plena legitimidad al SERE frente a la JARE, aunque ésta contaba con el beneplácito de la Diputación Permanente de las Cortes, que aprobó su estatuto el 26 de julio de 1939.[16] No obstante, y de facto, ambas organizaciones interactuaron durante poco tiempo, puesto que la JARE tuvo su mayor momento de actividad cuando el SERE ya había sido disuelto y tan solo quedaban de él algunos vestigios de su delegación en México, el CTARE. A pesar de ello, esta división simbolizó la ruptura de los

[13] Para conocer mejor la evolución de la JARE en México, así como el papel de Indalecio Prieto en la ayuda a los refugiados españoles, véanse Mateos, Abdón, *De la Guerra Civil al exilio. Los republicanos españoles y México (Indalecio Prieto y Lázaro Cárdenas)* (Madrid: Biblioteca Nueva, 2005), pp. 109-146 y *La batalla de México...*, pp. 115-164; Domínguez Prats, *De ciudadanas a exiliadas. Un estudio sobre las republicanas españolas...*, pp. 108-124; y, Velázquez Hernández, Aurelio, *La otra cara del exilio. Los organismos de ayuda a los republicanos españoles en México (1939-1949)* (Tesis Doctoral defendida en la Universidad de Salamanca, Salamanca, 2012), pp. 273-478. Una parte de dicha tesis puede verse publicada en *Empresas y finanzas del exilio. Los organismos de ayuda a los republicanos españoles en México (1939-1949)* (México D. F.: El Colegio de México, Colección «Ambas Orillas», 2014).

[14] Sobre este conflicto remito a del Rosal, Amaro, *El oro del banco de España y la Historia del Vita* (México D. F.: Grijalbo, 1976); Caudet, Francisco, *Hipótesis sobre el exilio republicano de 1939* (Madrid: FUE, 1997), pp. 245-292; y, Gracia Alonso, Francisco y Munilla, Gloria, *El tesoro del «Vita». La protección y el expolio del patrimonio histórico-arqueológico durante la Guerra Civil* (Barcelona: Universitat de Barcelona, 2014).

[15] Documento citado a partir del libro de Rubio, *La emigración de la Guerra Civil...*, Vol. 1, p. 136. El autor no aporta más datos ni referencias sobre este documento.

[16] Esta aprobación supuso para la JARE contar con la legalidad necesaria para actuar después de haberse quedado con los bienes del *Vita*. Miralles, Ricardo, *Juan Negrín. La República en guerra* (Madrid: Temas de Hoy, 2003), pp. 335-336.

poderes republicanos, trasladando fuera de sus fronteras las disensiones que se habían hecho patentes ya en España durante los últimos coletazos de la Guerra Civil y que les acompañaron a lo largo del exilio.

Por todo lo expuesto, podemos afirmar que el primer nivel de ayuda del sistema asistencial del exilio español estaba compuesto por dos facciones políticas marcadamente disidentes, lo que incidió en que dichas instituciones no sirvieran solo para ayudar y sostener a los refugiados, sino también para continuar un juego de poder político que significaba que la exigua República española seguía viva, aunque careciera de territorio, porque de ella seguían dependiendo miles de ciudadanos a los que tenía que proteger y devolver a casa.

1.2. Partidos políticos y sindicatos

En este nivel de ayuda nos encontramos con los distintos partidos políticos y sindicatos exiliados, puesto que junto a los refugiados se exilió buena parte del Gobierno republicano y de sus instituciones que se reorganizaron muy pronto y se empeñaron en ofrecer la mayor cobertura asistencial posible a sus militantes, aunque para ello tuvieran que enfrentarse con otras organizaciones. Casi todas las familias políticas de la República tuvieron representación en el exilio español, si bien destacaron los partidos políticos y sindicatos dependientes de los gobiernos vascos y catalán, que crearon organizaciones de ayuda propias para sus afiliados: Euzko Laguntza, para el caso de los nacionalistas vascos y Entr'aide aus Republicains Catalans (ERC), para los catalanes. Dichas asociaciones estaban centradas en el socorro más inmediato de los refugiados, especialmente de los que estaban recluidos en los campos. Su ayuda pasaba desde la elaboración de censos hasta el intento de procurarles asistencia sanitaria y docente e incluso, para el caso vasco, religiosa. En el primer informe realizado por Eusko Laguntza se fijaban los objetivos para los que había sido creado y las primeras medidas que iban a adoptar. Al leer dicho informe resulta evidente que detrás de estos organismos estaba latente la voluntad propagandística y la de mantener los lazos de unión con sus militantes:

> Prensa: Se tenderá a la creación de un órgano de propaganda que a ser posible publique diariamente para su mayor eficacia, evitando con ello la lectura de periódicos franceses de escasa información peninsular y de orientación no siempre conveniente. Este periódico realizará una labor patriótica disimulada, creará secciones de información internacional, peninsular, y en cuanto sea posible, de Euzkadi, dando a conocer las noticias que se obtengan de la actuación del enemigo en nuestra patria [...]. Creará una sección semanal dedicada a los refugiados que sea base para la confección de una hoja de propaganda que pueda ser editada por separado; relacionará a los refugiados entre sí con secciones como la de «Indagando paraderos», publicando listas de refugiados, dando direcciones para el envío de correspondencia, publicando fotografías de grupos de refugiados e instrucciones de todo orden para los mismos [...].[17]

[17] Copia del informe de las labores a realizar por Eusko Laguntza, s. f. FSA- Archivo del PNV, Caja 364, carpeta 2, sin foliar.

Los militantes solían escribir a estos organismos para que les ayudaran a averiguar el paradero de compañeros o familiares desaparecidos, así como para demandar información precisa sobre su situación o pedir su intercesión ante las instituciones dependientes directamente del Gobierno de la República. Es el caso de la mayor parte de las peticiones enviadas a ERC, organismo, con sede en Perpignan, que estuvo gestionado por Ramón Frontera, aunque el destinatario de la mayoría de las peticiones fue Carles Pi i Sunyer, lo que puede deberse al mayor peso y visibilidad que había tenido dentro del partido. A él se dirigieron numerosos militantes y políticos de base, *mossos d'esquadra*, funcionarios de la Generalitat, etc. Como estos refugiados internos en el campo de Bram que solicitaban orientación ante la confusión generada por la circulación de algunos impresos remitidos a miembros del partido:

> Campo de Bram, 27 d'abril de 1939
> Volgut amic:
> Els que sotasignem en nom i en representació dels demés amics pertanyents al Partit d'Esquerra Republicana de Catalunya, us agrairíem tinguéssiu l'amabilitat de contestarnos i orientar-nos sobre de quin és l'estat de les relacions sobre la nostra situació. Hom hem cregut de dirigir-nos a vós, una de les persones més autoritzades del Partit. Debant el fet de que corren per aquest camp molts impresos que degudament signats són tramesos a certs militants del Partit sobre alguns dels quals dubtem de llur veracitat.
> Debant doncs d'aquest confusionisme amb la consegüent inquietud que comporta als amics del Partit, és per això que ens dirigim a vós perquè ens orienteu sobre l'esmentada cuestión [...].
> Rebeu una forta encaixada de tots els amics que com vós veure lliure la nostra pàtria dels invasors.
> Ramón Costa [...].[18]

No obstante, y aunque, como acabamos de ver, sus labores fueron muy variadas, el papel más importante que jugaron los partidos políticos y sindicatos fue su intervención dentro del SERE, lo que determina que la petición más repetida en las cartas dirigidas a sus representantes fuera que éstos influyeran ante el citado organismo para que les seleccionaran y pudieran exiliarse a otros países, especialmente a México y Chile. Los refugiados conocían bien el sistema de ayuda porque sus compañeros de partidos y sindicatos les habían informado sobre su funcionamiento, y la mayoría sabía que no tenía nada que hacer si su nombre no figuraba en las listas que desde los distintos partidos políticos se entregaban al SERE. Así lo hizo José Polo Cavia el 7 de junio de

[18] Carta de Ramon Costa et al. (Campo de Bram) para Carles Pi i Sunyer ([Perpignan]), 27 de abril de 1939. Se encuentra reproducida en VILANOVA, Francesc (ed.), *Des dels camps. Cartes de refugiats i internats al Midgia francès l'any 1939* (Barcelona: Quaderns de l'Arxiu Pi i Sunyer, 3, 1998), p. 54. Cfr. Report, *Entre'aide aux Républicans Catalans*, Perpignan, 30 de junio de 1939. Cfr. Vilanova (ed.), *Des dels camps. Cartes de refugiats...*, pp. 112-115. Para más información remito a la Tesis Doctoral de SAGUI-PIGENET, Phyrné, *Les Catalans espagnols en France au xxème siècle: exil et identités à l'épreuve du temps* (Universidad París 10 y École Doctorale Economie, organisations, société en Nanterre, 2014).

1939 en esta solicitud enviada a Pi i Sunyer: «Mi carta tiene por objeto el decirle que adjunta con la carta le mando una ficha de las que facilita el SERE para que V. haga los posibles para mi embarque para Méjico, y se la mando a V. por ser persona de mi mayor confianza, pues no he querido mandar ficha alguna dando explicaciones de mi situación política».[19]

Con el objetivo de que el reparto fuera equitativo, a cada familia política le correspondía un porcentaje de plazas de refugiados que podían incluir en cada expedición. Por ejemplo, para el caso de México, dada su importancia y que fue el primer país receptor de un amplio contingente de refugiados, se necesitaron varias reuniones y multitud de negociaciones para llegar a un acuerdo. Así la primera propuesta realizada por la Presidencia del SERE ya establecía porcentajes concretos para cada partido [Figura 2]. Su finalidad, como ellos mismos afirmaron, era ser lo más eficaces posible en la selección pues de ella dependía el futuro de muchos de sus compatriotas:

> La propuesta tiene un carácter eminentemente práctico y está inspirada en el deseo de hacer posible que el SERE decida este punto vital para el cumplimiento de su misión. Conviene, por consiguiente, que la propuesta sea examinada exclusivamente bajo este respecto, y teniendo en cuenta, muy especialmente, que no trata, ni más ni menos, de hacer posible la utilización práctica y razonable del ofrecimiento de Méjico para acoger a los emigrados políticos españoles.[20]

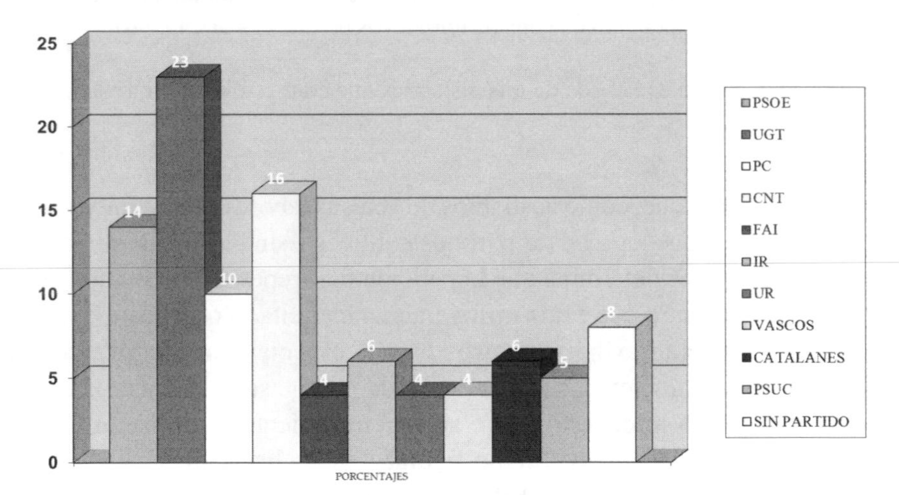

Figura 2. *Gráfico con los datos extraídos del informe del SERE. Proposición de la presidencia sobre «proporcionalidad», 9 de junio de 1939, FSA-Archivo del SERE, caja 22, carpeta 8, sin foliar, Elaboración Propia.*

[19] Carta de José Polo Cavia (Argelès-sur-Mer) a Carles Pi i Sunyer (Perpignan), 7 de junio de 1939. Reproducida en VILANOVA (ed.), *Des dels camps. Cartes de refugiats i internats...*, p. 77.

[20] Informe del SERE. Proposición de la Presidencia sobre «proporcionalidad», 9 de junio de 1939, FSA - Archivo del SERE, Caja 22, carpeta 8, sin foliar.

Aunque esta fue la propuesta inicial, el resultado final respondió a los debates que durante días se produjeron en las reuniones del Consejo, tras las cuales los porcentajes más aceptados para la emigración a México fueron los siguientes:

— Sector marxista: 55%
— Sector confederal y libertario: 22%
— Sector republicano (incluyendo a los partidos catalanes): 20%
— Sin partido: 3%.[21]

Si bien estos datos deben ser tomados con precaución puesto que no siempre coinciden con los que se aportan desde otros organismos. Por ejemplo, Amaro del Rosal afirmaba que el 38% fue para la familia marxista, el 33% para los republicanos, el 24% para libertarios y el 5% restante para aquellos que no se podían adherir a ningún partido.[22] De la misma forma, estos números tampoco se corresponden con los recogidos por Pablo de Azcárate en sus memorias, basados en los datos que aportó la Legación mexicana sobre los refugiados que finalmente habían llegado a su país en los buques insignes del éxodo español: el *Sinaia*, el *Ipanema* y el *Mexique*.[23]

	Sinaia	*Ipanema*	*Mexique*
UGT	22 %	19,22 %	18 %
CNT [Confederación General del Trabajo]	11,36 %	12 %	18 %
PCE [Partido Comunista español]	20,94 %	11,04%	11,11 %
IR [Izquierda Republicana]	8,78 %	5 %	5,11 %
ANV [Acción Nacionalista Vasca]	0,75 %	3 %	3 %
PNV [Partido Nacionalista Vasco]	0,75 %	3 %	3%
ACR [Acció Catalana Republicana]	0,02 %	3 %	5,11 %
ERC[Esquerra Republicana de Catalunya]	4,93 %	5 %	5,11 %
PSOE [Partido Socialista Obrero Español]	8,40 %	5,62 %	4,33 %

Tabla 1. *Porcentajes atribuidos a los partidos políticos y sindicatos para la emigración a México. Legación de México. Extraída de Pablo de Azcarate:* En defensa de la República. Con Negrín en el exilio, *Barcelona: Crítica, 2010, p. 139.*

Cifras que otorgan un mayor peso al Partido Comunista, especialmente en el *Sinaia*, lo que se explica por la influencia de Fernando Gamboa, representante del Gobierno mexicano, quien intervino en la selección final de los refugiados rechazando incluso a

[21] Carta circular n.º 25, del consejo general del Movimiento Libertario Español, distribuida en el mes de agosto de 1939 en los campos de concentración franceses. Reproducida en RUBIO, *La emigración de la guerra civil...*, Vol. 3, pp. 889-892.

[22] DEL ROSAL, Amaro, *Historia de la UGT de España en la Emigración* (Barcelona, Buenos Aires, México D. F: Grijalbo, 1978, Vol. 1), p. 88.

[23] DE AZCÁRATE, *En defensa de la República...*, p. 139.

algunos que estaban a punto de embarcar. Fueron muchos los delegados y representantes de partidos que denunciaron ante sus superiores estos hechos, entre ellos el representante ante el SERE de ANV, José Olivares Larrondo «Tellagorri» quien era el responsable de supervisar el embarque de los afiliados del ANV y el PNV al *Mexique*. José escribió a Juan Carlos Basterra, presidente de ANV, para comunicarle cómo algunos de sus afiliados seleccionados habían sido rechazados por Gamboa y cómo debían actuar para impedir que estos exiliados volvieran al campo de internamiento de Gurs:

> [...] Ayer rechazó definitivamente Gamboa a Emilio Galdós, que quedó muy abatido. La cosa no tiene arreglo por ese lado, pero vamos a ver si procuramos otra solución: la de mandarle a Chile. Hoy vamos a telefonear al SERE de París para decir que no entregue las listas de Chile. Y tú debes ir preparando una nueva lista, en la que habrá que incluir a los que rechace Gamboa. Eso es lo que hemos decidido los representantes que estamos aquí pues nos parece un crimen enviar otra vez a los rechazados al campo de Gurs. Tienes que hacer de Galdós una nueva ficha, diciendo que su oficio es "aserrador" pues ya sabes que Chile no admite más que obreros y campesinos. Pero no entregues la lista definitiva hasta que yo te avise, pues aún puede ser rechazado alguno más. A otros partidos ha rechazado Gamboa una partida de gente, y hay casos que le partirían a uno el alma, si hubiera alma. Ayer, uno de los emigrantes, un chico joven, que ha venido aquí con su mujer y cuatro niños, recibió carta de España en la que le dicen que han fusilado a su padre, a su madre y a tres hermanos. Estaba el hombre como puedes figurarte. Pues, encima, le rechazó Gamboa [...].[24]

Esta carta de un preocupado Tellagorri nos muestra la influencia que partidos políticos y sindicatos tuvieron en la elección de los refugiados para emigrar a terceros países, pero también, y quizás esto es lo más importante, como la última palabra siempre la tuvo el país de acogida, ya que si los representantes de este, como fue el caso de Fernando Gamboa, rechazaban a alguno de los propuestos no había nada que los partidos políticos o los sindicatos pudieran hacer, salvo intentar buscar al interesado un pasaje en otro barco.[25]

Así pues, queda claro que más allá del baile de cifras y de los casos particulares, eran los partidos y sindicatos los que debían elaborar sus propias listas que después debían remitir al SERE. Una vez allí, las listas eran discutidas y enviadas a las distintas legaciones del país de destino, que tenían que realizar la aprobación final.[26] Como ejemplo, las listas elaboradas por la UGT de propuestos para emigrar a América. En los papeles que componen el informe previo a dicha lista se observa cómo la UGT dividió a sus «candidatos» dependiendo de su vinculación con el sindicato creando para

[24] Carta de José Olivares Larrondo «Tellagorri» (Burdeos) para Juan Carlos Basterra (París), 10 de julio de 1939, FSA – Archivo del SERE, Caja 19, carpeta 10, sin foliar.

[25] La influencia de Fernando Gamboa y su aceptación o rechazo de algunos refugiados perjudicó al SERE puesto que fue una de las razones por las que fue acusado de filocomunista. Cfr. ALTED VIGIL: «Ayuda humanitaria y reorganización institucional...», pp. 205-206.

[26] DE AZCÁRATE, *En defensa de la República...*, p. 137.

ello grandes grupos: exdiputados a Cortes, exdiputados provinciales, cargos públicos, Tribunales populares, jefes del ejército, alcaldes, concejales, militares profesionales, Comités locales, Casas del Pueblo, soldados, etc.[27] Una vez creada esta lista confeccionó la relación final de propuestos para emigrar que remitió al SERE.[28] Con este ejemplo, vemos cómo, a pesar de llevar a cabo pequeñas iniciativas de ayuda independientes focalizadas especialmente a mejorar las condiciones de los exiliados internos en los campos, la labor principal de partidos políticos y sindicatos en esta primera etapa fue colaborar con el SERE para la emigración de sus militantes hacia terceros países como México y Chile.

1.3. **Ayuda internacional**

Partidos y sindicatos también acudieron a las asociaciones que se encontraban en el último gran grupo de ayuda, que estaba compuesto, por un lado, por las organizaciones de auxilio de carácter humanitario que no pertenecían a ningún Gobierno, sino que eran financiadas y sostenidas por particulares y voluntarios; y por otro lado, por las distintas embajadas y consulados de los países que habían decidido ayudar a la causa republicana ofreciendo su apoyo institucional a los refugiados españoles.

En cuanto a las primeras, es imposible mencionarlas todas, pero sí quiero destacar las que fueron más importantes, o al menos las que tuvieron una actividad más intensa. Dejando a un lado las asociaciones creadas para el auxilio de la población infantil,[29] hay que señalar la labor realizada por el National Joint Committee for Spanish Relief (Comité Británico de Ayuda a España), asociación liderada por la duquesa de Atholl, Eleanor Rathbone, y que sufragó buena parte de los billetes que permitieron embarcarse a muchos refugiados en el *Sinaia*. Entre ellos, a Claudio Esteva Fabregat quien en la entrevista que le hicieron para el Proyecto de Historia Oral «Archivo de la Palabra» reconoció que lo que le salvó del campo de concentración fue precisamente la carta que envió al citado Comité, ya que él no tenía ninguna afiliación política, lo que le dejaba fuera del resto de las posibles selecciones:

> Y entonces yo mandé una carta, que no la tengo, habrá quedado en algún sitio. En esta carta expliqué, pues creo que yo tenía entonces veinte años [...] que yo había sido esto y que me ofrecía, pues para luchar... que creía que el fascismo iba a avanzando y que yo no

[27] Informe de la UGT realizada por Eladio Fernández Egocheaga. Relación general de propuestas para emigrar, s. f., FPI-AARD, Caja 283, carpeta 28.

[28] Relación de refugiados españoles en Francia propuestos para su evacuación a América, 4 de abril de 1940. Informe de Eladio Fernández Egocheaga. FPI-AARD, Caja 283, carpeta 27.

[29] Marqués, Pierre, «Ayuda humanitaria y evacuaciones de niños», en Alted Vigil; González Martell y Millán, *El exilio de los niños...*, pp. 38-55; Sierra Blas, Verónica, *Palabras Huérfanas. Los niños y la Guerra Civil* (Madrid: Taurus, 2009), pp. 83-94 y Keren, Célia, «Négocier l'aide humanitaire: les évacuations d'enfants espagnols vers la France pendant la guerre civile (1936-1939)», *Revue d'Histoire de l'Enfance Irrégulière*, 14 (2013), pp. 167-183.

> quería estar en aquel país, en Francia, pero que, en cambio, cre[í]a que Inglaterra puede usar de un soldado más para, para lo que viene, y que podían contar con un soldado [...]. Pasaron unos días [...]. Y entonces, recuerdo que nombraron mi nombre para que me presentara en el locutorio, en el locutorio donde estaba la señora, la duquesa de Atholl...[30]

También, destaca el Comité Internacional de Coordinación y de Información de Ayuda a la España Republicana (CICIER), con sede en París, instigador de la Conferencia Internacional para la Defensa de la Persona Humana y la Conferencia Francesa de Ayuda a los Refugiados Españoles, ambas organizadas en la capital francesa en los meses de mayo y junio de 1939, respectivamente.

La ayuda a los refugiados españoles de carácter no gubernamental no se quedó solo en el viejo continente, pues en América también hubo diversas iniciativas, como la de la Federación de Organismos de Ayuda a los Republicanos Españoles (FOARE), que prestó su ayuda principalmente en Argentina y México, o el Comité Norteamericano de Ayuda a la Democracia española y el Spanish Refugee Aid (SRA), que operaron desde Nueva York.[31]

Figura 3. *Cartel publicitario del Spanish Refugee Aid presentado en las Conferencias de Ayuda París-México 1939-1943. FPI-AARD, Caja 355, carpeta 4.*

[30] Entrevista a Claudio Esteva Fabregat, realizada por Enriqueta Tuñón en Madrid el 23 de junio y en Barcelona el 6 de diciembre de 1981. INAH-MCU PHO/10/ESP.29, Consultada la versión depositada en el CDMH, Libro 39, pp. 85-85.

[31] Sobre el caso concreto del Spanish Refugee Aid puede verse BYRNE, Justin, «El archivo de la Spanish Refugee Aid. Otras voces y otras vidas del exilio», en Rodríguez Puértolas, Julio (coord.), *La República y la cultura. Paz, guerra y exilio* (Madrid: Akal, 2009), pp. 645-656. Los fondos del SRA se conservan en la Tamiment Library en la Universidad de Nueva York.

Mención especial merecen los cuáqueros, quienes sustentaron a los exiliados durante su reclusión en los campos de internamiento franceses y en los campos de concentración nazis. Muchos de los exiliados españoles reconocen en sus memorias la gran labor de ayuda realizada por ellos como puede verse en la obra de Vicente Fillol, ex agente de policía de Cataluña, interno en el campo de Bram y voluntario en el ejército francés durante la II Guerra Mundial:

> En la puerta de mi barraca pronunciaron un día mi nombre. Me dijeron que me presentara en la oficina, para recibir un paquete. Pensé que se trataba de una broma y no hice caso. Me vuelven a llamar a las dos horas [...]. Doy mi nombre en la oficina y me entregan un paquete que hacía mucho bulto. Incrédulo, lo desenvuelvo con tranquilidad. Dentro del paquete había dos más. Uno contenía dos camisas, dos pijamas, muda y calcetines [...]. Pregunté que quién me enviaba aquello, y solamente me contestaron: *quaquer*. Hasta años más tarde, mientras permanecía prisionero de los alemanes, no supe el valor de ese nombre. Gracias a los cuáqueros estoy escribiendo este relato.[32]

Además de las asociaciones de carácter no gubernamental también hubo gobiernos, como he señalado, que decidieron apoyar oficialmente la causa de los refugiados españoles. Algunos consulados y embajadas les ofrecieron cobijo y asilo político.[33] En otros casos no existió un apoyo oficial pero ello no significó que desde embajadas y consulados se intentara ayudar a los refugiados que llegaban a estos otros países, aunque generalmente debían tener un contacto al que poder solicitar asilo y que se comprometiera a hacerse cargo de sus gastos, así como sufragarse su viaje. Jaime Marcó Gil detalla en sus memorias cómo tanto él como algunos compañeros escribieron peticiones a todos los cónsules cuya existencia conocían para solicitar su ayuda:

> Viendo tan lejano el retorno a España y a nuestras casas decidimos buscar la manera de librarnos de aquel campo. En una de las reuniones acordamos escribir a los diferentes cónsules de otros países si nos querían aceptar para hacer cualquier honroso trabajo empezando por el venezolano, el de Méjico, el suizo, el sueco, el de Nicaragua y el argentino, dispuesto a probar suerte en alguno que nos quisieran aceptar, recibiendo al poco tiempo respuesta amable de casi todos, los cuales te exponían sus condiciones, entre ellas que debías tener alguna persona o familiar que respondiera por ti, o bien disponer de una cantidad de dinero en depósito como garantía.[34]

Pero, sin duda, la embajada que tuvo un papel más destacado en el auxilio de los refugiados españoles fue la embajada mexicana en París. La labor diplomática que realizaron los embajadores Narciso Bassols y Luis Ignacio Rodríguez Taboada, infatigable

[32] Fillol, Vicente, *Los perdedores. Memorias de un exiliado español* (Madrid: Gaceta Ilustrada, 1973), p. 12.

[33] Sobre la actuación de embajadas y consulados de países europeos y americanos en España durante el desarrollo de la contienda remito a Moral Roncal, Antonio Manuel, *Diplomacia, humanitarismo y espionaje en la Guerra Civil española* (Madrid: Editorial Biblioteca Nueva, 2008).

[34] Marcó Gil: *De punta de N'Amer a St. Cyprien...*, p. 129.

y efectiva, actuando como intermediarios ante el Gobierno francés, hizo posible que un gran número de españoles llegara a México, incluso una vez ya iniciada la II Guerra Mundial, cuando los traslados parecían imposibles.[35] Fueron muchos los exiliados que escribieron a la embajada mexicana en Francia solicitando su ayuda, si bien esta no podía hacer ninguna selección para traslados a México hasta que el SERE no le remitía las listas. Así se lo explicaba Narciso Bassols a Demetria Hidalgo Pascual y a otra compañera de esta quienes solicitaban ir a México para poder reunirse con sus hijos evacuados a finales de mayo de 1937 y desde su llegada al país azteca refugiados en la Escuela Industrial España-México de Morelia:

> En respuesta a la atenta nota de usted del 20 del mes en curso, le manifiesto que conviene se dirija de nuevo al SERE haciendo ver que tienen ustedes hijos en la Escuela España-México de Morelia, Mich[oacán], a fin de que dicho organismo que es el que prepara y costea las expediciones colectivas de inmigrantes españoles a México, la seleccione para formar parte del próximo embarque; por su parte, esta Legación procurará influir en el mismo sentido para la resolución del caso de ustedes [...].[36]

Esto fue así para los primeros viajes a México, pero cambió sustancialmente con los segundos, los que se efectuaron tras el Acuerdo Franco-Mexicano del 22 de agosto de 1940. Este acuerdo, firmado entre la embajada mexicana y el Gobierno de Vichy, establecía que el Gobierno francés respetaba y aceptaba la existencia de refugiados en su territorio, a la vez que permitía su emigración hacia México. A cambio, el Gobierno mexicano se tenía que hacer cargo del coste de los viajes de los mismos, así como contribuir a la subsistencia de los exiliados en Francia mientras estos esperaban su embarque rumbo a México. Para ello se adquirieron dos castillos en territorio galo que debían servir para alojar a estos refugiados que se dirigían a México: el Châteu Montgrand y el Châteu La Reynarde. Sin embargo, muchos de los exiliados que estuvieron allí nunca pudieron embarcar hacia su nuevo destino, pues el desarrollo de la II Guerra Mundial vino a truncar su esperanza de cruzar el océano.[37] A pesar de las buenas intenciones del Gobierno mexicano, la mayor parte de los especialistas destacan que, para los viajes que pudieron realizarse, fueron realmente pocos los fondos que pudieron emplearse del

[35] Para un mayor conocimiento sobre la labor realizada por Ignacio Rodríguez Taboada remito a Segovia, Rafael y Serrano, Fernando (eds.), *Misión de Luis I. Rodríguez en Francia. La protección de los refugiados españoles de julio a diciembre de 1940* (México D. F.: Colegio de México; Secretaría de Relaciones Exteriores; Consejo Nacional de Ciencia y Tecnología, 2000). Asimismo, en cuanto a la labor de los diplomáticos mexicanos puede verse Angosto, Pedro Luis, *La República en México. Con plomo en las alas, 1939-1945* (Salamanca: Espuela de Plata, 2009), pp. 113-137.

[36] Carta de Narciso Bassols (París) a Demetria Hidalgo Pascual (La Suze-sur-Sarthe), 27 de julio de 1939. Secretaría de Relaciones Exteriores, México D. F., Archivo Histórico Genaro Estrada, Legajo 326, exp. 1, sin foliar.

[37] Mateos, *La batalla de México...*, pp. 178-183.

SERE, sufragándose estos sobre todo con los recién estrenados de la JARE.[38] De una forma o de otra, este acuerdo provocó un incremento de las peticiones recibidas en la embajada mexicana y en sus consulados, tanto que en algunos, como por ejemplo el de Marsella, se llegó a las 2.000 peticiones, según los datos ofrecidos por su máximo responsable, Mauricio Fresco.[39]

Este tercer y último sector de ayuda, fue el más diferente. Primero porque sus fondos no dependieron del vencido Estado republicano, puesto que provinieron de las aportaciones de otros países y también del socorro de muchos particulares que se preocuparon por los exiliados españoles. En segundo lugar, porque el auxilio que prestaron a los refugiados no fue objeto de disputa política, como sí ocurrió en el seno de los organismos dependientes de o relacionados con el Gobierno republicano en el exilio. En general, sus fines fueron menos «interesados» y su ayuda menos «instrumentalizada». Finalmente, creo que, de la misma manera que los dos grupos anteriores responden al objetivo de las instituciones de la II República de seguir protegiendo a sus ciudadanos tras la derrota, en este caso el fin era simplemente el de socorrer a una población civil que había sufrido las consecuencias de una guerra, aunque ello no implica que no tuvieran importancia los motivos políticos o las afinidades ideológicas a la hora de prestar la ayuda.[40] En este sentido, no hay que olvidar la importante labor de propaganda que se había llevado a cabo durante el conflicto, tanto por parte de un bando como de otro, con la intención de conseguir apoyos al internacionalizar la lucha. De hecho, la Guerra Civil fue para muchos el primer enfrentamiento del siglo XX entre las democracias y los totalitarismos, lo que colocó a la contienda española en el punto de mira de la opinión pública internacional.[41]

No obstante, seguramente también influyó en este consenso emocional a favor de la ayuda a los exiliados españoles el contexto internacional, en el que, como señalé, se había comenzado a prestar atención al problema de los refugiados mediante la creación

[38] DREYFUS-ARMAND, *El exilio de los republicanos españoles...*, p. 140.

[39] Cfr. Despacho del cónsul de España en Marsella, número 326, de 15/7/1941, Archivo del Ministerio de Asuntos Exteriores (AMAE), R-1268, 39, documento citado a partir de RUBIO, *La emigración de la guerra civil...*, Vol. 2, p. 455. Algunas de las cartas que recibió la Embajada Mexicana en París fueron publicadas por *El País* hace unos años, junto al testimonio de sus autores. Véase «Las súplicas de los exiliados», *El País Semanal,* n.º 1.886 (18 de noviembre de 2012).

[40] VELÁZQUEZ HERNÁNDEZ, Aurelio, «El exilio español, ¿Un impulso económico para México? La iniciativa empresarial del CTARE en 1939», *Congreso Internacional 1939: México y España*, 11-13 de marzo de 2009, CIHDE, [consultado en: http://www.cihde.es/sites/default/files/congresos/pdf/AURELIO_VELAZQUEZ.pdf] y SERRA PUCHE, Carmen; MEJIA FLORES, José Francisco; SOL AYAPE, Carlos (eds.), *De la posrevolución mexicana al exilio español* (México D. F.: Fondo de Cultura Económica, Cátedra del Exilio, 2011); y, de los mismos autores, *1945, entre la euforia y la esperanza: el México posrevolucionario y el exilio republicano español* (México D. F: Fondo de Cultura Económica, Cátedra del Exilio, 2014).

[41] VIÑAS, Ángel, «Intervención y no intervención extranjeras», en Malefakis, Edward (dir.), *La Guerra Civil española* (Madrid: Taurus, 2006), pp. 217-238.

de los primeros comités asistenciales supranacionales. Por último, no hay que olvidar la labor que los embajadores y otros diplomáticos de la II República habían realizado durante toda la guerra, especialmente en el último año, lo que permitió abrir algunas puertas a los derrotados republicanos al final de la contienda.[42] Todo ello propició un caldo de cultivo favorable a la ayuda a los refugiados españoles, aunque no podemos generalizar, puesto que de la misma forma que hubo colectivos muy implicados en su ayuda hubo otros que no les prestaron ninguna atención, dado el inminente estallido de la II Guerra Mundial y el gran número de desplazados que surgió como consecuencia de la misma. Por ello, los refugiados españoles tuvieron que esperar a que terminase la II Guerra Mundial para que los organismos internacionales de ayuda a los refugiados se interesaran por ellos.[43]

Los distintos niveles o sectores que acabo de detallar estuvieron estrechamente relacionados y, por ello, no pueden entenderse los unos sin los otros, formando a su vez un conjunto que enmarca el sistema asistencial del exilio español. Su configuración es esencial para entender el fenómeno y las características del exilio y su existencia fue clave para la supervivencia de los refugiados. Por primera vez en la historia de España, pero también, y salvo algunos precedentes ya citados, en la historia de Europa, tuvo lugar una protección sistemática a los refugiados tras una contienda civil; protección que se configuró en buena medida gracias a la escritura de peticiones. Las cartas de súplica fueron las transmisoras de las necesidades y deseos de los refugiados, al tiempo que las portadoras de respuestas y, con ellas, de esperanza, de los responsables de todos estos organismos, convirtiéndose en mucho más que unas letras volcadas sobre un papel, como demuestra el mensaje de agradecimiento que el escritor Efrén Hermida, refugiado en Francia, envió al embajador mexicano Luis Ignacio Rodríguez cuando supo que había sido seleccionado para viajar al país azteca:

> Una carta. Una carta es, a veces, algo más emotivo que un atropello de frases compungidas por un crudo logismo [...]. Ésta que ahora nos llega, con efluvios de trópico, abriéndonos las puertas de los soles aztecas, ha sido como un aldabonazo de luz sobre el espíritu insomne y el alma desvelada de mil ojos nocturnos. Invitación fraterna a un viaje de colores por el arpa solar del arco iris [...]. Una carta es a veces un plumaje de sedas al sueño de la angustia.[44]

[42] Sobre el papel de los diplomáticos españoles durante y tras el conflicto puede verse Viñas, Ángel (dir.), *Al servicio de la República. Diplomáticos y Guerra Civil* (Madrid: Marcial Pons, 2010).

[43] Entre 1947 y 1951 más de 9.000 refugiados españoles se asentaron en 17 países de América Latina, gracias a la mediación del OIR, tal y como señala Pla Brugat, Dolores, «1939», en Canal (ed.): *Exilios. Los éxodos políticos en la Historia de España...*, p. 252.

[44] Carta de Efrén Hermida (s. l.) para Luis I. Rodríguez Taboada (París), s. f., como agradecimiento por haber sido aceptado para emigrar a México. Reproducida en Segovia y Serrano, *Misión de Luis I. Rodríguez...*, doc. 163, p. 135.

2. Escribir y pedir: La súplica como articulación del estado republicano

El testimonio de Efrén Hermida nos muestra la importancia que adquirió la correspondencia en el complejo asistencial del exilio español. Las cartas fueron fundamentales para su articulación, sirviendo de nexo entre los refugiados y los distintos organismos de ayuda, o, dicho de otro modo, entre los que no tenían nada y los que podían auxiliarles. Esta relación entre el necesitado y el poderoso a través del envío de peticiones cuenta con una larga tradición, que demuestra cómo, a lo largo de la Historia, la escritura ha sido el principal medio de transmisión entre quienes necesitan algo y se creen con derecho a conseguirlo y quienes se encuentran en un nivel social y jurídicamente superior que les hace capaces de otorgar esa ayuda.[45]

A pesar de que esta ha sido su función principal, huelga recordar que las súplicas se han erigido también en muchos momentos en púlpitos desde los que lanzar quejas y protestas de abajo, desde el pueblo, a arriba, a los soberanos o gobernadores, así como, a las jerarquías nobiliarias y eclesiásticas.[46] Al mismo tiempo, al igual que los ciudadanos se sirvieron de las súplicas, éstas también fueron usadas por el poder para conocer la opinión y las necesidades de sus súbditos, además de para legitimar su Gobierno y obtener validez pública y política, reafirmando así su autoridad.[47]

Las súplicas se convirtieron en una «fábrica de consenso» en tanto en cuanto fueron la base sobre la que se construyeron los sistemas asistenciales que permitieron al individuo servirse de los beneficios de pertenecer a un determinado estado.[48] Al redactar estas peticiones los autores debían adecuarse a unas normas determinadas, enmarcadas en un proceso administrativo prefijado por el poder. En definitiva, al escribir sus solicitudes entraban a formar parte del círculo de protección que en el siglo XVI era ofrecido por la Corte o por la Iglesia y que desde el siglo XIX en adelante protagonizó el Estado-nación,

[45] Petrucci, «La petición al señor...»; Würgler, Andreas, «Voices From Among the "Silent Masses": Humble Petitions and Social Conflicts in Early Modern Central Europe», en Heerma van Voss (ed.): «Petitions in Social History», pp. 11-34 y Lyons, Martyn, «Writing Upwards: How the Weak Wrote to Powerful», *Journal of Social History*, 5, 48 (2015), pp. 1-14.

[46] Zaret, David, *Origins of Democratic Culture. Printing, Petitions, and the Public Sphere in Early-Modern England* (Princeton: Princeton University Press, 2000); Nubola, Cecilia y Würgler, Andreas (eds.), *Forme della comunicazione politica in Europa nei secoli XV-XVIII. Suppliche, gravamina, lettere* (Bolonia: Il Mulino, 2001) y, coordinada por los mismos autores, *Operare la resistenza. Suppliche, gravamina e rivolte in Europa (secoli XV-XIX)* (Bolonia: Il Mulino, 2006).

[47] Fosi, Irene, «Rituali della parola. Supplicare, raccomandare e raccomandarsi a Roma nel Seicento» y Pischeda, Katia, «Supplicare, intercedere, raccomandare. Forme e significate del chiedere nella corrispondenza di Cristoforo Madruzzo (1539-1567)», ambas en Nubola y Würgler, *Forme della comunicazione politica in Europa nei secoli XV-XVIII...*, pp. 332 y 356, respectivamente.

[48] Esto se ve especialmente en los regímenes totalitarios. Cfr. Mazzatosta, Teresa Maria y Volpi, Claudio, *L'italietta fascista (lettere al potere 1936-1943)* (Bolonia: Casa editrici Cappelli, 1980) y Cazorla Sánchez, Antonio, *Cartas a Franco de los españoles de a pie (1936-1939)* (Barcelona: RBA Libros, 2014).

aunque no exclusivamente, pudiendo observarse, como ha afirmado Paola Repetti, una clara vinculación entre el Estado, el individuo y la escritura.[49] Una relación que se prolonga en el tiempo y en el espacio, traspasando épocas y fronteras, y gracias a la cual podemos entender mejor el sistema asistencial del exilio español, especialmente si nos referimos al primer y segundo nivel de asistencia anteriormente citados, puesto que son los que dependían de forma directa del Gobierno de la II República.

El envío de solicitudes a los organismos asistenciales republicanos fue una constante desde el mismo momento en el que las instituciones de auxilio aparecieron y comenzaron a funcionar. Sin embargo, fue tras el éxodo derivado de la caída de Cataluña y, principalmente, tras la reclusión en los campos de internamiento franceses de un gran número de exiliados españoles, cuando dicha actividad se incrementó, llegando a convertirse para muchos refugiados en una auténtica obsesión, ya que entendieron que escribir y suplicar eran la única manera de obtener ayuda para salir de los campos y emigrar hacia otros lugares, así como para conseguir cubrir sus necesidades más básicas. El registro de esta frenética actividad escrituraria lo encontramos en numerosos testimonios de exiliados españoles como revela este fragmento extraído de las memorias ya citadas de Eulalio Ferrer:

> Nos hemos ido adaptando a la vida del campo de concentración, pero en las primeras semanas, tendidos al sol o acurrucados en la noche, solo hemos pensado en escribir cartas. Toda clase de cartas. Cartas en busca de familia; cartas pidiendo auxilio a todos los comités del mundo; cartas siguiendo la pista de algún pariente rico en América... Cartas, como si jugáramos con ellas el nuevo destino. Recibir respuesta ha sido una señal, sobre todo, de que existimos, de que nuestro nombre y apellidos no han sido cancelados en el registro de la vida.[50]

Del mismo modo, los testimonios orales constituyen fantásticas huellas de esta práctica «salvadora». Como demuestra de nuevo el «Archivo de la Palabra», donde muchos de los informantes recuerdan las numerosas peticiones que debieron redactar para conseguir ser escuchados y atendidos. Por ejemplo, Ramón Rodríguez Mata, médico y militante de Izquierda Republicana, consiguió embarcar en el *Sinaia* rumbo a México tras escribir multitud de súplicas a distintos comités de ayuda y a varias personalidades políticas: «Entonces yo me dedicaba a escribir cartas a todo el mundo, a la familia y a amigos, a amigos y a políticos, y buscar la manera de preparar, de preparar la salida. Y lo conseguí al final. El 11 de mayo de 1939 salimos de París a las ocho de la noche».[51]

[49] Repetti, Paola: «Scrivere ai potenti. Suppliche e memoriali a Parma (secoli XVI-XVIII)», en Chartier, Roger y Messerli, Alfred (eds), *Lesen und Scrheiben in Europa. 1500-1900* (Zurich: Schwabe & Go, 2000), p. 421.

[50] Ferrer, *Entre alambradas...*, p. 24.

[51] Entrevista realizada por Marisol Alonso a Ramón Rodríguez Mata en México D. F., los días 16 de marzo y 4 de abril de 1979. Archivo de la Palabra. INAH-MCU. PHO/10/15. Consultada la versión transcrita en el CDMH, libro 92, p. 99.

Escribir peticiones se convirtió en una especie de llama que alimentaba el espíritu de los refugiados y les devolvía la ilusión al contemplar por lejana que fuera la posibilidad de cambiar de vida, de tener una nueva oportunidad lejos de la guerra y de la miseria. Pero no para todos fue tan sencillo. Muchos redactaron peticiones que tuvieron por única respuesta el trámite administrativo, es decir, el envío por parte del SERE de las fichas que debían rellenar para participar en el proceso de selección. Esto ocurrió, sobre todo, con aquellos refugiados sin filiación política y sindical, que nunca supieron cómo funcionaron estos sistemas electivos, y que al no tener partido o sindicato que les recomendase, se quedaron fuera de los mismos. Cuando un refugiado escribía directamente al SERE solicitando ser incluido en las listas de seleccionados para emigrar, el trabajador correspondiente de dicho organismo debía contestar al interesado explicándole que su solicitud debía ir avalada por el partido o sindicato al que estuviese afiliado y que solo en el caso de no pertenecer a ninguno podía elevar su súplica al director del SERE. Esto fue lo que le sucedió a Domingo Gallo, quien escribió a dicho organismo el 10 de diciembre de 1939 pidiendo ser incluido en las listas para emigrar ya que algunos de sus compañeros del campo de Septfonds lo habían conseguido. La respuesta que le dio el funcionario no deja lugar a dudas:

> [...] Oportunamente recibí su carta, fecha 10 del pasado diciembre, la que no he contestado antes por causas múltiples, que U[uste]d no dejará de comprender. Efectivamente, Sorondo y otros han emigrado porque fueron propuestos por el representante de su organismo y se hicieron las gestiones para ello. En la actualidad esperamos que salgan también otros compañeros que se encuentran en el mismo caso. Díganme quien se ocupa directamente del caso de U[ste]des. Y si no se ocupa nadie, díganme a quien corresponde hacerlo, indicando el organismo al cual estaban U[ste]des afiliados. En el caso de que no estuvieran en ninguno, sírvanse hacer una petición al Sr. Director del SERE indicando la situación de U[ste]des, y solicitando su rápida emigración.[52]

Otros testimonios demuestran que en algunas ocasiones ni siquiera se les explicaba este proceso lo que les dejaba prácticamente fuera de la selección, entre ellos está el que ofrece Cristina Martín, quien cuenta en sus memorias cómo la petición que ella y su familia enviaron al SERE se quedó en nada:

> Escribimos al SERE, en París. El SERE nos contestó con un puñado de papeles y unas fichas amarillas que teníamos que llenar: nombre, apellido, edad, procedencia, profesión, etc. Anotamos todo lo exigido y enviamos a París nuestros datos. Y allí acabó todo.[53]

Esta desesperación por no recibir respuesta aparece también, en tono irónico y como una crítica velada a los organismos asistenciales, en algunos de los boletines realizados

[52] Copia de la carta de Tomás Espresaté (Oficinas del SERE, París) para Domingo Gallo (Campo de Septfonds), 16 de enero de 1940, FSA-Archivo del SERE, Caja 3, Carpeta 16, sin foliar.

[53] MARTÍN, Cristina (Gabriel Paz), *Éxodo de los republicanos españoles* (México D.F.: Colección Málaga, 1972), p. 122.

por los propios refugiados durante su reclusión en los campos de internamiento, como por ejemplo en el número 28 del Boletín de la FETE realizado en Saint-Cyprien con fecha de 10 de agosto de 1939:

> ¿QUIEN QUIERE TENER CARTA? Sabemos que hay quien nunca tiene carta (el Pepet por ejemplo) y para evitar que nadie se quede sin carta que es una cosa que alegra muchísimo a juzgar por la cara que ponen los agraciados, y sobre todo cuando le avisen a uno que pase a recoger una módica cantidad, se pone en conocimiento de todo el que quiera tener una o dos por semana que pase por la Redacción del Boletín, en donde se le anotará en una relación, se le harán dos o tres fichas y entregará un periódico atrasado para que lea, así que ya sabéis, el que no tiene carta es porque no quiere.[54]

Para que las peticiones enviadas tuvieran el efecto deseado y no acabaran con el mero acuse de recibo y archivo de la misma en el organismo de destino, los refugiados se dieron cuenta de que tenían que cumplir con una serie de requisitos que determinaban la concesión o no de lo solicitado. Es decir, había ciertos elementos que favorecían que los refugiados fueran considerados «emigrables», ya fueran estos criterios políticos o profesionales. En cuanto a los políticos, como advertí anteriormente a propósito de la relación de evacuados propuestos para emigrar realizada por la UGT, se daba prioridad a quienes habían desempeñado cargos de relevancia durante la II República y la Guerra Civil española. Cuanto más alto hubiera sido el cargo, más opciones de conseguir lo pedido se tenía. La orientación política también influyó de forma decisiva en la selección de los refugiados, como hemos visto. En lo referente a los criterios profesionales, para la emigración a determinados países, como, por ejemplo, México, en un principio había un mayor interés por los hombres que tenían conocimientos agrícolas y ganaderos, pues se pensaba que de esta forma resultarían más útiles a la economía mexicana. Incluso se llegó a establecer un porcentaje que las autoridades republicanas tenían que tener en cuenta a la hora de la selección: un 60% debían ser agricultores, un 30% artesanos y técnicos cualificados y un 10% intelectuales, aunque dicho porcentaje, igual que el político, nunca llegó a cumplirse.[55]

El conocimiento de estas condiciones pronto creó una serie de *topoi* en la correspondencia que los refugiados enviaron a las autoridades. Muchas de las súplicas se convirtieron en verdaderas «historias de vida» o «autobiografías» en las que los exiliados narraban su experiencia bélica con el fin de demostrar su lealtad a la causa republicana, así como su compromiso ideológico. En su intento desesperado por alcanzar la ansiada libertad, algunos llegaron a exagerar su labor, actitud que fue duramente criticada por otros compañeros que se negaban a mentir para conseguir sus propósitos. Según atestiguan algunas memorias, se llegaron a impartir en los campos «cursos para emigrar»

[54] *Boletín de los Profesionales de la Enseñanza*, 28, 10 de agosto de 1939, Saint-Cyprien, FPI-AARD, Caja 270, carpeta 2.

[55] Cfr. PLA BRUGAT, «El exilio republicano en Hispanoamérica...», pp. 102 y ss.

donde ofrecían a los refugiados consejos que hicieran sus cartas más llamativas y, por tanto, más eficaces, tal y como recoge el refugiado Manuel García Gerpe en sus escritos:

> En el tabique-cabecera de la Barraca 27 anunciábamos el comienzo del curso [...]. El número de las clases matutinas fue aumentando, hasta el extremo de que llegamos a conseguir del «jefe francés» del campo, se habilitase una barraca (la 11), exclusivamente para enseñanza. Con abundante material escolar, llegamos a enseñar Dibujo, Geometría, Francés, Contabilidad, Redacción, etc. El ansia de saber despertada en España años ha, no se había adormecido, ni aun con aquel narcótico de los Campos de Concentración. Las vespertinas clases de «Emigración» continuaban dándose en el Departamento 1.º de la Barraca 27.[56]

Manuel estuvo interno en el campo de Saint-Laurent-de-Cerdans, de donde consiguió salir acogido por una pareja de panaderos que le ofrecieron trabajo en su horno. La tranquilidad solo le duró unos meses puesto que allí fueron a buscarle unos gendarmes franceses y le obligaron a ingresar en otro campo, Arles-sur-Tech, desde donde le trasladaron a Septfonds. En este último campo fue en el que más tiempo estuvo, en concreto nueve meses, hasta que consiguió escapar y llegar a las oficinas del SERE a París donde consiguió un pasaje para Santo Domingo. Las memorias de este refugiado son un tanto peculiares puesto que en ellas incluyó una tragicomedia en la que reflejaba la vida cotidiana de la barraca mencionada en el fragmento anterior, la Barraca 27 del Departamento 1.º del campo de Septfonds. En este texto, el autor explica la «fiebre de rellenar fichas» que se extendió por todos los campos, y aclara que estas debían anexarse a las peticiones, que se enviaban y reenviaban casi compulsivamente al SERE. En este pasaje, el personaje denominado como «el jefe» explica al resto de sus compañeros cómo funcionaba el proceso de selección y cómo debían rellenarse las fichas para que tuvieran más oportunidades de emigrar. Ante esta situación, los compañeros criticaron la estratagema urdida, sobre todo un tal Ferreiro, quien se lamentaba de su mala posición por no pertenecer a ninguna de las categorías consideradas como «emigrables»:

> EL JEFE: —Les voy a enseñar el modelo de ficha de evacuación confeccionado por el SERE. Observen la que yo he remitido.
>
> PEPILLO: —Esa cantidad de cargos militares que usted menciona en su ficha para que le embarquen en la primera expedición, son toda una misma cosa... Varios cargos que parecen distintos, pero un solo cargo «verdadero» [...]. Ah, se me olvidaba preguntarles: ¿Y esos treinta y siete numeritos, con su respectivo compartimento, situados en la parte superior del anverso de la ficha de emigración ¿qué significan?
>
> EL JEFE: —Dejad que hable la experiencia. Esos treinta y siete numeritos han sido consignados para señalar el grado de responsabilidad de cada uno. Supónganse ustedes que el Comité de París quiere, con mi ficha a la vista, determinar mi graduación responsable; con un lápiz rojo trazará una rayita en el compartimento correspondiente al número uno y quedará establecida la responsabilidad [...].

[56] GARCÍA GERPE, *Alambradas. Mis nueve meses por los campos...*, pp. 110-111.

FERREIRO: —Como si lo viera; a mí que no tengo influencia alguna me van a dejar para el último barco. Van a descargar un lápiz entero en el número treinta y siete, y no me mueve del Campo ni la Providencia. Antes de corresponderle a mi grupo tendrán que emigrar los treinta y seis grupos de preferencia y los «emigrables» sumamos 250.000. Me veo con el treinta y siete a cuestas, llegando a los cincuenta años con el sambenito del treinta y siete... treinta y siete...[57]

Testimonios como este nos ayudan a comprender la intención con la que los refugiados rellenaban las fichas de emigración enviadas por el SERE, cómo discutían y se preguntaban por cada campo que en ellas figuraba y cómo modificaron o destacaron algunos aspectos de su vida con la finalidad de ser elegidos para emigrar. Además, estos testimonios nos dan pistas sobre qué significaban los números que aparecían en la franja superior de las fichas de emigración elaboradas por el SERE, aunque no podemos afirmar, como figura en el fragmento reproducido, que dichos números indicaran el grado de responsabilidad contraído con la República pues eran muchos otros factores los que también influían en la selección.

Desgraciadamente, debido a la pérdida de buena parte del archivo del SERE tras la irrupción de la policía francesa en sus oficinas y la incautación de buena parte de sus papeles y expedientes, estos ficheros no forman parte de la documentación que se ha conservado, lo que nos hubiera servido para profundizar en estos criterios y para entender cómo existió una estrecha relación entre el discurso que las peticiones contenían y la consecución de lo que se solicitaba. Tan solo contamos con algunas fichas vacías y otras tantas completas pero en un número muy bajo, nada comparable con las 35.205 fichas que conformaban el fichero del SERE a finales de mayo de 1939 según los datos aportados por su Sección de Censo y Estadística.[58] Por suerte, y debido a las relaciones existentes entre las instituciones y a que los refugiados solían remitir la misma ficha a diversos organismos esperando así que su petición fuera tramitada de manera más eficaz, o de los partidos y sindicatos, sí que encontramos algunas de estas fichas en archivos de otras delegaciones de ayuda, aunque no todas encajan con la descripción aportada por García Gerpe, ya que muchas ni siquiera tienen señalados los «numeritos».

Encontramos fichas del SERE, por ejemplo, en el Fondo Amaro del Rosal en la FPI o en el Archivo del CTARE en el INAH de México acompañando a los expedientes de algunos exiliados. Pero no solo anexadas a las peticiones. Por ejemplo, en el caso concreto del CTARE se conservan 1.632 fichas de los refugiados que fueron seleccionados por el SERE para emigrar; más 245 de los que nunca llegaron a embarcar, que presumiblemente el SERE remitió al CTARE para el control y la gestión de estos refugiados. A partir de ellas podemos corroborar la importancia que tiene la profesión

[57] GARCÍA GERPE, *op. cit.*, pp. 83-87.

[58] Siendo la UGT, la CNT y el PSOE los partidos y sindicatos más representados. Informe de la Sección de Censo y Estadística, 29 de mayo de 1939. FSA-Archivo del SERE, Caja 22, carpeta 9, sin foliar.

de cada refugiado para su selección, especialmente en el caso de algunos trabajos como los relacionados con el sector primario que siempre tienen señalados los primeros números, como la de Antonio Galán Chito de 30 años, agricultor, que tenía marcado el número 1 pese a no haber desempeñado cargos de importancia antes ni durante la guerra. Otros oficios que parecen tener un número asociado son los relacionados con el sector secundario como indica que muchas de las fichas de personas dedicadas a la industria del petróleo tuviesen señalado el número 13, como la petición de Francisco Laborga Viescas, de 39 años y natural de León, entre otras [Figura 4].[59]

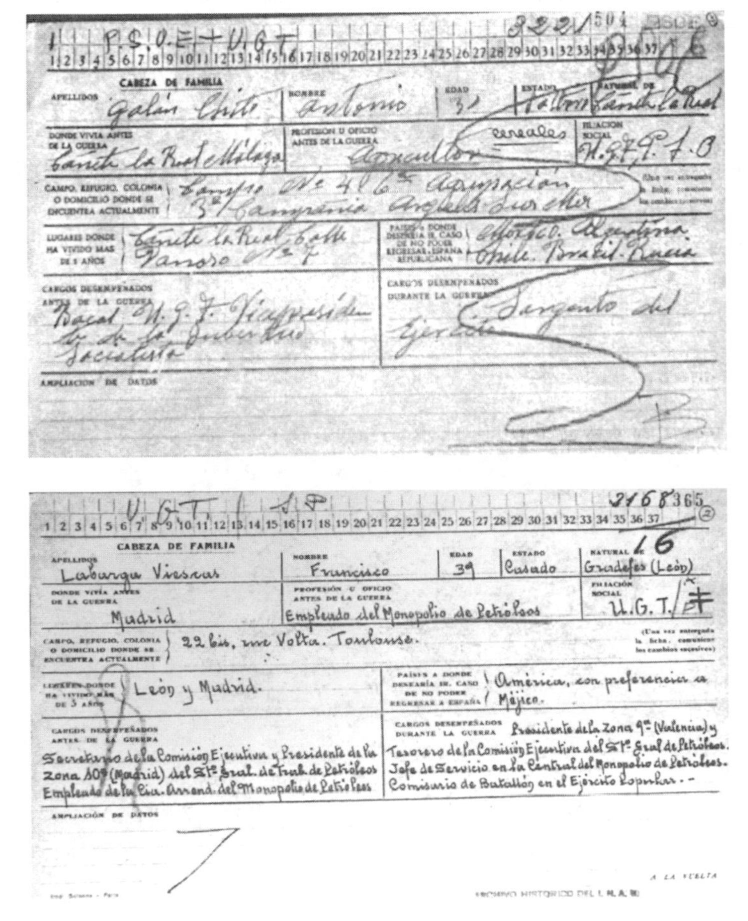

1 P.S.O.E. + U.G.T. 1 2 3 4 5 6 7 8 9 10 11 12 13 14 15 16 17 18 19 20 21 22 23 24 25 26 27 28 29 30 31 32 33 34 35 36 37 — 322/504

CABEZA DE FAMILIA

APELLIDOS: Galán Chito — NOMBRE: Antonio — EDAD — ESTADO — NATURAL DE

DONDE VIVIA ANTES DE LA GUERRA: Cañete la Real (Málaga) — PROFESION U OFICIO ANTES DE LA GUERRA: Agricultor (cereales) — FILIACION SOCIAL: U.G.T.

CAMPO, REFUGIO, COLONIA O DOMICILIO DONDE SE ENCUENTRA ACTUALMENTE — (Una vez entregada la ficha, comunicar los cambios sucesivos)

LUGARES DONDE HA VIVIDO MAS DE 5 AÑOS: Cañete la Real — PAISES A DONDE DESEARIA EL CASO DE NO PODER REGRESAR A ESPAÑA REPUBLICANA: Méjico. Argentina. Chile. Brasil. Rusia

CARGOS DESEMPEÑADOS ANTES DE LA GUERRA: Vicepresidente de la Juventud Socialista — CARGOS DESEMPEÑADOS DURANTE LA GUERRA: Sargento del Ejército

AMPLIACION DE DATOS

U.G.T. — 1 2 3 4 5 6 7 8 9 10 11 12 13 14 15 16 17 18 19 20 21 22 23 24 25 26 27 28 29 30 31 32 33 34 35 36 37 — 2168365 — 16

CABEZA DE FAMILIA

APELLIDOS: Labarga Viescas — NOMBRE: Francisco — EDAD: 39 — ESTADO: Casado — NATURAL DE: Gradefes (León)

DONDE VIVÍA ANTES DE LA GUERRA: Madrid — PROFESIÓN U OFICIO ANTES DE LA GUERRA: Empleado del Monopolio de Petróleos — FILIACIÓN SOCIAL: U.G.T.

CAMPO, REFUGIO, COLONIA O DOMICILIO DONDE SE ENCUENTRA ACTUALMENTE: 22 bis, rue Volta. Toulouse. — (Una vez entregada la ficha, comunicar los cambios sucesivos)

LUGARES DONDE HA VIVIDO MÁS DE 5 AÑOS: León y Madrid. — PAÍSES A DONDE DESEARÍA EL CASO DE NO PODER REGRESAR A ESPAÑA: América, con preferencia a Méjico.

CARGOS DESEMPEÑADOS ANTES DE LA GUERRA: Secretario de la Comisión Ejecutiva y Presidente de la Zona 509 (Madrid) del Sto. Gral. de Trab. de Petróleos. Empleado de la Cía. Arrend. del Monopolio de Petróleos

CARGOS DESEMPEÑADOS DURANTE LA GUERRA: Presidente de la Zona 9.ª (Valencia) y Tesorero de la Comisión Ejecutiva del Sto. Gral. de Petróleos. Jefe de Servicio en la Central del Monopolio de Petróleos. Comisario de Batallón en el Ejército Popular.-

AMPLIACIÓN DE DATOS

A LA VUELTA

ARCHIVO HISTÓRICO DEL I. N. A. H.

Figura 4. *Ficha de Antonio Galán Chito y de Francisco Labarga Viescas. BINAH-CTARE. Sección Gobernación y Coordinación. Serie Tarjetas del SERE. Rollo 122.*

[59] Ficha de Antonio Galán Chito y de Francisco Labarga Viescas. BINAH-CTARE. Sección Gobernación y Coordinación. Tarjetas del SERE. Rollo 122, sin foliar.

Por todo lo dicho, no es de extrañar que algunos refugiados llegaran a mentir sobre su oficio eligiendo aquellas profesiones que sabían que eran las más demandadas (sector primario), igual que vimos en la carta de Tellagorri que también mentían partidos políticos y sindicatos en este asunto cuando querían favorecer a algún exiliado. De la misma forma que tampoco asombra que cada refugiado se aferrara a cada logro, a cada batalla, a cada sufrimiento, y lo presentara como un mérito más que unir a su currículum vitae para demostrar que él merecía más la ayuda que otros compañeros, porque se había sacrificado más. En ocasiones, además de las autobiografías, los refugiados recurrieron a la elaboración de declaraciones juradas en las que describían sus actividades sindicales, políticas y su actuación durante la guerra, cuya veracidad quedaba demostrada gracias a la presencia de firmas que daban fe de sus afirmaciones, como sucede en el caso de Tomás Mulas Iglesias, interno en Saint-Cyprien quien tras recibir una carta del SERE en la que le indicaban que para ser considerado «emigrable» debía ser propuesto para ello por su partido, no dudó en recurrir a Jerónimo Sáez Martínez, el responsable delegado de la UGT en su campo, para que este le firmara un certificado que avalaba su compromiso sindical y su buen comportamiento [Figura 5].[60]

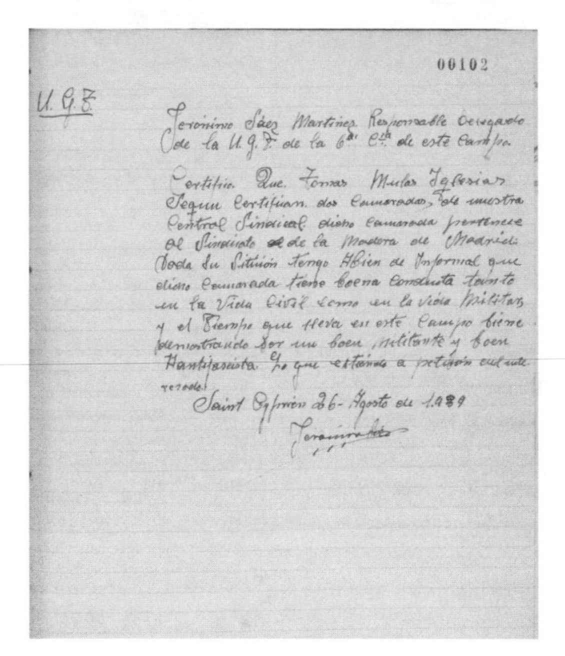

00102

U. G. T.

Jerónimo Sáez Martínez Responsable Delegado de la U. G. T. de la 6ª Cª de este Campo.

Certifico Que Tomas Mulas Iglesias Segun Certifican dos Camaradas de nuestra Central Sindical dicho Camarada pertenece al Sindicato de la Madera de Madrid. Toda su Situción tengo A bien de Informar que dicho Camarada tiene buena Conducta tanto en la Vida Civil como en la Vida Militar y el Tiempo que lleva en este Campo tiene demostrado ser un buen militante y buen Antifascista. Lo que extiendo a petición del interesado.

Saint Cyprien 26- Agosto de 1.939

Jerónimo Sáez

Figura 5. *Certificado firmado por Jerónimo Sáez Martínez (Saint-Cyprien) remitido a la Delegación de la UGT (París), 26 de agosto de 1939. FPI-AARD, Caja 267, carpeta 1, doc. 102.*

[60] Certificado firmado por Jerónimo Sáez Martínez (Saint-Cyprien) remitido a la Delegación de la UGT (París), 26 de agosto de 1939. FPI-AARD, Caja 267, carpeta 1.

La gestión de estas peticiones no fue sencilla y para cursarlas se necesitó de numerosos empleados dedicados exclusivamente a atender y contestar dichas súplicas. Sólo al SERE, y según su documentación oficial, llegaron miles de cartas especialmente durante los meses previos a las grandes expediciones hacia México, como recoge la Secretaria General de dicho organismo en uno de sus informes donde afirman que durante el mes de junio se recibieron más de 1.000 peticiones diarias.[61]

Mes	*Peticiones recibidas*	*Promedio diario*
Junio	33.453	1.115
Julio	23.759	792
Agosto	19.198	639
Septiembre	8.216	274
Octubre	4.297	143
1-15 de Noviembre	3.412	228

Tabla 2. *Estadística de peticiones recibidas en las Oficinas del SERE entre junio y noviembre de 1939. Datos extraídos del Informe de la Secretaría General del SERE, 16 de noviembre de 1939, París. FSA-Archivo del SERE, Caja 22, carpeta 10, sin foliar. Elaboración propia.*

A su vez, las distintas organizaciones políticas y sindicales recibían centenares de duplicados de estas peticiones que perseguían, como hemos mencionado, una tramitación más eficaz y una mediación ante el organismo gubernativo correspondiente.[62] Leer, responder y archivar esta correspondencia fue un arduo trabajo máxime si tenemos en cuenta que cada organismo tenía una forma diferente de tramitarlas. Ello ha provocado que cada fondo que se ha conservado sea distinto, y aunque resulte difícil establecer patrones comunes, gracias a esta conservación podemos reconstruir hoy el funcionamiento diferenciado de algunos de estos organismos asistenciales.

Además de la recepción y respuesta de la ingente cantidad de correspondencia remitida por los refugiados también existió un frecuente contacto epistolar entre unos organismos y otros que fue clave para resolver los problemas del sistema y llegar a acuerdos y compromisos en lo referente al auxilio de los refugiados. El sistema, por tanto, se gestionaba y administraba en torno al envío y respuesta de estas peticiones. De esta manera, la II República española, a través de sus instituciones de auxilio y de sus partidos políticos y sindicatos en el exilio, consiguió mantener el contacto con sus ciudadanos, o al menos con una parte, así como conocer sus preocupaciones y necesidades más acuciantes y, gracias a ello, ocuparse de su protección. Pero no solo eso. Gracias a las peticiones y a la configuración del sistema asistencial del exilio español

[61] Informe de la Secretaría General del SERE, 16 de noviembre de 1939. París. FSA-Archivo del SERE, Caja 22, carpeta 10, sin foliar.

[62] DEL ROSAL, Amaro, *Historia de la UGT de España...*, pp. 70 y ss.

que tuvo lugar en torno a las mismas, los refugiados que acababan de asistir al derrumbe del Estado republicano pudieron sentir que seguían formando parte de él, porque al participar de su asistencia continuaban reconociendo su autoridad.

El impulso dado a los organismos de ayuda por parte del derrotado Estado republicano español respondía, en fin, a su voluntad de mantenerse activo, aunque fuera como una «nación sin tierra». Esta actividad no solo se reflejó en la creación y mantenimiento de las instituciones de auxilio, sino también en la fundación de editoriales, empresas, escuelas, periódicos, etc. Incluso la continuación de la publicación hasta 1945, de la *Gaceta Oficial de la República española.*[63] Todo ello fue necesario para mantenerse en el ideario de la población exiliada, para seguir configurando su identidad y su memoria en torno al mismo. La creación de resortes que le facilitasen aunar a todos los refugiados bajo unos «imaginarios comunes» fue la clave para conformar una nueva identidad en torno a un Estado que ya no era el que ellos habían conocido, sino otro muy distinto en el que quizás era más difícil confiar, pero era necesario hacerlo, pues solo si se confiaba se participaba del sistema asistencial.[64]

Los refugiados que se quedaban fuera del sistema, solo podían acudir a los organismos internacionales no gubernamentales. O sea, de los tres grupos citados, tan solo tenían a su alcance uno, y parcialmente, puesto que, como ya vimos, las delegaciones oficiales de otros países, como los consulados y las embajadas, tenían muy presente la selección previa de las instituciones de ayuda dependientes del Gobierno republicano en el exilio.

En conclusión, el «universo peticionario» del exilio español fue mucho más que un conjunto de peticiones escritas en un momento de desesperación en el que se buscaba obtener ayuda. Detrás de estas súplicas subyace todo un programa político que buscaba continuar ligando al individuo con un Estado desmembrado y derrotado, pero que todavía seguía latiendo, que para poder sobrevivir tenía que luchar por no perder a sus ciudadanos, ahora que ya había perdido su territorio. En este propósito, la escritura fue la correa perfecta de transmisión entre el individuo y el Estado, de ahí su importancia y el interés por su análisis, ya que un estudio en profundidad de la misma nos

[63] De Vicente Hernando, César, «La República en el exilio: un Gobierno sin pueblo y sin tierra», en Rodríguez Puértolas, Julio (coord.), *La República y la cultura...*, p. 667.

[64] Jorge de Hoyos Puente ha trabajado sobre el «imaginario» del exilio español en México, sobre los distintos factores que lo conforman y sobre cómo a través de los mismos, los refugiados articularon distintas concepciones sobre la Nación y el Estado. Véase De Hoyos Puente, Jorge, «La construcción del imaginario colectivo del exilio republicano en México: los mitos fundacionales», en Nicolás Marín, María Encarna y González Martínez, Carmen (coord.), *Ayeres en discusión. Temas clave de la H.ª Contemporánea hoy* (Murcia: Universidad de Murcia, 2008), edición digital, sin paginar. Para una visión más amplia remito a la publicación de parte de su Tesis Doctoral, De Hoyos Puente, Jorge, *La utopía del regreso. Proyectos de Estado y sueños de nación en el exilio republicano en México* (Santander/México D. F.: Ediciones Universidad de Cantabria/Colegio de México, 2012).

ayudará a entender mejor la formación del exilio español, sus características internas, su composición social y los resortes que permitieron que las instituciones republicanas se mantuvieran con vida hasta 1975, cuando tras la muerte del dictador Francisco Franco dieron por finalizada su labor histórica.

Al mismo tiempo, las cartas de súplica, en este periodo determinado y en las condiciones que han sido descritas, nos ayudan a comprender mejor el uso que el individuo hizo de la escritura en un momento de crisis y en un contexto de desarraigo. Las labores de asistencia a los exiliados españoles no respondieron solo a la obligación moral que sentían hacía ellos, sino que también acabaron por convertirse en una herramienta de propaganda política de quienes detentaban el poder y en una lucha constante por mantener su legitimidad.[65] Dentro de esta lucha estaban, sin quererlo, los refugiados españoles, cuyas peticiones respondieron a los mismos fines y siguieron una estrategia común, lo que conllevó que acabaran conformándose, de la misma forma que sucede con otros colectivos, en una «comunidad epistolar», unida por la necesidad y por el desarraigo, pero, ante todo, unida por la escritura.[66]

[65] VELÁZQUEZ HERNÁNDEZ, *La otra cara del exilio. Los organismos de ayuda a los republicanos…*, pp. 714-715.

[66] SIERRA BLAS, «Exilios epistolares. La Asociación de Padres y Familiares…», pp. 331-335.

Capítulo III
Primeros pasos y primeras letras
Las súplicas a la asistencia social

Español del éxodo de ayer
y español del éxodo de hoy:
te salvarás como hombre,
pero no como español.
No tienes patria ni tribu. Si puedes,
hunde tus raíces y tus sueños
en la lluvia ecuménica del sol.
Y yérguete... ¡Yérguete!
Que tal vez el hombre de este tiempo...
es el hombre movible de la luz,
del éxodo y del viento.*

De las tierras morenas y ardientes del sur de Iberia, de la tierra dorada de Castilla la mártir, de la tierra vestida de brumas del Norte, un río humano afluye incesantemente a nuestro país. Y sus aguas conducen a su cauce trágico, millares de seres a los cuales la barbarie ítalo-africano-germana dejó con la calle por hogar, el recuerdo de sus caídos por familia, un dolor rabioso en el alma y una tristeza densa en la frente en lugar de la antigua alegría de vivir. Vienen de regiones que no conocemos a veces personalmente, de costumbres diferentes a las nuestras, pero cuando les vemos de cerca, cuando por los grifos de las estaciones vemos salir el chorro de la emigración bélica, observamos que, pese a sus diferencias con nosotros, son esencialmente iguales en su dolor, en su pesadumbre,

* Felipe, León, *Español del éxodo y del llanto, Poesías Completas* (Madrid: Visor Libros, 2004), p. 302.

en su drama espantoso. Un sentimiento de fraternidad, nuevo en la Historia, acerca los hombres, ata las regiones.[1]

Estas palabras, pronunciadas seguramente en la primavera de 1937, fueron radiadas y pudieron escucharse en todos los hogares y refugios catalanes. Hasta allí habían llegado numerosos españoles huyendo de su población de origen tras la ocupación de la misma por el ejército sublevado. Vascos, asturianos, andaluces y extremeños afines a la causa republicana, atemorizados ante las más que posibles represalias, dejaban atrás sus casas y sus paisajes para comenzar un éxodo que no sabían ni hacia dónde les conduciría ni cuánto tiempo duraría. Para muchos, fue el inicio de un largo camino. Otros, en cambio, pudieron volver a sus hogares aunque nunca fueron los mismos.

Ellos son los protagonistas del presente capítulo, en tanto en cuanto fueron quienes redactaron las primeras cartas de súplica del exilio pidiendo ayuda a los organismos competentes para ello. Dichas peticiones son la muestra de las primeras consecuencias del éxodo español, concretamente de sus primeras fases que se inician en septiembre de 1936, tras la campaña de Guipúzcoa, y se extienden hasta el final de la campaña del Norte, entre junio y octubre de 1937. Este episodio no solo supuso una ruptura en las vidas de los refugiados sino que significó un desafío para el Gobierno republicano, que tuvo que idear la forma de asistir a los evacuados en un Estado que comenzaba a resquebrajarse y con unas posibilidades limitadas. Las instituciones encargadas de su auxilio sentaron las bases para la organización del control y asistencia a los evacuados, creando sistemas que, más tarde, fueron copiados por el resto de instituciones nacidas con la finalidad de socorrer a los exiliados españoles.

Al mismo tiempo, este primer acercamiento a los organismos asistenciales sirvió a los refugiados para familiarizarse con su funcionamiento que, en la mayor parte de las ocasiones, trajo consigo el aprendizaje de unas prácticas burocráticas y administrativas que eran desconocidas para un elevado porcentaje de la población evacuada pero que dadas las circunstancias se convirtieron en indispensables en su experiencia de desarraigo.

1. El inicio del fin. Las evacuaciones dentro de la península

En el primer capítulo de este libro ya se detallaron las distintas fases del exilio español. Como se advirtió entonces, la primera salida masiva de refugiados tuvo lugar en septiembre de 1936, tras la toma de San Sebastián y de Irún, dirigiéndose bien hacia Vizcaya o bien hacia los departamentos franceses de los Bajos Pirineos. Estos desplazamientos de población civil, pero también de militares en retirada que buscaban la manera

[1] Mensaje de Félix Martí Ibáñez enviado por radio a los refugiados y a la población de Cataluña tras la llegada a Barcelona de los evacuados procedentes de Málaga. Cfr. Martí Ibáñez, Félix, *Obra. Diez meses de labor en Sanidad y Asistencia Social* (Barcelona: Tierra y Libertad, 1937), p. 136.

de reengancharse al ejército republicano, se intensificaron con la ocupación de Bilbao y Santander en el verano de 1937. La ciudad de Bilbao inició su evacuación el 16 de junio de 1937 en previsión de la derrota, como de hecho sucedió el 19 de ese mes. El primer destino de estos refugiados, junto a los que se exilió buena parte del Gobierno de Euskadi, fue Santander. En la capital cántabra la situación era muy complicada. A los problemas derivados de la contienda y del asedio se unió la llegada de miles de personas procedentes del País Vasco para las cuales no se tenían medios suficientes. Finalmente, el 26 de agosto la ciudad fue ocupada, lo que, unido a las circunstancias anteriores, provocó que los refugiados, que apenas acababan de llegar, tuvieran que trasladarse hacía otros lugares como Asturias o, de nuevo, Francia. Podemos seguir estos primeros pasos a través del testimonio de José Gantxegi, natural de Vergara (Guipúzcoa) afiliado al PNV y voluntario en una compañía de gudaris desde 1936, cuando tan solo tenía 16 años:

> Desde Vizcaya fuimos siempre en retirada. Los nacionales avanzaban y atacaban cada día más. Ellos tenían toda la aviación; tenían el ejército: alemanes, italianos, moros. Tenían dinero, y aquí no teníamos nada. Aquí teníamos amor propio; de lo demás, nada. De retirada, llegamos a Bilbao. Habían volado los puentes que cruzaban la ría, de modo que habilitaron unas barcas con unos tablones encima para que la gente pasara así a la ciudad. Al día siguiente, en la Gran Vía de Bilbao, vimos más heridos y más muertos que yo que sé. Desde la calle se oían disparos y la gente caía sin saber de dónde venían los tiros [...]. Cuando perdimos el País Vasco nos fuimos a Asturias. Allí los combates fueron muy duros, hubo muchos muertos.[2]

La toma de Gijón y de Avilés el 21 de octubre del mismo año concluyó con la pérdida total del Frente Norte para el Gobierno republicano. Los refugiados, que se habían ido instalando en Asturias, terminaron huyendo, en su mayoría a Burdeos y otras zonas de Francia. Desde aquí pasaron a Cataluña para instalarse allí, de la misma forma que hizo el recién estrenado Gobierno de Euskadi, que convirtió la ciudad condal en un enclave importante para la continuidad de su lucha y el mantenimiento de su identidad.[3]

No obstante, sería un error pensar que a la zona catalana tan solo llegaron evacuados vascos, puesto que allí arribaron todos los refugiados procedentes del Norte, de Extremadura y de Andalucía. A pesar de la dificultad de contabilizar el número de desplazados, debido al descontrol del momento y a los continuos traslados, la mayor parte de los autores coinciden en que entre 1936 y 1937 había medio millón de refugiados en tierras catalanas, de los cuales aproximadamente 100.000 eran vascos, que quedaron bajo la protección de la Asistencia Social.[4]

[2] Testimonio recogido por Moro, Sofía, *Ellos y Nosotros* (Barcelona: Blume, 2006), pp. 70-71.

[3] Medina, F. Xavier, *Vascos en Barcelona. Etnicidad y migración vasca hacia Cataluña en el siglo xx* (Vitoria-Gasteiz: Servicio Central de Publicaciones del Gobierno vasco, 2002), pp. 40-77.

[4] Arrien, Gregorio y Goiogana, Iñaki, *El primer exili dels vascos...*, p. 153.

La pérdida del Frente Norte supuso para el ejército republicano no solo una pérdida de territorio sino también una derrota moral, que tuvo en el bombardeo de Guernica, el 26 de abril de 1937, uno de sus momentos más dramáticos. Asimismo significó un daño irreparable en cuanto a la industria y a los recursos de la República, ya que al perder Asturias y el País Vasco, perdieron el carbón, el hierro, el acero y todo el cinturón industrial de Vizcaya. Además, las particularidades de la guerra en el Frente Norte y los propios enfrentamientos dentro de las fuerzas republicanas encargadas de defender al mismo mostraron las divergencias y divisiones existentes dentro del ejército republicano, debilitándole ante el enemigo, que contaba, como había demostrado fehacientemente en el desarrollo de la campaña del Norte, con el firme apoyo de italianos y alemanes. Las consecuencias fueron nefastas y entre ellas se encontraba la imperiosa necesidad de auxiliar a los refugiados, obsesión que acompañó al gobierno republicano durante todo su exilio.

2. La ayuda republicana a los refugiados

El 2 de febrero de 1937 el Gobierno disolvió el Comité Nacional de Refugiados, institución que funcionaba de forma independiente desde octubre de 1936 para la ayuda y el socorro de los primeros evacuados producidos por la contienda. Las tareas que éste desempeñaba las asumió el Ministerio de Sanidad y Asistencia Social, dirigido en ese momento por Federica Montseny.[5] Pocos días más tarde, se estableció en este Ministerio el Comité de Evacuación y Asistencia a Refugiados, adscrito a Asistencia Social, que debía ser el servicio encargado de las evacuaciones y de todo lo derivado de ellas (transporte, abastecimiento, alojamiento, sanidad y ocupación de los refugiados).[6] Este fue el organismo de ayuda gubernamental que funcionó en el periodo que comprende este estudio de caso puesto que no fue disuelto hasta el 4 de enero de 1938, cuando se creó la Dirección General de Evacuación y Refugiados, que seguía dependiendo del Ministerio de Trabajo y Asistencia Social y que tenía las mismas funciones que el anterior, tratándose tan solo de una reorganización interna que pretendía centralizar el servicio [Figura 1 y 2].[7]

[5] Disposición firmada por Manuel Azaña, 20 de enero de 1937, publicada en la *Gaceta de la República,* 33, 2 de febrero 1937 [consultado en: http://www.boe.es/datos/pdfs/BOE// 1937/033/B00589-00590.pdf].

[6] Decreto firmado por Federica Montseny, 17 de febrero de 1937, publicado en la *Gaceta de la República*, 49, 18 de febrero de 1937 [consultado en: http://www.boe.es/datos/pdfs/BOE// 1937/049/B00871-00871.pdf].

[7] Decreto firmado por Manuel Azaña, 4 de enero de 1938, publicado en la *Gaceta de la República*, 6, 6 de enero de 1938 [consultado en: http://www.boe.es/datos/pdfs/BOE//1938/006/B00068-00069.pdf].

Figura 1. *Gráfico representativo de la «Asistencia Social»,*
Fuente: Félix Martí Ibáñez: Obra. Diez meses de labor en Sanidad y Asistencia Social, *Barcelona: Tierra y Libertad, 1937, p. 183. Elaboración propia.*

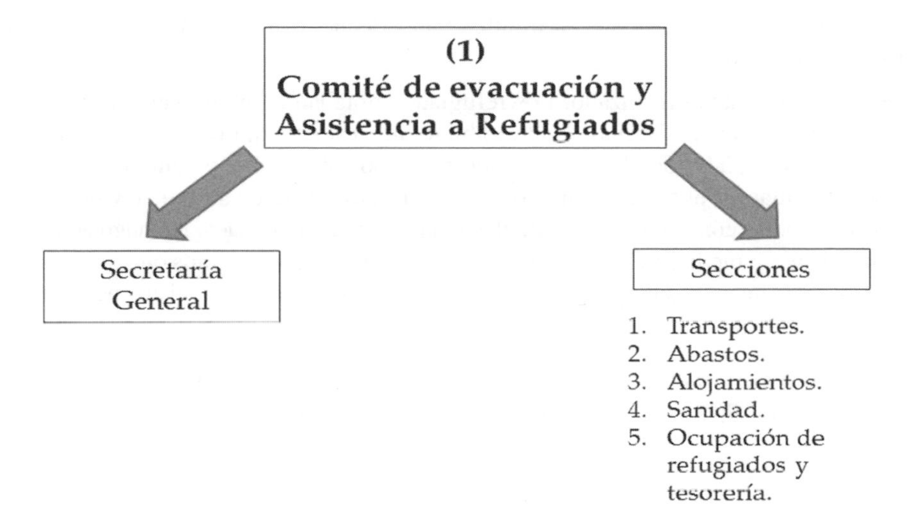

Figura 2. *Gráfico representativo del «Comité de evacuación y asistencia a los refugiados», Fuente: Decreto de la Presidencia del Consejo de Ministros del 30 de enero de 1937 publicado por* La Gaceta de la República *el 18 de febrero de 1937 (n.º 49) y firmado por Federica Montseny. Elaboración propia.*

En concreto, en Cataluña dicha labor tuvo su máximo representante en el Director General de Sanidad y Asistencia Social de la Generalitat durante este periodo, Félix Martí Ibáñez, con cuyas palabras he comenzado este capítulo. Un hombre con planteamientos revolucionarios sobre la Asistencia Social que propugnó numerosos cambios y mejoras en la misma, partiendo de dos ideas fundamentales: la prevención era mejor que la curación y se debía hablar de solidaridad y no de beneficencia. Para Félix Martí Ibáñez, la Asistencia Social debía ser: «Una Assistència Social que reivindica la dignitat humana i que transforma la lletja i odiosa caritat oficial en restitució d'allò que en salut, en benestar, en alegria, va ésser usurpat als oprimits pels privilegiats de sempre».[8]

Al mismo tiempo que funcionaba el Comité de Evacuación y Asistencia a los Refugiados, otras delegaciones de la Asistencia Social se hacían cargo de otros cometidos. Entre ellas, la que más nos interesa es la Sección de Control de Acogidos y Estadística, que se encargaba de elaborar los censos de los refugiados, tarea fundamental para que después estas personas pudieran ser localizadas.

Los problemas a los que tuvo que enfrentarse dicho Comité fueron patentes desde el inicio, puesto que no solo debía ocuparse de la colocación, distribución y control de los refugiados de la cornisa cantábrica por tierras catalanas, sino que a esto debía unir los trabajos de evacuación de otras zonas que ya habían caído en manos del ejército sublevado, como Málaga, o de algunas ciudades (Madrid, Valencia) con bombardeos continuos que hacían peligrar la vida de la población civil y que dificultaban constantemente el traslado de esta. Federica Montseny, en la conferencia pronunciada el 6 de junio de 1937 en el teatro Apolo de Valencia, con motivo del cese de su actividad como ministra, recordaba con las siguientes palabras los primeros meses en los que su Ministerio desempeñó esta labor:

> No existía nada organizado. Los refugiados flotaban en el ambiente español como verdaderas almas de Garibay. Nadie sabía dónde estaban, no se llevaba un fichaje de todos, no se sabía de dónde habían salido ni era posible atender y cumplimentar cuando algún familiar en el frente pedía noticias sobre el destino de su mujer y de sus hijos. Poco a poco se consiguió organizar, clasificar, ordenar aquel caos. No hago acusaciones contra nadie y me limito tan solo a exponer la labor, lo que tuvimos que hacer, siempre de la misma manera, siempre con dinero regateado, siempre en la misma penuria, en las mismas dificultades.[9]

Para intentar controlar el caos existente y llevar un registro de los refugiados, a partir del 1 de marzo de 1937 se hizo obligatoria su identificación. Para esto debían rellenar

[8] Hervás i Puyal, Carles, *Sanitat a Catalunya durant la República i la Guerra Civil. Política i Organització sanitàries: l'impacte del conflicte bèl-lic* (Tesis Doctoral defendida en la Universitat Pompeu Fabra, Insitut Universitari d'Història Jaume Vicens i Vives, Barcelona, 2004), p. 106.

[9] Montseny, Federica, *Mi experiencia en el Ministerio de Sanidad y Asistencia Social, Conferencia pronunciada el 6 de junio de 1937, en el teatro Apolo, Valencia* (Valencia, Ediciones de la Comisión de Propaganda y Prensa del Comité Nacional de la CNT, 1937), p. 20.

una «ficha de evacuación y refugio» de la que podían disponer en el Comité Local de Refugiados del distrito donde se encontraran. Para los que llegaban por primera vez a un refugio se dispuso un plazo de ocho días para cumplir con este requisito. Este control, aunque basado en un sistema muy simple, fue fundamental, puesto que si el refugiado no realizaba este paso no se le reconocía su condición legal de evacuado y, por tanto, no podía acceder a las ayudas y derechos que dicha condición les confería.[10]

El trabajo que realizó dicho comité fue ingente dado que, según algunos datos, la Asistencia Social, desde que asumió la labor de ayuda a los refugiados hasta los primeros meses del año 1938, asistió a tres millones de personas.[11] Pero esta tarea no fue exclusivamente realizada desde el Gobierno Central y el Ministerio presidido por Federica Montseny. Desde el 1 de octubre de 1936 el Gobierno vasco tenía independencia para actuar con sus propias delegaciones, según estaba reconocido en el Estatuto vasco. Así, la Delegación de Euskadi, primero en Santander y después, en Barcelona, comenzó su labor de gestión del socorro y ayuda a los evacuados vascos, actuando de forma independiente aunque siempre ajustándose a las normas establecidas por el Ministerio de Sanidad y Asistencia Social. La representación oficial de Euskadi en Barcelona se dividió en cuatro secciones: Secretaría General, Junta de Cultura y Propaganda, Economía y Finanzas, y Asistencia Social, de la que fue presidente Luis Areitioaurtena, delegado general de Euskadi en Cataluña, y en la que trabajaron de forma significativa Santiago Dañobeitia y Ricard Altaba.[12]

Esta institución se ocupó del control de los refugiados vascos pero no solo, puesto que, como afirmaban en sus propios informes, estos evacuados estaban mezclados con los de Cantabria y Asturias, por las circunstancias especiales en las que se había producido el éxodo.[13] Por tanto, podemos afirmar que se ocupó del socorro del gran grueso de los evacuados de la cornisa cantábrica, al menos en lo que se refiere a su control y a su búsqueda, ya que las grandes empresas de creación de albergues y hospitales que atendieron a estos refugiados corrieron a cargo del Gobierno central, representado en

[10] Disposición firmada por Federica Montseny, Valencia, 25 de febrero de 1937, publicada en la *Gaceta de la República*, 60, 1 de marzo de 1937 [Consultado en: http://www.boe.es/datos/pdfs/ BOE//1937/060/ B01023-01023.pdf].

[11] La primera cifra ha sido tomada de un artículo publicado en *El Diluvio* sobre las instituciones para los refugiados de guerra. Cfr. *El Diluvio. Diario Republicano Democrático Federal*, Barcelona, año LXXXI, 13, 15 de enero de 1938. A pesar de tomar con prudencia esta cifra no resulta descabellada, ya que Federica Montseny, seis meses antes, había calculado que había un millón y medio de desplazados por la guerra. Cfr. MONTSENY, *Mi experiencia en el Ministerio de Sanidad y Asistencia Social...*, p. 21.

[12] *Composición del Consejo de Asistencia Social de la Delegación General de Euskadi en Cataluña*, CDMH PS-BARCELONA, Caja 466, exp. 1, sin foliar.

[13] Así figuraba en el Informe remitido a Luis Areitioaurtena el 30 de septiembre de 1937 en el que se le notificaban de las labores realizadas por el Departamento de Asistencia Social. CDMH- PS BARCELONA, Caja 319, exp. 1, sin foliar.

Cataluña, por Félix Martí Ibáñez, como demuestran los diferentes folletos propagandísticos que se publicaron para informar de las labores realizadas en este terreno.[14]

Así, la Asistencia Social de la Delegación de Euskadi, en concreto su sección de Estadística e Información, fue la encargada de la elaboración de los censos de refugiados que el Ministerio obligaba a realizar. Para dicha tarea escribían a las distintas comarcas y lugares en los que había constancia de que hubiera refugiados solicitando a los ayuntamientos los censos de los evacuados que tenían en sus localidades. Los organismos locales remitían largas listas con los principales datos de estos refugiados: nombre, edad, sexo, profesión, procedencia y situación familiar.[15] A su vez, en la Oficina Central en Barcelona también se llevó a cabo una campaña para la recogida de estos datos, como demuestra la comunicación que fue enviada a la prensa con el objetivo de que todos los refugiados se enteraran de la misma:

> A TODOS LOS CIUDADANOS VASCOS RESIDENTES EN CATALUÑA
>
> La Delegación General de Euskadi en Cataluña, va a proceder al levantamiento del Censo de ciudadanos vascos residentes en todo el país de Cataluña.
>
> Por el interés que para los mismos ha de tener, se ruega pasen a partir del próximo lunes a las horas y días hábiles, por la Residencia Oficial (Paseo de Gracia, número 60) y proceder a su inscripción en el Registro, debiendo advertirse que el cumplimiento de esta formalidad podrá ser de gran eficacia y ayuda en las diversas relaciones que en la vida ciudadana puedan tener en Cataluña.
>
> A los que residen fuera de Barcelona, se les enviará previa solicitud por correo, hojas impresas para que llenen los detalles que en las mismas se solicitan.[16]

El trabajo de recopilación de datos de los evacuados por la guerra no era algo nuevo para la Delegación de Euskadi, puesto que ya la habían iniciado con los primeros traslados en el otoño de 1936.[17] La gestión de estos datos fue imprescindible para encontrar a las personas desaparecidas y reclamadas por sus familiares, siendo este uno de los primeros objetivos que persiguió el sistema de peticiones y solicitudes del exilio español. Por esto, no es de extrañar que en el Informe de su actividad apuntaran que solo

[14] Véase de BELLMUNT, Domènec, *La revolución y la Asistencia Social. Antecedentes y documentos* (París: Talleres tipográficos de la «Association Hispanophile de France», 1937), y MARTÍ IBÁÑEZ, Félix, *L'assistència social en la revoluciò* (Barcelona: Oficina de Propaganda de la Conselleria de Sanitat i Assistència Social de la Generalitat de Catalunya, 1937).

[15] Buena parte de ellos se conservan en CDMH PS-BARCELONA, Caja 630, exp. 2, sin foliar, donde he localizado más de 60 correspondientes a diferentes localidades catalanas.

[16] Notificación de la Delegación General de Euskadi en Cataluña, s. f., CDMH PS-BARCELONA, Caja 319, exp. 8, sin foliar.

[17] Así figuraba en la Orden del Departamento de Asistencia Social del País Vasco, firmada por el consejero de Asistencia Social, Juan Gracia, en Bilbao, 29 de octubre de 1936 y publicada en el *Diario oficial del País Vasco*, n.º 29, 6 de noviembre de 1936.

en el mes de septiembre de 1937 recibieron aproximadamente unas 600 cartas en las que se solicitaban datos de familiares y que de éstas se habían podido contestar 554.[18]

El cambio constante de domicilio de muchos de los desplazados, al igual que los traslados derivados de los movimientos del frente, hicieron muy complicado el intercambio epistolar entre familiares y amigos, y provocaron que el sistema anteriormente descrito resultara insuficiente en algunas ocasiones. Por esta razón, Asistencia Social también actuó de destinataria de mucha correspondencia privada y familiar. Así, recibieron numerosas tarjetas postales en cuya dirección tan solo constaba el nombre de la persona a la que iba dirigida la carta y la Asistencia Social debía encargarse de encontrar su domicilio y remitirla a su destinatario. La prueba de que esto no siempre fue posible es la propia conservación de muchas de estas misivas entre la documentación con la que he trabajado, cartas que nunca llegaron a su destino y que conocemos hoy, precisamente, gracias a esa circunstancia.[19] Entre ellas, las que Ladislao Egoña escribió a su mujer Encarnación Rodríguez, refugiada guipuzcoana en Castro Urdiales, dónde su marido le había perdido la pista. Como vemos en el sobre, Ladislao dirigió esa carta a la Asistencia Social y el único dato que aportaba de su esposa era su nombre y su lugar de procedencia. En la carta le indica que no le había escrito antes porque no sabía cómo tenía que hacerlo ya que desconocía dónde se encontraba:

> Esposa Encarnación: Me alegraré mucho que al recibo de esta os halléis bien como me encuentro yo. La presente sirve para deciros si habéis recibido la maleta que os mandé a Castro Urdiales con jabón y ropa para la niña. Hasta el momento hemos estado sin correspondencia y sin saber dónde y cómo escribir y ahora ya nos han dicho cómo y de qué manera escribir. Quisimos ir a Castro Urdiales, pero como no teníamos permiso no pudimos ir y nos quedamos con pena. Habiéndonos enterado que los refugiados de Castro han evacuado te escribo a Asistencia Social de Santander para ver si os encontráis en esa [...].[20]

En el resto de la misiva, Ladislao se afana en pedirle a su mujer direcciones de otros miembros de la familia para ponerse en contacto con ellos, así como le pide que le diga si piensa emigrar al extranjero o no. Lo más común es que estas cartas estuvieran redactadas sobre tarjetas postales de campaña que gozaban de la franquicia postal. Por ejemplo, la que Ignacio del Olmo escribe a su esposa Manuela Llamosas a través de

[18] Informe remitido a Luis Areitioaurtena el 30 de septiembre de 1937 en el que se le ponía al corriente de las labores realizadas por el Departamento de Asistencia Social, CDMH PS- BARCELONA, Caja 319, exp. 1, sin foliar.

[19] Tras la caída de Barcelona, toda la documentación que los distintos organismos asistenciales e instituciones republicanas dejaron allí fue incautada para ser utilizadas en un futuro como medio de represión. Fueron, por tanto, y siguiendo a Verónica Sierra Blas, «cartas robadas» que nunca llegaron a sus destinatarios y que acabaron teniendo una finalidad muy distinta a aquella para la que habían sido concebidas. Véase Sierra Blas, *Palabras Huérfanas...*, pp. 129-154.

[20] Carta de Ladislao Egoña (Cicero, Santander) a Encarnación Rodríguez (Asistencia Social, Santander), s. f., CDMH PS-SANTANDER_O, Caja 50, exp. 18, docs. 27-28.

la Asistencia Social de Santander el 25 de julio de 1937, en la que le pide información sobre ella y su hija, a la vez que le informa sobre su estado de salud. Esta tarjeta, como la mayoría, tiene dos sellos fundamentales: uno el de la compañía y batallón al que pertenecía Ignacio y otro el de la censura del Estado Mayor, lo que nos indica que todas estas cartas eran revisadas antes de llegar a su destinatario.[21]

Querida esposa que al Recibo de esta te encuentres con la más completa salud lo mismo que la niña Manuela estoy en treto Carranza estoy en casa de tu padre y me dijo que estuvistes en casa pero sin entrar lo sintió mucho tu padre no quedarte en casa esta la mujer de Bernabe Manuela escribe pronto yo estoy bien a si que tu no te lleves mal Rato Manuela me dijo tu padre que estas con la mujer de Alejandro sin más se despide este que te quiere y no te olvida un millon de besos a la niña
Ygnacio del Olmo

25 de Julio de 1937
Tarjeta postal de campaña
887
Sr Manuela Llamosas
Refugiada
Asistencia Social de
Santander
Remitente Ignacio del Olmo
Brigada
Batallón de Ingenieros Nº 14
Compañía 1ª 13ª sección
8
50/18
66

Figura 3. *Tarjeta postal de campaña de Ignacio del Olmo (Frente del Norte) a Manuela Llamosas (Santander), 25 de julio de 1937, CDMH PS-SANTANDER_O, Caja 60, exp. 18, doc. 66.*

Aunque la tarjeta de campaña reproducida responda a las tarjetas oficiales emitidas por el Ministerio, también circularon otras de partidos políticos, sindicatos y distintas organizaciones, como las de las Milicias Antifascistas de la CNT-FAI [Federación Anarquista Ibérica] o las del Socorro Rojo Internacional (SRI), que igualmente eran tramitadas por la Asistencia Social y que incluso fueron utilizadas en alguna ocasión como soportes de las peticiones realizadas a esta institución.

Gracias a esta intermediación y a las tareas de búsqueda de familiares, la Asistencia Social consiguió unir a las personas con su «cuerpo social»[22] a través del intercambio de

[21] Tarjeta postal de campaña de Ignacio del Olmo (Frente del Norte) a Manuela Llamosas (Asistencia Social, Santander), 25 de julio de 1937. CDMH PS-SANTANDER_O, Caja 50, exp. 18, doc. 66.

[22] El Dr. Carreras, responsable del centro Fuente Podrida para mujeres refugiadas embarazadas en Cataluña, afirmaba que el refugiado era «una persona que había sufrido la separación del cuerpo social al que estaba vinculado» y que la labor de los organismos asistenciales era procurar que dicha separación fuera

noticias que circularon en misivas y tarjetas postales y cuya llegada a sus destinatarios dependía del buen funcionamiento del sistema anteriormente descrito, en el que las peticiones jugaron un papel fundamental.

3. Una búsqueda desesperada

El fondo seleccionado comprende peticiones que abarcan desde el 24 de febrero de 1937 hasta el 20 de diciembre de 1938. En total casi dos años de traslados y movimientos de población que supusieron las primeras separaciones familiares y, con ellas, las primeras búsquedas de los seres queridos. El eje temporal que cubre el fondo ofrece una amplia representatividad de las primeras fases del exilio español. A su vez, engloba desde el inicio del funcionamiento del Comité de evacuación y asistencia a los refugiados hasta su reorganización y centralización en los primeros meses de 1938.

Son pocos los datos que podemos averiguar de los refugiados que redactaron estas misivas ya que, en esta ocasión, no se ha conservado junto a las mismas ningún otro documento que nos ayude a ampliar la información de la que disponemos. El único vestigio administrativo de estas peticiones son las propias huellas que el personal dejó en ellas, así como la respuesta que la Asistencia Social dio a las mismas, que se suele conservar grapada con la petición original en la mayor parte de los casos.[23]

Si por algo se caracterizan estas peticiones, en comparación con el resto de solicitudes del exilio español, es porque todo el mundo tenía acceso a ellas por igual. Esto se debía fundamentalmente a tres razones. La primera, que tanto hombres como mujeres podían utilizar dicho servicio, a diferencia de lo que sucedía con otros organismos asistenciales nacidos más tarde y en otras circunstancias, a los que tan solo el cabeza de familia, generalmente el varón, podía elevar las instancias y solicitudes en nombre de todo el conjunto familiar, aunque siempre hubiera excepciones. La segunda razón fue la gratuidad del franqueo de estas misivas. Al comenzar la Guerra Civil, el Gobierno republicano decidió otorgar el franqueo postal gratuito de la correspondencia a las fuerzas leales a la República. Dicha norma debió modificarse debido a la difícil situación económica del Gobierno durante el desarrollo de la contienda, a excepción de la correspondencia oficial, las tarjetas postales de campaña e infantiles y las tarjetas postales de los refugiados, siempre y cuando estuvieran dirigidas a las oficinas de evacuación y a los consejos municipales.[24] De esta forma, cualquier persona podía acceder

---

lo menos traumática y dolorosa posible. Cfr. Entrevista al Dr. Carreras en *El Diluvio. Diario Republicano Democrático Federal*, Barcelona, año LXXXI, 13, 15 de enero de 1938.

[23] Para consultar estas fichas, puede verse, para los refugiados en Santander, CDMH PS-SANTANDER_O, Caja 50, exps. 2, 3, 6, 8; en cuanto a los evacuados en Barcelona, véase CDMH PS-BARCELONA, Caja 466, exp. 13 y PS-BARCELONA, Caja 487, exp. 1.

[24] Disposición de Manuel Azaña, Valencia, 7 de mayo de 1937, publicada en la *Gaceta de la República*, n.º 128, 8 de mayo de 1937. La ampliación de la norma fue realizada por PD. J. Bugeda, Valencia,

a este servicio, sin importar sus recursos económicos y sin diferenciación de sexo. Lo que enlaza con el tercer motivo, que no es otro que el carácter del organismo asistencial al que fueron remitidas. Tanto a la Asistencia Social dependiente del Gobierno central como a la vinculada a la Delegación Vasca podían dirigirse todos los evacuados, sin distinción del partido político al que pertenecieran o de la relación que tuvieran con la República. Este sistema estaba, por tanto, al servicio de todos los ciudadanos evacuados.

Como he adelantado, el motivo principal de estas peticiones fue la búsqueda de familiares desaparecidos durante las distintas fases de las evacuaciones, siendo este el desencadenante del 84% de las mismas. En relación a este asunto, también se encuentran otras peticiones en las que se solicitaba la intermediación directa ofrecida por la Asistencia Social para el envío de correspondencia. Así, algunos escribían dando todos sus datos personales y pidiendo que se dieran a los familiares interesados en ponerse en contacto con ellos, igual que otros solicitaban el reenvío de la correspondencia personal que les hubiese llegado a la Asistencia Social. También hay solicitudes que aunaban varias peticiones aprovechando el mismo espacio para dejar constancia de todas sus necesidades, como realizó Ángel Valcárcel Gimeno:

> Sr. Delegado de Asistencia Social del Gobierno de Euskadi.
>
> El que se dirige a U[ste]d, Ángel Valcárcel Gimeno, de 65 años de edad y natural de Bilbao, refugiado en esta, desearía saber del paradero de su hijo, Ángel Valcárcel Lezama, que actuaba últimamente en el Frente de Asturias, en la XI Brigada, 3.ª Batallón, 1.ª Compañía, antes Batallón Munguía, con graduación de teniente. Y a ser posible también quisiera que me indicasen si tienen alguna información de los que quedaron heridos cuando la evacuación de Bilbao, pues se da el caso que otro hijo mío llamado Jacobo Valcárcel Lezama, perteneciente al Batallón de la CNT Sacco y Vanzetti, quedó herido en el Hospital de Basurto. Y por último, desearía saber el paradero de mi mujer, Luisa Lezama Zubiaur, y dos hijos menores de 15 años, Paulino y Dámaso, que embarcaron en el puerto de Bilbao el 30 de Mayo en el vapor Habana con dirección a Francia. Y estoy canso de escribir a las delegaciones de [¿Irandia?] y no aparecen, según me contestan, por ningún fichero sus nombres y como pueden suponer es muy triste para mí, a mi edad, encontrarme solo y no tener noticias de ningún familiar.
>
> También quisiera me indicasen que tengo que hacer para poder cobrar los haberes del hijo que quedó en el Hospital, pues, la verdad, no tengo más ropa que la puesta, pues tuve que salir de Bilbao carretera adelante hasta Castro y desearía comprar ropa de abrigo.
>
> Sin más se despide de U[ste]d, con gracias anticipadas y en espera de su contestación, Ángel Valcárcel.
>
> Prats de Llucones, Calle Pi y Margall, n.º 53, Provincia Barcelona.[25]

---

12 de mayo de 1937, publicada en la *Gaceta de la República*, n.º 138, 18 de mayo de 1937.

[25] Petición de Ángel Valcárcel Gimeno (Prats de Llucones, Barcelona) a la Asistencia Social de la Delegación de Euskadi (Barcelona), 22 de noviembre de 1937, CDMH PS-BARCELONA, Caja 913, exp. 18, sin foliar.

Otros temas que aparecen, aunque en una proporción menor, son la petición de traslado a otros refugios, buscando casi siempre la reunificación familiar, la demanda de ropa por haber realizado el viaje rápido y sin maletas, como solicitaba Ángel en la petición anterior, o de dinero para asuntos puntuales. Además, también hay alguna de las súplicas que contiene quejas por el trato que estaban recibiendo los evacuados en los diferentes refugios y peticiones a la Asistencia Social para que se interviniese en este problema, aunque estas son casi inexistentes. Por ejemplo, en el fondo seleccionado tan solo hay una que presente esta temática: se trata de la petición firmada por Manuela Viles una refugiada vasca quien escribe en su nombre y en el de sus compañeras a la Asistencia Social de Euskadi en Barcelona para informar de su situación y solicitar que alguien se haga cargo:

> [...] Al mismo tiempo, queremos hacer saber a nuestro Gobierno en las malas condiciones que aquí nos encontramos. Nos han puesto cada familia por pisos donde carecemos de luz, agua y sin W.C. No solo eso, sino que nos pasan 1,75 por persona para comer, aquí como es un pueblito con una docena de casas, los precios de las subsistencias son al precio que quieren haciéndonos imposible el poder comprar nada y aún a un precio sumamente caro, muchas veces (la mayoría) no conseguimos que nos vendan nada.
>
> Agradeceríamos con toda el alma vieran si podía pasar por aquí algún Delegado para así ver si podríamos conseguir un poco de mejora a esta triste situación [...].[26]

En cuanto a los distintos lugares desde los que fueron redactadas las misivas, encontramos una significativa diferencia dependiendo de sí los remitentes eran mujeres u hombres. En el caso de las primeras, en su mayor parte escribieron desde refugios o desde otros lugares de evacuación (primero Asturias y después desde las comarcas catalanas, aunque también hay peticiones remitidas desde Francia e Inglaterra), para poder encontrar a sus compañeros, maridos o hijos, algunos de los cuales estaban en el frente y otros evacuados, como ellas, pero cuyo paradero desconocían. En el caso de los hombres, hay una mayor variedad geográfica puesto que las solicitudes estaban redactadas desde hospitales (principalmente asturianos y valencianos), diversos lugares de la geografía española (predominando la zona catalana pero con la aparición de otras procedencias, como Guadalajara, Madrid, Aragón, etc.) y desde el frente de batalla, en los que tan solo indicaban que las tarjetas habían sido redactadas «En campaña». También tenemos alguna escrita desde Francia y la URSS, pero se trata de excepciones dentro del fondo total.

El funcionamiento de estas peticiones era muy simple. Generalmente, todos los asuntos derivados de la búsqueda de familiares se llevaban en las secciones de Estadística y Control. Allí subrayaban los nombres de las personas que eran buscadas y comprobaban en los censos elaborados o en las fichas que poseían con los datos de los evacuados

[26] Petición de Manuela Viles (Vilanova de Meyá, Lérida) a la Asistencia Social de la Delegación de Euskadi (Barcelona), 31 de diciembre de 1937, CDMH PS-BARCELONA, Caja 913, exp. 18, sin foliar.

si figuraba el nombre deseado. Si era así, se solían escribir sobre la propia petición los datos de las personas encontradas para después remitirlos a los demandantes. También es usual encontrar la palabra «censo», lo cual podría indicar que esa persona constaba en las listas elaboradas. En el caso de que el nombre no figurase en su base de datos, se escribía sobre la propia petición la palabra «No» o «No consta» y, generalmente, también «Prensa», lo que indicaba que el nombre del desaparecido debía ser incluido en las listas que habitualmente enviaba la Asistencia Social a distintos periódicos nacionales para su difusión. Cuando sucedía así se anotaba en la propia misiva la fecha en la que se había realizado el envío.

A su vez, el contenido de las peticiones da fe del funcionamiento de este sistema, como demuestra la petición de Paula Villar, motivada por un anuncio que había leído en *El Diluvio,* en el que aparecía el nombre de un varón que ella creía que podía ser su esposo, desaparecido desde la evacuación de Gijón:

> La Nou, 29-4-38
>
> S[eño]r Delegado de Asistencia Social de Euskadi. Después de saludarlo paso a decirle que, habiendo leído en el anuncio del *Diluvio* que desean saber el paradero de Julián López, con fecha 27 reclamado dos veces el mismo día, por si pudiera ser mi esposo que está desaparecido desde la evacuación de Gijón, pues es capitán de Artillería, se llama Julián López Alonso y quien facilita estos datos es su esposa, refugiada de Euskadi con sus ocho hijos en La Nou, deseo saber quién le reclama, desearía que U[ste]d me contestase con la mayor brevedad posible, favor que espero de U[ste]d, lo cual le doy las gracias anticipadas de esta: S[u] S[ervidora] L[e] B[esa] S[u] M[ano].
>
> Paula Villar.[27]

O el caso, entre otros muchos, de José Velasco Martín, quién escribió a la Asistencia Social de Euskadi motivado por un anuncio en el periódico *La Vanguardia*, y con el deseo de encontrar a su mujer, a su hijo y a su hermano, a los que perdió la pista tras la evacuación de Santander. Como indican las huellas que la administración de la Asistencia Social dejó en la propia petición, tan solo encontraron ficha de uno de los tres desaparecidos, en concreto la de su hermano, José Velasco Martín, mientras que los nombres de su mujer y de su hijo fueron enviados a la prensa el 17 de noviembre del mismo año [Figura 4] como se aprecia en la anotación superior.[28]

Una búsqueda desesperada, como las de José y Paula, fue la principal protagonista de estas primeras peticiones, realizadas, en muchas ocasiones, por manos inexpertas que nunca antes se habían enfrentado a un ejercicio de escritura de este tipo y que desconocían las normas estipuladas para el mismo. No obstante, unos en mejor y otros en

[27] Petición de Paula Villar (La Nou, Barcelona) a la Asistencia Social de la Delegación de Euskadi (Barcelona), 24 de abril de 1938, CDMH PS-BARCELONA, Caja 913, exp. 18, sin foliar.

[28] Petición de José Velasco Martín (Villarreal, Castellón) a la Asistencia Social de la Delegación de Euskadi (Barcelona), 7 de noviembre de 1937, CDMH PS-BARCELONA, Caja 913, exp. 18, sin foliar.

peor grado, todos intentaron ceñirse a la normativa epistolar en función de lo que sus propias capacidades les permitieron y también en relación a las especiales circunstancias en las que fueron producidas. Para cumplir con dicha normativa no es de extrañar que algunos refugiados recurrieran a los consejos y advertencias que algunos conocían por los manuales epistolares de la época, ya que para sus manos inexpertas resultaba mucho más sencillo copiar un modelo establecido que crear una solicitud propia.[29]

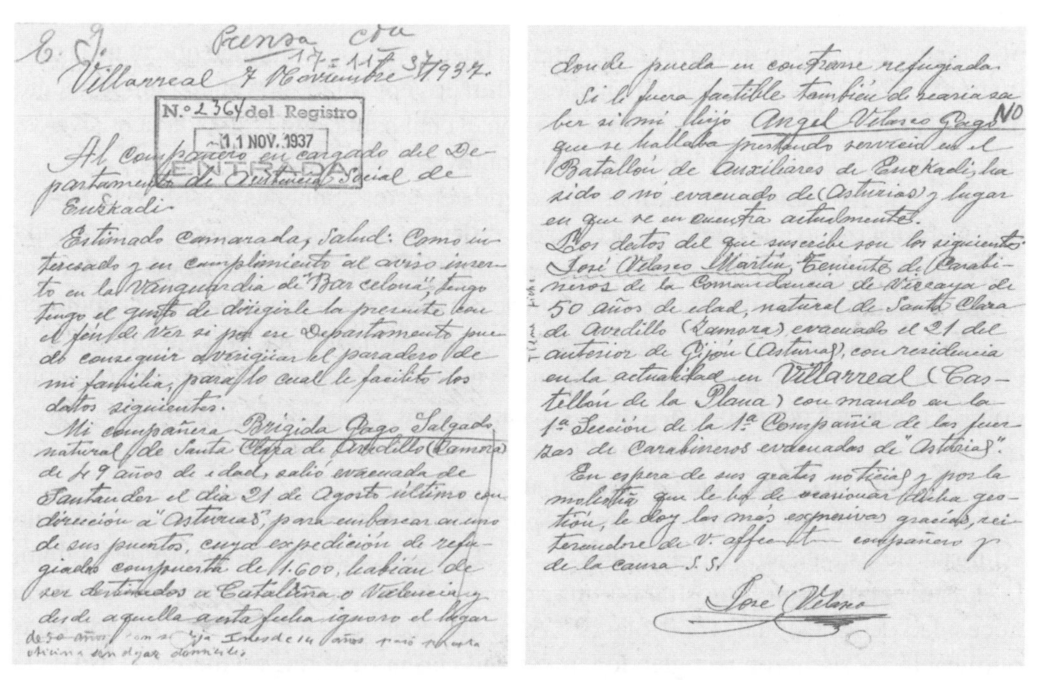

Prensa

Villarreal 7 Noviembre 1937.

N.º 2364 del Registro
11 NOV. 1937
ENTRADA

Al compañero encargado del Departamento de Asistencia Social de Euskadi.

Estimado camarada, salud: Como interesado y en cumplimiento al aviso inserto en la "Vanguardia" de "Barcelona", tengo el gusto de dirigirle la presente con el fin de ver si por ese Departamento puedo conseguir averiguar el paradero de mi familia, para lo cual le facilito los datos siguientes.

Mi compañera Brigida Gago Salgado natural de Santa Clara de Avedillo (Zamora) de 49 años de edad, salió evacuada de Santander el día 21 de Agosto último con dirección a "Asturias", para embarcar en uno de sus puertos, cuya expedición de refugiados compuesta de 1.600, habían de ser destinados a Cataluña o Valencia y desde aquella a esta fecha ignoro el lugar donde pueda encontrarse refugiada.

Si le fuera factible también desearía saber si mi hijo Angel Velasco Gago NO que se hallaba prestando servicio en el Batallón de Auxiliares de Euzkadi, ha sido o nó evacuado de (Asturias) y lugar en que se encuentra actualmente.

Los datos del que suscribe son los siguientes: José Velasco Martín, Teniente de Carabineros de la Comandancia de Vizcaya de 50 años de edad, natural de Santa Clara de Avedillo (Zamora) evacuado el 21 del anterior de Gijón (Asturias), con residencia en la actualidad en Villarreal (Castellón de la Plana) con mando en la 1.ª Sección de la 1.ª Compañía de las fuerzas de Carabineros evacuadas de "Asturias".

En espera de sus gratas noticias y por la molestia que le ha de ocasionar dicha gestión, le doy las más expresivas gracias, reiterándome de V. affectmo. compañero y de la causa S. S.

José Velasco

Figura 4. *Petición de José Velasco Martín (Villarreal, Castellón) para la Asistencia Social de la Delegación de Euskadi (Barcelona), 7 de noviembre de 1937. CDMH PS-BARCELONA, Caja 913, exp. 18, sin foliar.*

4. Aprender a pedir. La toma de contacto con la «retórica de la sumisión»

Una carta es un retazo de nuestra conversación y su autor es responsable de ella; por eso debe cuidarse tanto la forma y el fondo de estos escritos, que tienen sobre la palabra la cualidad de que «permanecen», de que pueden mostrársenos, atestiguando de esta manera nuestro modo de pensar y de proceder respecto a un asunto o a un deseo; muchas veces, el éxito o el fracaso de nuestros intentos depende de la carta oportuna, mal o bien escrita, sabia o torpemente redactada, porque así como nuestra cara es el espejo del alma, ocurre

[29] Molinari, Augusta, *Le lettere al padrone. Lavoro e cultura operaie all'Ansaldo nel primo Novecento* (Milán: FrancoAngeli Storia, 2000), pp. 54-57.

> que nuestras cartas son fiel reflejo del modo de pensar y proceder delatando claramente nuestra mala o buena disposición.[30]

Este fragmento pertenece al manual epistolar de M. Valdivia editado en 1929 y recoge a la perfección la importancia que la *forma* y el *fondo* de una carta tenían tanto para su emisor como para su destinatario, ya que con ello se rebela «nuestra forma de pensar y de proceder respecto a un asunto o a un deseo», hasta tal punto, que tal y como continua, «muchas veces, el éxito o el fracaso de nuestros intentos, depende de la carta oportuna». En tan solo un párrafo, se sintetiza buena parte de la utilidad que tiene la normativa epistolar recogida en los manuales y tratados epistolares, de cuyo cumplimiento dependía la consecución o no del objetivo con el cual había sido realizada la misiva, ya fuera esta de amistad, familiar, amorosa o contuviera una petición.

Para algunos autores, la normativa recogida en estos manuales no solo reflejaba el orden epistolar sino que también era fruto del orden social en el que había sido producida y servía para promover una «específica educación de las costumbres y de los gestos o, lo que es lo mismo, un determinado código de representación y un inconsciente político capaz de ejercer el control social a través de los usos de la lengua, oral y escrita».[31] Por ello, cumplir con las reglas establecidas en los manuales epistolares significaba cumplir con los preceptos de la sociedad de la época, máxime en la Edad Moderna. Las cartas muestran por tanto un fiel reflejo de la jerarquía que existía en la sociedad en la que fueron producidas y a la que representaban.[32]

Esta característica tuvo su eco en la época contemporánea como demuestra el éxito editorial de este género en el siglo XIX, en el que, a pesar del momento de cambio, la epistolografía siguió mostrando una sociedad fuertemente jerarquizada, de ahí la necesidad de los manuales epistolares.[33] Algo que continúo en el siglo XX cuando estas publicaciones siguieron recogiendo y mostrando las normas que regulaban el uso de la correspondencia al mismo tiempo que reflejaban el comportamiento social y las convenciones que se derivaban del mismo.[34] Por todo ello, si afirmamos, como lo ha hecho Cécile Dauphin, que escribir una carta es una ceremonia que representa la sociabilidad

[30] VALDIVIA, M. [Juan Bergua], *El arte de escribir cartas* (Madrid: Imprenta de la viuda de J. B. Bergua, 1929), pp. 3-4.

[31] CASTILLO GÓMEZ, Antonio, *Entre la pluma y la pared. Una Historia Social de la escritura en los siglos de oro* (Madrid: Akal, 2006), p. 43.

[32] BOUREAU, Alain, «La norme épistolaire, une invention médiévale» y CHARTIER, Roger, «Des "secrétaires" pour le peuple? Les modèles épistolaires de l'Ancien Régime entre littérature de cour et livre de colportage», ambos en Chartier, Roger (dir.), *La correspondance. Les usages de la lettre au XIXe siècle* (París: Fayard, 1991), p. 142 y p. 193, respectivamente.

[33] DAUPHIN, Cécile, «Les manuels épistolaires au XIXe siècle», en Chartier (dir.), *op.cit.*, pp. 231-239.

[34] SIERRA BLAS, Verónica, *Aprender a escribir cartas. Los manuales epistolares en la España Contemporánea, 1927-1945* (Gijón: Trea, 2003). p. 226.

de la época en la que fue escrita; los manuales, desde su aparición hasta nuestros días, han sido y son el hábito imprescindible para no desentonar en dicha ceremonia.[35]

No obstante, la importancia que se le suele otorgar a la norma contenida en los manuales epistolares no siempre se corresponde con la práctica, es decir, en algunas ocasiones la tratadística epistolar no fue respetada por todos aquellos hombres y mujeres que se enfrentaron a la redacción de una misiva, generalmente debido al desconocimiento aunque también por otros motivos como el contexto de producción o las distintas estrategias desarrolladas por el autor de la carta.[36] Para analizar si los refugiados cumplieron esta norma o no, lo primero que debemos hacer es conocer la reglamentación. Para ello he recurrido a alrededor de 20 manuales epistolares que fueron editados o reeditados entre los años 1849 y 1948 teniendo mayor presencia las décadas de los 20 y 30 por su proximidad a la contienda (Anexo). En torno a la mitad de estos manuales aparecen consejos sobre cómo redactar las súplicas o las peticiones y en casi la mayoría se incluían, además, ejemplos prácticos de solicitudes para facilitar al usuario su redacción y elaboración. ¿Cuáles eran estos consejos y normas? Esa es la pregunta a la que voy a intentar dar respuesta en las siguientes páginas, al mismo tiempo que iré comparando la norma con la práctica, viendo qué aplicación de la misma realizaron los exiliados españoles en estas primeras peticiones.

4.1. **Reglas que marcan la diferencia**

Según se ha señalado, las normas y los consejos establecidos en los manuales epistolares eran el reflejo de las desigualdades sociales existentes en cada época que mostraban el funcionamiento de la sociedad en la que fueron producidos. Por este motivo, todos los manuales consultados coinciden en que la característica esencial que se debe tener en cuenta a la hora de redactar cualquier misiva es la relación desigual que se mantiene con el destinatario de la misma. Ello obliga a adoptar un lenguaje, una forma y una estructura determinada que debe representar la deferencia respecto del destinatario, en función de su edad, sexo, rango y autoridad.[37] A mayor relevancia del destinatario, mayor cuidado se debe prestar en la redacción del escrito, lo que provoca que las cartas de petición o de súplica, dirigidas siempre a un superior, sean especialmente complicadas de realizar, sobre todo para aquellas personas que desconocen dicho protocolo o no tienen un pleno

[35] DAUPHIN, Cécile, *Prête-moi ta plume... Les manuels épistolaires au XIXe siècle* (Paris, Éditions Kimé, 2000), p. 12.

[36] MARTÍNEZ AGUIRRE, Rebeca, «La escritura femenina en reclusión», en Rodríguez Gallardo, Ángel, *La escritura cotidiana contemporánea: Análisis lingüístico y discursivo* (Vigo: Servizo de Publicacións da Universidade de Vigo, 2011), pp. 101-123. Según la autora a pesar de la normativa el autor siempre podía «desplegar sus propias estrategias de composición», p. 114.

[37] Estos son los cuatro parámetros sociales que reflejan el orden social según la tratadística epistolar. Cfr. DAUPHIN: «Les manuels épistolaires...», p. 239.

dominio de la escritura, ya que para la correcta elaboración de las mismas se necesitan unos conocimientos previos que no siempre son de fácil adquisición.[38]

La regla esencial que destacan los manuales epistolares en cuanto a la súplica es el respeto hacia la persona a la que se pide, a la vez que siempre se debe hacer hincapié en la justificación de las mismas, es decir, debe quedar claro que el autor se reconoce ante su situación de peticionario y que escribe debido a un estado de necesidad que es el causante de la molestia ocasionada al superior, cuyo alivio vendrá facilitado por la cortesía empleada al escribir.

Si bien, en lo que parece que no se ponen de acuerdo los distintos manuales consultados es en la extensión que debían tener las peticiones. En algunos, como por ejemplo en el escrito por Carmen de Burgos, se hacía referencia a que estas cartas solían ser largas y explicativas para que pudieran dar cabida a la exposición de la situación que las originaba.[39] Sin embargo, en otros, como el popular realizado por Saturnino Calleja, se instaba a que fueran breves: «de modo que en pocas palabras quepa el pensamiento que la motiva».[40] En lo que todos coincidían era que la exposición se debía realizar de una forma sencilla, sin caer en la reiteración y en las repeticiones, pero sin obviar las razones que habían desencadenado dicho acto de escritura.

Otra de las reglas fundamentales para que la petición o súplica estuviese bien realizada era la legibilidad de la misma. De nada servía seguir las normas epistolares si la carta no presentaba una grafía que fuera fácil de leer y comprender. Por este motivo, en las cartas dirigidas a un superior se aconsejaba evitar las abreviaturas, los tachones y otras marcas de escritura que pudieran dificultar la lectura de la petición. Del mismo modo, se advertía que las posdatas solo estaban admitidas en la correspondencia familiar y personal.[41]

Para concluir con este breve apartado de consejos generales sobre las peticiones, hay que mencionar el debate entablado sobre el uso o no de las máquinas de escribir para su elaboración. La máquina de escribir cosechó desde sus inicios, a principios del siglo XVIII, ciertas reticencias a su uso para la redacción de cartas, puesto que la escritura manual era la norma de cortesía y, a su vez, la más adecuada para expresar sentimientos

[38] FERRER Y RIVERO, Pedro, *Tesoro del Artesano. Manuscrito para las escuelas de niños y de adultos. Libro segundo. Correspondencia epistolar* (Madrid: Librería y casa editorial Hernando, 1927), pp. 155-156. Armando Petrucci ya señalaba en sus primeros trabajos la dificultad que las clases subalternas tenían para realizar este tipo de escritos. Cfr. PETRUCCI, Armando, *Scrivere e no. Politiche della scrittura e analfabetismo nel mondo d'oggi* (Roma: Editori Riuniti, 1987), p. 229.

[39] DE BURGOS, Carmen (Colombine), *Contiene todas las reglas referentes al estilo epistolar, papel, forma, dirección, abreviaturas, tratamientos e indicaciones necesarias al franqueo. Abundantes modelos de cartas de felicitación, de pésame, de excusas, de agradecimiento, de recomendación, de amor, de familia, de amigos, de negocios, de comercio y de invitación, como asimismo de los documentos más usuales, tarjetas, esquelas, volantes, etc.* (Valencia: Prometeo, [¿1910?]), p. 56.

[40] CALLEJA FERNÁNDEZ, Saturnino, *Lectura de Manuscritos* (Bilbao: El Paisaje, 2009 [1888]), p. 21.

[41] ARMAND DUNOIS, M., *Secretario Universal español. Modelos de cartas sobre toda clase de asuntos* (Barcelona: F. Granada y C.ª Editores, 1912), p. 16.

o pensamientos.[42] Así queda reflejado en los manuales, en los que primaba la adopción de la escritura manuscrita, especialmente, en las cartas de «cumplido» y «cortesía», pero admitían el uso de la máquina de escribir siempre y cuando el ejercicio fuese realizado por el propio autor de la misiva y la mecanografía pulcra.[43] Sin embargo, los refugiados que elevaron sus peticiones a la Asistencia Social apenas recurrieron a la máquina de escribir para realizarlas, lo que se puede explicar como un acto de deferencia hacia el destinatario, tal y como aconsejaban los manuales, pero también como una consecuencia del momento caótico en el que fueron producidas dichas peticiones y debido al posible desconocimiento del uso de la máquina de escribir por la mayor parte de los peticionarios.

En lo que todos los manuales estaban de acuerdo era en la necesidad de poseer una buena caligrafía. En cuanto a la misma, en ninguno de los consultados se especificaba el tipo de letra que se debía usar en la redacción de la súplica, siendo el más frecuente en las peticiones el tipo de letra «bastardo» o «bastarda española» aunque es posible encontrar algunos testimonios escritos en letra inglesa. Esto se debe a que ésta última había sido una de la más extendida hasta que se institucionalizó el uso de la bastarda desde el Reglamento General de Primeras Letras o Plan de Escuelas del 16 de febrero de 1825 (Plan Calomarde).[44]

Independientemente del tipo de letra, la mayoría de las peticiones analizadas presenta una grafía regular y cuidada. A pesar de ello, también existe un pequeño porcentaje, en torno al 24%, que tiene una grafía con un trazo irregular e inseguro y un módulo demasiado grande, prueba de que detrás de estas súplicas había un escribiente inexperto que se enfrentaba a un ejercicio de escritura para el que no estaba preparado. Entre ellas, la que fue redactada por Manuel Corta desde Pola del Cierzo (Santander) a la Asistencia Social dando aviso de que había llegado bien al refugio y pidiendo ropa para él y su familia ya que la que tenía se había quedado inservible. Como se puede apreciar, la grafía era irregular, el modulo grande, el trazo inseguro... Todo ello nos indicaba que su autor había realizado este ejercicio epistolar con un gran esfuerzo y que sus competencias lecto-escritoras no se correspondían con las de una persona plenamente alfabetizada.

[42] PETRUCCI, *Scrivere lettere...*, pp. 148-150. En contraposición, un análisis sobre el uso de la misma por parte de autores y escritores puede verse en LYONS, Martyn, «QWERTYUIOP: How the typewriter influenced writing practices», *Quaerendo*, 44 (2014), pp. 219-240.

[43] APARICI, Rafael, *Epistolario español o Manual práctico de correspondencia. Sucintas reglas de arte epistolar, seguidas de abundante colección de modelos de cartas referentes a los más variados asuntos de la vida social* (Madrid: Librería Gutenberg de José Ruiz, 1913), p. 23; J. MUÑOZ y R. BORI, *Sistema Cots. Correspondencia general. Método práctico* (Barcelona: Editorial Cultura, 1943), p. 10.

[44] Reglamento General de Primeras Letras de 16 de febrero de 1825, título II, artículo 43 y al Reglamento de Escuelas Públicas de Instrucción Primaria Elemental de 26 de noviembre de 1838, artículo 73, respectivamente. Ambos citados a partir de SIERRA BLAS, Verónica, *Letras huérfanas. Cultura escrita y exilio infantil en la Guerra Civil española* (Tesis Doctoral defendida en la Universidad de Alcalá, Alcalá de Henares, Madrid, 2008), pp. 563-564.

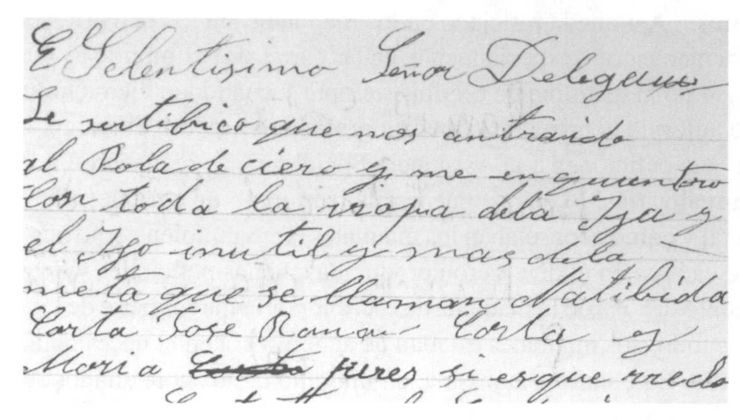
Eselentisimo Señor Delegaus
Le sertifico que nos antraido
al Pola de ciero y me enquentro
con toda la ropa dela Jja y
el Jjo inutil y mas dela
nieta que se llaman Natibida
Corta Jose Ramon Corta y
Maria ~~Corta~~ peres si es que rrecib

Figura 5. *Fragmento de la petición de Manuel Corta (Pola de Cierza, Santander) para la Delegación de la Asistencia Social (Santander), s. f. CDMH-PS SANTANDER_O Caja 50, exp. 18, doc. 50.*

Peticiones como la de Manuel Corta no predominan dentro del fondo, como ya he señalado. En cambio, mayores problemas se presentan con las reglas ortográficas, ya que, en este caso, el desconocimiento de las mismas da como resultado que más de la mitad de las peticiones analizadas tengan faltas de ortografía y que en el 25% de los casos sean tan numerosas que incluso llegaron a dificultar su lectura.

Tanto los datos que reflejan las características gráficas de las peticiones analizadas como los que revelan el cumplimiento de las normas ortográficas, nos muestran que un cuarto de los peticionarios tuvieron serios problemas para enfrentarse a la escritura, lo cual no es extraño si tenemos en cuenta que en la década de los 30 en España el índice de analfabetismo se situaba en torno al 30%.[45] Por todo ello, el cumplimiento o no de dicha norma estaba íntimamente relacionado con las competencias alfabéticas del peticionario y dependía directamente de su grado de alfabetización reflejando la heterogeneidad y las diferencias socio-culturales de éstos.

En los casos en los que una persona era incapaz de realizar un escrito de este tipo solía recurrir a un delegado gráfico como hizo Agapito Ruiz, un refugiado en Tarragona que envió varias cartas a la Asistencia Social de la Delegación de Euskadi solicitando información sobre su hijo desaparecido, pidiendo el paradero de familiares evacuados y rogando que le enviasen la ropa, que había requerido con anterioridad, al refugio en el que se encontraba. En las tres peticiones redactadas en los meses de enero, febrero y mayo de 1938 se percibe claramente que la letra de la rúbrica no tiene nada que ver con el resto del texto, lo que nos indica que Agapito recurrió a un delegado de escritura

[45] Cfr. VILANOVA RIBAS, Mercedes y MORENO JULIÀ, Xavier, *Atlas de la evolución del analfabetismo en España. De 1887 a 1981* (Madrid: Centro de Publicaciones del Ministerio de Educación y Ciencia: CIDE, 1992), p. 149 y p. 380.

para realizar las peticiones; además, la coincidencia entre la letra de las tres misivas nos hace pensar que siempre fueron realizadas por el mismo delegado gráfico [Figura 6].[46]

Sin embargo, los refugiados que se dirigieron a la Asistencia Social apenas utilizaron este recurso, como evidencia que tan solo se constate en cuatro ocasiones. La escasa presencia de delegación de escritura en el corpus estudiado puede deberse a que los refugiados pensaran que escribir sus solicitudes de su propia mano dotaba de veracidad a las mismas, a la vez que les imprimía un carácter más personal, mostrándose a la autoridad tal y como eran. Otra posibilidad es que, ante el estado de desamparo en el que se encontraban, pensaran que poca importancia tenía la presentación de sus súplicas y no temieran realizarlas de su puño y letra aun conociendo sus limitaciones. Finalmente, también hay que precisar que en muchos casos los refugiados se encontraron solos ante este ejercicio epistolar, de modo que no pudieron contar con la ayuda de nadie que les guiara o que realizara el mismo en su nombre.

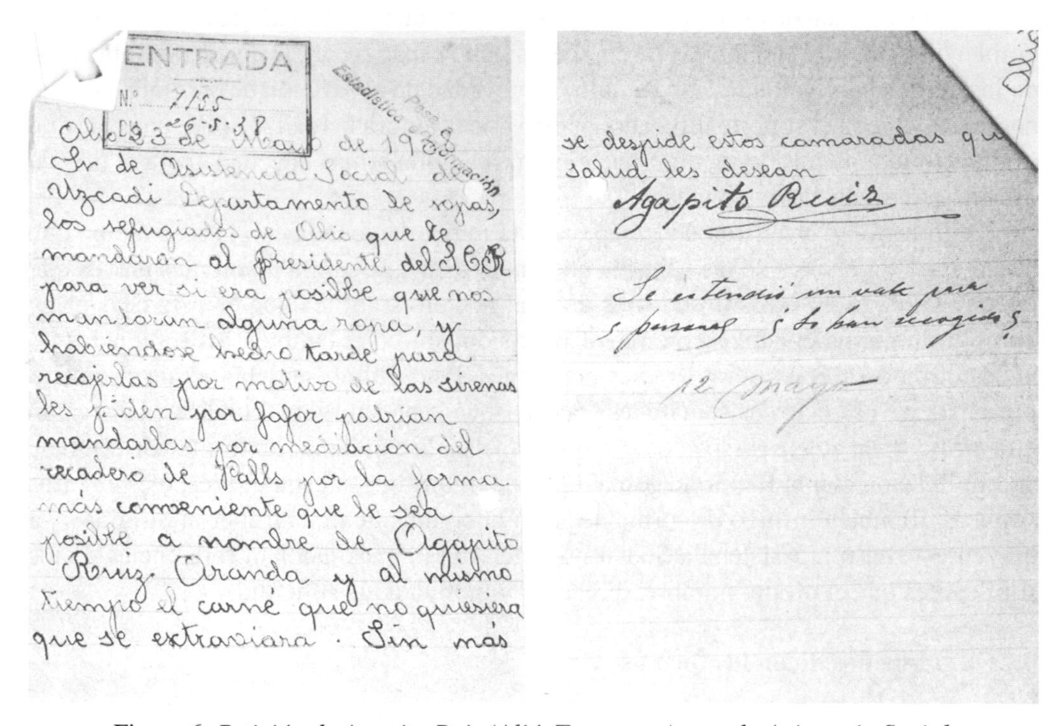
ENTRADA
N.º 7155
26-5-38
Estadística
Pase a
Alió 23 de Mayo de 1938
Sr de Asistencia Social de
Uzcadi Departamento de ropas,
los refugiados de Alió que le
mandaron al Presidente del S.C.R.
para ver si era posible que nos
mandaran alguna ropa, y
habiéndose hecho tarde para
recojerlas por motivo de las sirenas
les piden por fafor podrian
mandarlas por mediación del
recadero de Vallls por la forma
más comveniente que le sea
posible a nombre de Agapito
Ruiz Aranda y al mismo
tiempo el carné que no quiesiera
que se extraviara. Sin más
se despide estos camaradas que
salud les desean
Agapito Ruiz

Se extendió un vale para
5 personas y lo han recogido 5
12 Mayo

Figura 6. *Petición de Agapito Ruiz (Alió, Tarragona) para la Asistencia Social de la Delegación de Euskadi (Barcelona), 23 de mayo de 1938. CDMH – PS BARCELONA, Caja 913, expediente 18, sin foliar.*

[46] Cartas de Agapito Ruiz (Alió, Tarragona) para la Asistencia Social de la Delegación de Euskadi (Barcelona), 22 de enero de 1938, 18 de febrero de 1938 y 23 de mayo de 1938. CDMH – PS BARCELONA, Caja 913, exp. 18, sin foliar.

Otra cuestión, incluida en los consejos generales es la referida a la extensión de la petición. En este aspecto, la mayor parte de las peticiones analizadas se ciñe a la norma, no sobrepasando las dos caras, el espacio justo para realizar una breve exposición de los motivos y la súplica pertinente. En ocasiones, encontramos peticiones demasiado breves en las que apenas hay lugar para la solicitud, reduciéndose tan solo al saludo inicial, el nombre de la persona a la que se buscaba y la despedida, como la petición realizada por Virginia Varona desde Inglaterra:

> Muy Señor mío:
>
> Le ruego tenga la bondad de darme las señas de Rodolfo Machín Arantia de 31 años de edad refugiado de Bilbao.
>
> Le doy las gracias anticipadas.
>
> Queda de U[ste]d at[en]ta[mente] s[u] s[ervidora]
>
> Virginia Varona.[47]

En la extensión de estas solicitudes tuvo mucho que ver la variedad de los soportes empleados, puesto que algunos no dejaban mucho espacio para la correcta explicación de las demandas efectuadas. En cambio, la brevedad de la petición de Virginia, no tuvo nada que ver con el soporte utilizado, puesto que la autora la realizó sobre una cuartilla que le hubiera permitido una presentación más amplia y más adecuada para el tipo de escrito que estaba llevando a cabo.

Asimismo, la extensión de la súplica está muy relacionada con la motivación que hay detrás. En el caso de las súplicas que analizo en este capítulo son más breves que las que veremos en otros posteriores, lo cual no solo significa que en esta ocasión se cumplió la norma epistolar con mayor precisión, sino que también los refugiados no necesitaron de más espacio para sus peticiones. Esto último se debía a que el motivo principal que propició sus solicitudes era la búsqueda de familiares con lo cual no tenían que profundizar en otros aspectos como su papel en la contienda, su formación política, su implicación con la República española, etc., ítems que sí estarán presentes en otras súplicas. También influyó de forma decisiva el organismo al cual fueron dirigidas, ya que en este caso la Asistencia Social no precisaba de más datos ni referencias de los suplicantes que el propio nombre, dirección y motivo de la solicitud.

4.2. **Lo que nos dicen las formas…**

Ya he adelantado la importancia que el soporte tenía en el resultado final de la petición, lo que podía influir no solo en su contenido, sino que también determinaba la percepción que el destinatario se hacía de su receptor. La elección del papel era tan relevante que podía provocar que una súplica fuese aceptada o no, antes incluso de leer

[47] Carta de Virginia Varona (Reighley, Inglaterra) a la Asistencia Social de la Delegación de Euskadi (Barcelona), 9 de abril de 1938, CDMH PS-BARCELONA Caja 913, exp. 18, sin foliar.

su contenido. En la totalidad de los manuales consultados el papel que se recomendaba para realizar las súplicas era de tamaño folio, de color blanco y sin pautar, rehusando utilizar para este tipo de escritos los papeles fantasía.[48] Se establecían también algunas diferencias dependiendo de si se quería redactar una instancia, un memorial o una demanda.[49] Cuando las cartas se dirigían a una autoridad concreta perteneciente a una institución, los manuales recordaban que debía ir en el correspondiente papel timbrado, pero esto era así cuando se trataba de demandas oficiales con un tratamiento meramente administrativo.[50]

Los manuales se mostraban también prolijos en cuanto a la disposición del texto, aconsejando siempre el respeto de los márgenes superior, inferior y lateral, de tal modo que la misiva quedase centrada en el folio.[51] En el caso de las peticiones existían varias convenciones que regulaban los márgenes pues se aconsejaba que estos aumentaran según fuera la categoría y el respeto que mereciera la persona a la que iba dirigida la carta, afirmando que nada producía peor efecto que el aprovechamiento excesivo del papel.[52] Esta «escritura invisible», como la ha denominado Verónica Sierra Blas, era de tal importancia que algunos autores dedicados al análisis epistolar han afirmado que a través de la misma se representaba el orden social establecido, ya que permitía conocer las diferencias socioculturales que existían entre el remitente y el destinatario, visibles, especialmente, en la distancia entre el encabezado y el cuerpo de la misiva.[53] Por último, advertían que los renglones debían aparecer horizontales, respetando siempre el espacio interlineal que debía haber entre una línea y otra para dar armonía al conjunto.[54]

Poco tuvo que ver la normativa establecida con el resultado final de estas peticiones, lo que se debió, en gran parte, al contexto de producción de las mismas. No obstante, cabe destacar que, a pesar de que las condiciones de escritura no fueron las idóneas, lo que se tradujo en la trasgresión del orden epistolar, sí que es cierto que dentro de

[48] RIPOLLÉS, J.M, *Tratado de correspondencia familiar y redacción de documentos* (Barcelona: Armando Baget (editor), 1943), p. 96; *El arte de escribir cartas. Colección de abundantes modelos de cartas amorosas, familiares, comerciales, memoriales, solicitudes y documentos usuales en la vida de relación social, precedidas de algunas noticias referentes al papel, la escritura, membretes, tratamientos, encabezamientos, principio, cuerpo y finales de las cartas, postdatas, sobres y abreviaturas* (Madrid: José Yagües Sanz, 1917), pp. 9-10; Dunois, *Secretario Universal español...*, p. 13.

[49] Algunas de estas normas pueden verse, entre otros, en MUÑOZ Y BORI, *Sistema Cots. Correspondencia general...*, p. 175.

[50] DUNOIS, *Secretario Universal español...*, p. 22.

[51] MUÑOZ y BORI, *Sistema Cots. Correspondencia general...*, p. 20.

[52] CHASEUR MILLARES, Agustín (Harmency), *Cómo debe escribir sus cartas la mujer* (Barcelona: Editorial B. Bauzá, 1943), pp. 12-13.

[53] SIERRA BLAS, *Aprender a escribir cartas...*, pp. 125-128 y CHARTIER, «Des «secrétaires» pour le peuple?...», pp. 174-175.

[54] RABEL, Juan, *Para escribir bien las cartas* (Valencia: Prometeo, 1932), p. 9.

sus posibilidades los refugiados tuvieron en cuenta algunos de estos consejos, lo que demuestra su interiorización y uso incluso en los momentos más adversos.

Comenzando por los soportes, lo primero que se advierte es la heterogeneidad de los mismos en el corpus estudiado, siendo una de sus características generales. Hojas de cuadernos arrancadas, folios pautados y sin pautar, hojas de archivador, cuartillas, papel de luto, papel membretado; sin olvidar, por supuesto, las tarjetas postales, libres de franqueo. Para clasificar esta gran variedad de soportes podemos hablar de tres grandes grupos: las cuartillas (pautadas o no); los folios (generalmente blancos pero también encontramos algunos con membretes o pautados), que son el soporte mayoritario; y las tarjetas postales que podían ser tanto las Tarjetas de Campaña, como las propias Tarjetas para los Refugiados e incluso algunas realizadas por los partidos políticos o sindicatos.

Casi la totalidad de las peticiones analizadas fueron escritas con tinta, bien negra o marrón (con algunas excepciones de tinta verde y roja), y tan solo en 10 casos fueron escritas con lapicero, algo que estaba desaconsejado en todos los manuales pero que seguramente respondió a la escasez de otro instrumento de escritura. Todo valía para elevar la súplica a la Asistencia Social y esta fue una norma entendida tanto por los refugiados como por la propia institución, que aceptó todas y cada una de las peticiones que llegaron a sus oficinas, igual que sucedió con las demás organizaciones de ayuda durante el exilio.

Otra recomendación de difícil cumplimiento fue la que se refería a la amplitud de márgenes y al espacio interlineal, imprescindibles para la correcta presentación de cualquier misiva y prueba de la deferencia que el autor debía mostrar al destinatario. Respecto a los márgenes, poco más de un 10% de las peticiones analizadas utilizan los espacios de forma correcta y siguiendo las pautas de los manuales; en estos casos se deja un amplio margen superior e inferior, se respetan los márgenes laterales y se tiene especial cuidado en dejar un espacio en blanco entre el encabezado de la misiva y el cuerpo de esta, como podemos observar en la petición reproducida de las hermanas Concepción y Beatriz Ruiz Eguileos en la que solicitaban a la Asistencia social trabajo para ambas [Figura 7]. Lo predominante, en cambio, es que aparezcan pequeños márgenes laterales, inferiores a un centímetro, pero se ignoren los espacios en blanco recomendados, según se constata en la inmensa mayoría de las peticiones, como la de A. Rotaeche quien escribe recién llegado del Frente para solicitar información sobre sus familiares evacuados [Figura 8]. Por último, en torno a un cuarto de las solicitudes analizadas carece de márgenes y pautado, provocando que el texto se agolpe y cause una impresión de desorden generalizado, como la petición realizada por Manuel Ruiz en la que también solicitaba información sobre su mujer [Figura 9].

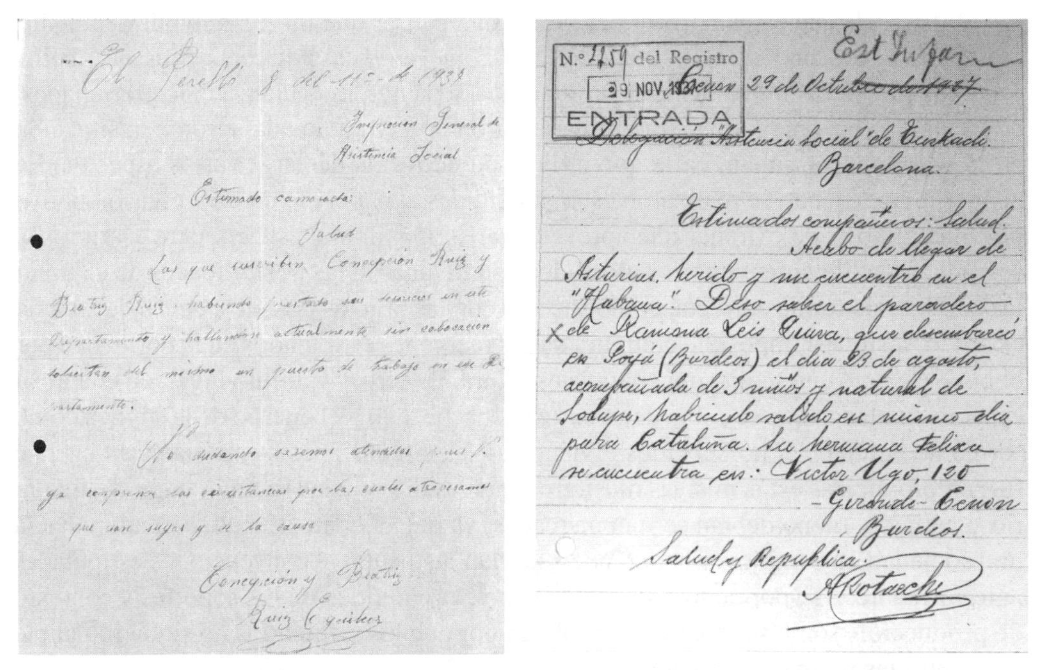

El Perelló 8 del 11 de 1937

Inspección General de
Asistencia Social

Estimado camarada:

Salud

Las que suscriben Concepción Ruiz y Beatriz Ruiz habiendo prestado sus servicios en este Departamento y hallandose actualmente sin colocación solicitan del mismo un puesto de trabajo en ese Departamento.

No dudando seremos atendidas pues V. ya comprende las circunstancias por las cuales atravesamos que son suyas y de la causa

Concepción y Beatriz
Ruiz Eguileos

N.º 2159 del Registro
29 NOV 1937
ENTRADA

Cenon 29 de Octubre de 1937

Delegación Asistencia Social de Euzkadi.
Barcelona.

Estimados compañeros: Salud.

Acabo de llegar de Asturias, herido y me encuentro en el "Habana". Deseo saber el paradero de Ramona Leis Güira, que desembarcó en Poyá (Burdeos) el día 23 de agosto, acompañada de 3 niños y natural de Sotupe, habiendo salido en mismo día para Cataluña. Su hermana Felisa se encuentra en: Victor Ugo, 120 - Gironde - Cenon Burdeos.

Salud y República

A Rotaeche

Figura 7. *Petición de Concepción y Beatriz Ruiz Eguileos (El Perelló, Tarragona) para la Asistencia Social de la Delegación de Euskadi (Barcelona), 8 de noviembre de 1937, CDMH-PS BARCELONA Caja 913, exp. 18, sin foliar.* Figura 8. *Petición de A. Rotaeche (Cenon, Burdeos) para la Asistencia Social de la Delegación de Euskadi (Barcelona), 29 de octubre de 1937, CDMH PS-BARCELONA, Caja 913, exp. 18, sin foliar.*

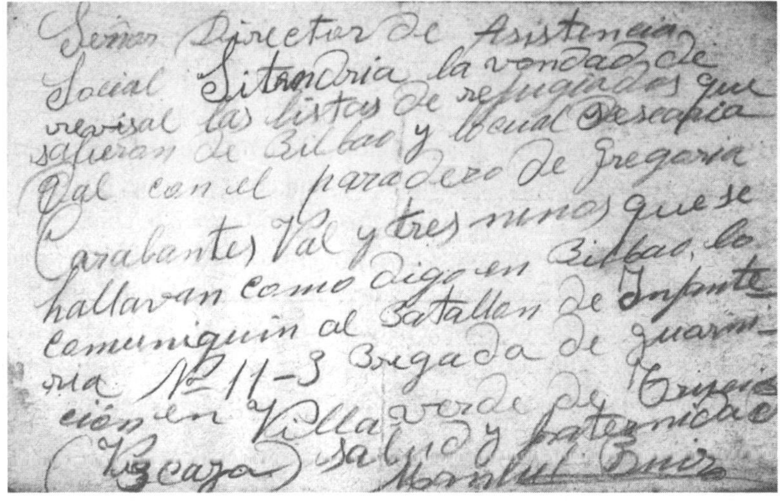

Señor Director de Asistencia Social Si tendria la vondad de revisar las listas de refugiados que salieran de Bilbao y Manual Bescapia Val con el paradero de Gregoria Carabantes Val y tres niños que se hallavan como digo en Bilbao, lo comuniquin al Batallon de Infanteria Nº 11-3 Brigada de guarnición en Villaverde de Trucios (Vizcaya) Salud y fraternidad Manuel Ruiz

Figura 9. *Petición de Manuel Ruiz (En campaña) para la Asistencia Social (Santander), sin fecha, PS-SANTANDER_O Caja 50, exp. 18, doc. 24.*

A pesar de que estos porcentajes llevarían a pensar que un elevado número de los peticionarios desconocía las reglas de cortesía, o que, en el caso de conocerlas, decidieron no emplearlas, tras un análisis en profundidad sostengo más bien que los refugiados, conscientes en su mayoría de la norma, jugaron con ella y la adaptaron a la situación en la que se encontraban, en la que influyeron de forma decisiva varios aspectos. En primer lugar, cuando se realizaron estas solicitudes el papel era un bien escaso, motivo por el cual no es de extrañar que aprovecharan al máximo el espacio para escribir. En segundo, los diferentes soportes utilizados condicionaron las posibilidades de elaborar las súplicas de forma correcta, como sucedía con las tarjetas postales, en las que, como es obvio, resultaba imposible cumplir con los márgenes estipulados en la normativa por el poco espacio que se disponía para la escritura. En tercer y último lugar, en cuanto al espacio en blanco que se debía dejar entre el encabezado y el cuerpo de la súplica como forma de deferencia, no debemos olvidar que las circunstancias especiales en las que fueron producidas estas misivas mostraron que las diferencias sociales entre destinatario y peticionario no debían ser tan marcadas, ya que el contexto bélico condujo hacía una sociedad en cambio en la que poco servían las pautas y convenciones estipuladas anteriormente. Así, por tanto, escasez de papel, variabilidad de los soportes y contexto de producción, son las razones que explican por qué los refugiados no siguieron al pie de la letra las normas estipuladas.

Pero esto no quiere decir que desconociesen la norma y que, incluso, intentaran, dentro de las condiciones anteriormente citadas, llevarla a cabo. Por ejemplo, el propósito de dejar algunos márgenes y cuidar la disposición textual, siempre dentro de las posibilidades del soporte, está presente incluso en el caso de algunas tarjetas postales o de las cuartillas. Al mismo tiempo, también se observa cómo refugiados y refugiadas con escasos conocimientos gráficos son conscientes de que deben dejar estos márgenes y sangrías en escritos de este tipo, pese a que no tienen la capacidad suficiente como para realizarlo correctamente. Es el caso de la petición realizada por Santiago Riego López, en la que solicita información al Comité de Refugiados de Euskadi en Barcelona sobre el paradero de algunos familiares desaparecidos.[55] En ella se aprecia cómo el autor se esmera en intentar conseguir una disposición textual correcta, que, en cambio, no logra alcanzar, ya que los márgenes y sangrados que utiliza no tienen la continuidad necesaria como para dar una estructura coherente al texto, al mismo tiempo que no ha dejado el espacio en blanco de deferencia entre el encabezado y el cuerpo de la carta. Sin embargo, es interesante ver cómo el propio autor separa la información del escrito utilizando para ello numerosos espacios en blanco, incorrectos y desproporcionados pero cuya finalidad, suponemos, era dar mayor entereza y dignidad a su súplica, aunque no lo consiguiera.

[55] Petición de Santiago Riego López (En campaña) al Secretario del Comité de Refugiados de Euskadi (Asistencia Social de la Delegación de Euskadi, Barcelona), 26 de septiembre de 1938, CDMH PS-BARCELONA, Caja 913, exp. 18, sin foliar.

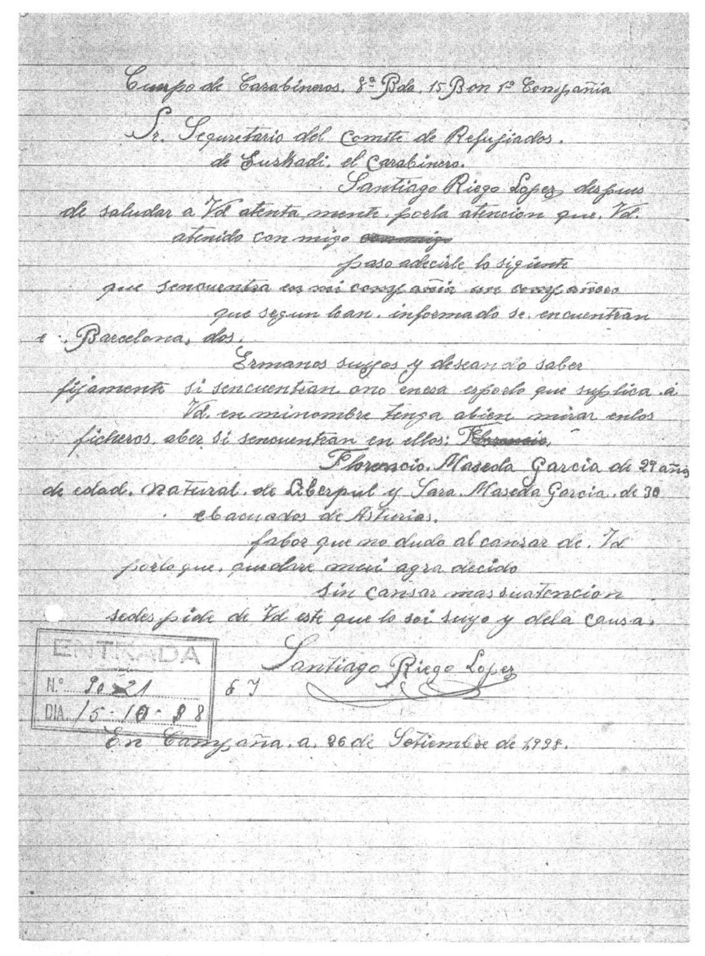

Campo de Carabineros. 8ª Bda. 15 Bon 1ª Compañia

Sr. Sequretario del Comite de Refujiados.
de Euskadi. el Carabinero.
Santiago Riego Lopez despues
de saludar a Vd atenta mente. porla atencion que. Vd.
atenido con migo ~~[illegible]~~
paso adecirle lo sigiente
que senecuentra en mi compañia un compañero
que segun lean. informado se. encuentran
[illegible] Barcelona, dos.
Ermanos suyos y deseando saber
fijamente si sencuentran ono ensa espero que suplica. a
Vd. en minombre tenga abien mirar enlos
ficheros. aber si senecuentran en ellos: ~~Florencio~~.
Florencio. Maseda Garcia de 29 años
de edad. natural. de Liberpul y Sara. Maseda Garcia. de 30
. ebacuados de Asturias.
fabor que no dudo al cansar de. Vd
porlo que. quedare amui agra decido
Sin cansar mas suatencion
sedespide de Vd este que lo soi suyo y dela causa.

Santiago Riego Lopez

ENTRADA
N.º 2021 67
DIA 15-10-38

En Campaña. a. 26 de Setiembre de 1938.

Figura 10. *Petición de Santiago Riego López (En campaña) para la Asistencia Social de la Delegación de Euskadi (Barcelona), 26 de septiembre de 1938, CDMH PS-BARCELONA, Caja 913, exp. 18, sin foliar.*

4.3. La importancia del orden y de las palabras

Hasta ahora se ha analizado la normativa externa de la súplica, la que servía para que la petición causase una buena o mala impresión en su destinatario. Pero, ¿qué hay más allá de esto? ¿Qué aspectos internos de la composición de las peticiones estaban regulados y cuáles no? ¿Hasta qué punto se cumplieron en el caso que nos ocupa? Sin duda, los dos aspectos que van a ser expuestos a continuación son los que determinaban la diferencia fundamental entre una carta de súplica y una misiva personal, ya que es en ellos dónde dicha tipología presenta más variabilidad. Me estoy refiriendo a la estructura que debía tener la petición para estar bien realizada y a los distintos formulismos epistolares que la caracterizan como tal.

Comenzando por la estructura que debían seguir las peticiones, conviene señalar que esta permanece prácticamente invariable a lo largo del tiempo.[56] Dependiendo de los investigadores, de las disciplinas desde las que se ha estudiado la súplica y de los estudios de caso realizados, hay distintas interpretaciones sobre la división de la súplica en siete, cinco o tres partes. Sin embargo, en la Edad Contemporánea, lo que prima es la división en una estructura tripartita de la súplica.[57] Así, en el manual realizado por J. M. Ripollés se afirma que toda carta de petición debe tener tres apartados esenciales: el encabezamiento o preliminar, dónde deben figurar los datos personales del peticionario así como otros datos como la fecha, el saludo inicial, etc.; el exponente, donde se deben hacer constar los hechos que motivan la instancia, desde los antecedentes hasta las consecuencias; y la conclusión, donde se realiza un resumen de lo que se solicita o reclama acompañado de las fórmulas, las expresiones y los verbos que definen la súplica. Tras esto toda carta debe ir fechada y firmada.[58] En algunos manuales consultados aparece una división más detallada, ofreciendo consejos e incluso ejemplos de cómo debe ser cada parte. Entre ellos destacamos el realizado por J. Múñoz y R. Bori, con numerosas recomendaciones al respecto. Primero se indica que en el encabezamiento siempre se debe hacer constar el tratamiento a la autoridad a la que se dirige el documento, en consonancia con el cargo que ostente, y solo después del mismo se pueden enumerar los datos personales del peticionario. Para continuar, en el cuerpo de la instancia o la exposición, aconseja que se describan detalladamente los antecedentes, las razones y los argumentos que van a ser expuestos en la solicitud, que siempre se tenga un tono respetuoso, que la exposición no se desvíe en detalles o consideraciones que no sean precisos y que se separe cada motivo por un punto y coma al final de cada párrafo. Para finalizar, en la conclusión y cierre, se debe volver a expresar lo demandado con un breve resumen que debe recoger las razones principales planteadas en el apartado anterior y que contiene las fórmulas propias de la tipología, comenzando por el verbo de solicitud (ruega, suplica o solicita) y finalizando con las expresiones de cortesía y de agradecimiento, seguidas de la fecha y la firma.[59]

En la teoría, la estructura estaba íntimamente relacionada con el uso de los formulismos puesto que estos muchas veces determinaban las distintas partes de la súplica. Siendo la más estereotipada la última, en la que debían aparecer tanto las expresiones de petición como las de agradecimiento, cortesía y despedida. Para hacer más fácil el cumplimiento de todos estos consejos, los manuales ofrecían distintos modelos. En el manual realizado por Tomás Pérez Velázquez hay numerosos ejemplos de solicitudes

[56] PETRUCCI, «La petición al señor...», p. 57.

[57] SIERRA BLAS, «"En espera de su bondad, comprensión y piedad". Cartas de súplica en los centros de reclusión...», p. 179.

[58] RIPOLLÉS, *Tratado de correspondencia familiar...*, p. 96.

[59] MUÑOZ y BORI, *Sistema Cots. Correspondencia general...*, pp. 175-177.

e instancias, en las que se dejaron en blanco los espacios donde debían consignarse los datos personales del peticionario.[60] Se trataba de plantillas con ejemplos muy claros y que seguían a la perfección las pautas de brevedad y estilo recomendadas, utilizando para ello los formulismos adecuados y manteniendo siempre la estructura tripartirta de la petición.

De todas las reglas que hemos visto hasta ahora, la que menos se cumple en el fondo analizado fue precisamente esta última, la relacionada con la estructura. Ni todos los peticionarios eran conocedores de la misma, ni todos fueron capaces de llevarla a cabo, como muestra que el 73% de las solicitudes no presenten el modelo de estructura estipulado para esta práctica epistolar. No obstante, este porcentaje tiene muchos matices, y no significa que la mayor parte de las cartas del fondo analizado no tengan una estructura coherente y definida.

El primer matiz a tener en cuenta es que he contabilizado dentro de este 73% todas las peticiones que no cumplían escrupulosamente la estructura establecida anteriormente o que no respetaban alguna de las normas estipuladas para las distintas partes, siendo esta última su característica esencial. Es decir, si bien la mayoría de las peticiones siguen una estructura tripartita no lo hacen con el detalle y el cuidado que marcan los manuales, especialmente en la presentación del suplicante, que no se desarrolla en buena parte de estas solicitudes en las que tan solo se realiza un saludo muy breve (en ocasiones, el correspondiente al formulismo de apertura) para dar paso directo a la exposición de motivos.

Esta particularidad del corpus estudiado se debe a varias razones. Una, es el hecho que desencadena la petición, ya que para buscar a los familiares desaparecidos lo más importante no eran los datos del suplicante sino la información referente a los seres queridos a los que se quería buscar. Otra razón, es que algunas de las peticiones surgen como respuesta a los anuncios de desaparecidos publicados en la prensa o escuchados por la radio, lo que provoca que algunos peticionarios se dirigieran a la autoridad respondiendo a dichos llamamientos, olvidando las normas epistolares establecidas al respecto. Este rasgo es radicalmente distinto al resto de las súplicas que se mostraran en los siguientes capítulos en las que tiene mucho más peso la presentación del suplicante, llegando a convertirse, en algunos casos, en la parte principal de la petición.

Lo que parece evidente, en unos y otros estudios de caso, y especialmente en el que nos ocupa ahora, es que los refugiados no respetaron el canon establecido para estructurar sus peticiones, lo que refleja el periodo de cambio en el que nos encontramos. En ello tuvo mucho que ver que las instituciones a las que se dirigían no imponían un uso estricto de la normativa, puesto que habían nacido con la finalidad de ayudarles y socorrerles, y, como ya advertí, en un contexto bélico marcado por las rupturas socia-

[60] PÉREZ VELÁZQUEZ, Tomás, *El Secretario de Casa* (Ávila: Imprenta y encuadernación de Sigiriano Díaz, 1934), pp. 220-221.

les, lo que provocó que las normas se relajaran de la misma forma que se diluían las diferencias entre clases o se pretendía que se diluyesen.

En relación con el uso de las expresiones propias de la tipología que nos ocupa, en prácticamente la totalidad de las peticiones encontramos los formulismos epistolares apropiados, especialmente en el saludo y la despedida. Además, en más de la mitad de las súplicas analizadas, aparecen los verbos que introducen la solicitud siendo «rogar», «pedir» y «suplicar» los que tienen una mayor representación en el corpus estudiado. En los saludos, predominan las fórmulas que indican el respeto que tenía el peticionario hacía el destinatario de la súplica, al que, por regla general, no conocía personalmente, siendo las expresiones más utilizadas: «Muy Señor Mío», «Distinguidos Señores», «S[eño]r de la Asistencia Social», seguidas, a veces, de la petición de disculpas por el favor que se va a solicitar y por las molestias ocasionadas: «Muy S[eño]res Míos. Mucho siento tener que molestarles y les ruego perdonen el atrevimiento que tomo al dirigirme a U[ste]d[e]s, que como hombres de buen corazón sabrán atenderme...»,[61] «Muy Señor Mío. Me tomo la libertad de molestarles...».[62] Es justo en este periodo, años 1937 y 1938, cuando comienzan a aparecer otro tipo de saludos fruto de la relajación de la norma y del contexto social ya citado, tales como: «Estimados compañeros. Salud»[63] o «Distinguidos camaradas»,[64] que adquirirán un protagonismo cada vez mayor en las peticiones del exilio español, como tendré oportunidad de analizar en el capítulo siguiente.

A pesar de la presencia de dichos modelos que encabezaban la mayoría de las peticiones, sin duda la parte más estereotipada es la despedida, donde se aprovechaba para incluir las fórmulas de agradecimiento, la expresión de buenos deseos, la presentación de respetos hacía la autoridad, la inclusión de las fórmulas de petición, etc. Algunos ejemplos son: «En espera de sus gratas noticias y por la molestia que le ha de ocasionar dicha gestión, le doy las más expresivas gracias, reiterándose de U[sted] afect[isi]m[o] compañero y de la causa. S[u] S[ervidor].»;[65] «Esperando ser atendidas a nuestra justa y humana petición, con todo respecto y gracias anticipadas»;[66] «Dándole las más expresivas gracias le envío mi dirección y quedo en espera de sus noticias, rogándole

[61] Petición de Sagrario Ruiz (Francia) a la Asistencia Social de la Delegación de Euskadi (Barcelona), 23 de diciembre de 1937, CDMH PS-BARCELONA, Caja 913, exp. 18, sin foliar.

[62] Petición de María Zamora (Lons-le-Saunier, Francia) a la Asistencia Social de la Delegación de Euskadi (Barcelona), 14 de enero de 1938, CDMH PS-BARCELONA, Caja 466, exp. 20, sin foliar.

[63] Petición de Cecilio Román Martínez (La Riba, Amieva) a la Asistencia Social de la Delegación de Euskadi (Barcelona), 31 de octubre de 1937, CDMH PS-BARCELONA, Caja 913, exp. 18, sin foliar.

[64] Petición de Enrique Robert (Valencia) a la Asistencia Social de la Delegación de Euskadi (Barcelona), 19 de febrero de 1938, CDMH PS-BARCELONA, Caja 913, exp. 18, sin foliar.

[65] Petición de José Velasco Martín (Villarreal, Castellón) a la Asistencia Social de la Delegación de Euskadi (Barcelona), 7 de noviembre de 1937, CDMH PS-BARCELONA, Caja 913, exp. 18, sin foliar.

[66] Petición de Manuela Viles (Vilanova de Meyá, Lérida) a la Asistencia Social de la Delegación de Euskadi (Barcelona), 31 de diciembre de 1937, CDMH PS-BARCELONA, Caja 913, exp. 18, sin foliar.

el perdón de tanta molestia teniendo en cuenta las actuales circunstancias».[67] Al igual que en el saludo, también comienzan a aparecer despedidas en las que se hace alusión a la lucha que se está manteniendo, se desean largos años de vida a la República o se tiene presente el recuerdo de la patria abandonada: «Sin más que infinidad de gracias y a luchar porque luchando todos como luchamos los vascos se vence. Gora Euskadi y Viva la República»;[68] «Y sin otro particular por el momento y dándoos las gracias anticipadas se despide, con saludos antifascistas y por la independencia de Euskadi, vuestro camarada».[69] De esta forma, cabe destacar como en un protocolo cerrado y estereotipado comienzan a tener cabida ciertas consignas políticas y mensajes derivados del momento bélico en el que son realizadas estas peticiones. Son, precisamente, estos pequeños cambios que se van produciendo en la práctica epistolar que nos ocupa, los que nos ayudan a comprender mejor la sociedad de la época.

Estos formulismos aparecen tanto en las súplicas que están bien elaboradas como en aquellas que presentan serios problemas y en las que, como he ido señalando, no siempre se cumplió la norma. En cambio, sí se tuvo en cuenta el uso de estos modelos epistolares a pesar de lo irregular de su grafía o de lo incorrecto de su disposición, incluso se observa una mayor presencia de las fórmulas más estereotipadas en las cartas peor redactadas. Este fenómeno es extrapolable a toda la epistolografía producida por las clases populares en el siglo XX, puesto que cuanto más inexperto fuera un escribiente más se ceñía este al modelo prefijado. En cambio, cuando los peticionarios alcanzan la corrección y la formalidad suficientes para expresarse, son capaces de crear su propio discurso epistolar y escriben con una mayor libertad.[70]

En la imitación de estos modelos epistolares no solo actúa la capacidad gráfico-alfabética de sus autores, sino que también está íntimamente relacionada con la clase social en la que se sitúa el autor de la misiva como peticionario, es decir, en la posición social dentro de la cual se autorrepresenta a través de su propia petición.[71] Primero, interiorizan las normas y las imitan en función de sus posibilidades; después, las transgreden, las adaptan y las transforman, superando así su dependencia de la férrea normativa epistolar,

[67] Petición de Saturnina Rodríguez (Castellar del Riu, Bergueda, Barcelona) a la Asistencia Social de la Delegación de Euskadi (Barcelona), s. f., CDMH PS-BARCELONA, Caja 913, exp. 18, sin foliar.

[68] Petición de Ángel Redondo Arranz (Barcelona) a la Asistencia Social de la Delegación de Euskadi (Barcelona), 4 de junio de 1938, CDMH PS-BARCELONA, Caja 913, exp. 18, sin foliar.

[69] Petición de Porfirio Ruiz (s. l.) a la Asistencia Social de la Delegación de Euskadi (Barcelona), s. f. CDMH PS-BARCELONA, Caja 913, exp. 18, sin foliar.

[70] MOLINARI, Augusta, «Storia delle donne e ruoli sessuali nell'epistolografia popolare della grande guerra», en Betri, Maria Luisa y Maldini Chiarito, Daniela (eds.), *«Dolce dono graditissimo». La lettera privata dal Settecento al Novecento* (Milán: FrancoAngeli, 2000), pp. 213 y ss.

[71] BAGGIO, Serenella, «Lettere a Gigliola Cinquetti: aspetti storico-linguistici», en Iuso, Anna y Antonelli, Quinto, *Scrivere agli idoli. La scrittura popolare negli anni Sessanta e dintorni a partire dalle 150.000 lettere a Gigliola Cinqueti* (Trento: Museo Storico Trentino, 2007), pp. 65-96; FRANZINA, Emilio, «L'epistolografia popolare e i suoi usi», *Materiali di lavoro*, 1-2 (1987), pp. 21-76.

pero también representando su posición ante los cambios sociales que les envuelven y de los cuales forman parte. Este hecho explica que en las cartas analizadas se comenzara a sustituir la forma habitual de saludo: «Muy Señor Mío», por las fórmulas anteriormente citadas, tales como «Estimado compañero» o «Querido camarada».

A su vez, este estudio demuestra cómo los peticionarios con mayores problemas para realizar las solicitudes hacían uso de las fórmulas epistolares de forma exagerada y reducían a la mínima expresión la exposición de los motivos desencadenantes de la súplica. Incluso, en algunas ocasiones, sí desconocían los protocolos adecuados para las solicitudes pero sentían la necesidad de utilizar formulismos preestablecidos usaban los utilizados en la correspondencia familiar, a la que estaban más acostumbrados. Es el caso de otra de las peticiones enviadas por Santiago Riego López, quien, como ya vimos, intentó seguir las normas establecidas para este tipo de escritos, pero no siempre lo consiguió debido a sus escasos conocimientos gráficos. En esta súplica, en concreto, se sirve de expresiones coloquiales próximas a las usadas en las cartas corrientes como: «Señor, salud le deseo, la mía bien y por el momento» o «sin más que decirle por el momento y esperando su pronta contestación se despide de U[ste]d, este que lo soy suyo y de la República».[72] En ellas reflejan, el conflicto existente entre el lenguaje privado y el oficial, que señaló Antonio Gibelli, esto es la fluctuación entre los formulismos propios de la correspondencia familiar o personal (como los deseos de buena salud al inicio de una misiva) y las fórmulas burocráticas (como la despedida, fuertemente estereotipada e impropia de una correspondencia íntima y familiar).[73]

En definitiva, es evidente que existía una preocupación en los peticionarios, consciente o no, por ceñirse a la norma y también resulta clara la transgresión de la misma, fruto de su propia forma de situarse en el interior de una sociedad cambiante. Estamos ante una tipología epistolar, la súplica, reveladora de las fuertes desigualdades sociales a lo largo de la historia, y con un estudio de caso que nos muestra como el desnivel entre el peticionario y la institución comienza a desdibujarse, desapareciendo algunos de los marcadores lingüísticos que mostraban dicha desigualdad, en suma, los cambios que he descrito en las súplicas analizadas no son solo fruto de la casualidad ni de las competencias de los peticionarios, son también muestra de una nueva forma de entender el concepto «Estado» y, dentro de esto, de una novedosa manera de interpretar la asistencia social o la ayuda a los necesitados, basada en la solidaridad y no en la beneficencia. Esta circunstancia se refleja en las súplicas analizadas, a través de las cuales se asoma una sociedad que intentaba ser más igualitaria, más democrática, en la que todos tuvieran el mismo acceso a las ayudas que demandaban y en la que el suplicante no tuviera que mostrar humillación ante quien debía otorgar la petición sino respeto y admiración.

[72] Petición de Santiago Riego López (En campaña) al Secretario del Comité de Refugiados de la Asistencia Social de la Delegación de Euskadi (Barcelona), 22 de junio de 1938. CDMH PS-BARCELONA, Caja 913, exp. 18, sin foliar.

[73] Gibelli, «Lettere ai potenti...», pp. 11 y ss.

ANEXO

En la tabla mostrada a continuación se pueden ver cuáles han sido los manuales seleccionados, así como algunos datos de interés como el nombre del autor y su seudónimo, la fecha de la edición consultada (así como el número de la misma o si se trataba de una reedición en el caso de que este último dato no constase), si había presencia de consejos propios para la tipología epistolar que nos ocupa, y, por último, si contaba con ejemplos de peticiones o solicitudes. En cuanto a la autoría debemos tener en cuenta que esta no siempre se conocía puesto que en algunos casos la obra correspondía a compendios de advertencias y muestras de cartas realizados por las casas editoriales.[74]

Autor	*Título*	*N.º edición consultada*	*Consejos y modelos de súplicas*
Santiago Ángel Saura Mascaró	*Novísimo manual-epistolar o colección completa de modelos de cartas*	1849 (2.ª ed.)	S/ S
Antonio J. Bastinos y L. Puig Sevall	*Mosaico literario epistolar para ejercitarse los niños en la lectura de manuscritos*	1881 (14.ª ed.)	S/ S
M. Armand Dunois	*Secretario Universal español. Modelos de cartas sobre toda clase de asuntos* [Es probable que sea la traducción de: *Le Sécretaire universal, contenant les modéles de lettres sour tous sortes de sujets,* París: Garnier, 1800].	[¿1912?] No consta	S/ S
Rafael Aparici	*Epistolario español o Manual práctico de correspondencia. Sucintas reglas de arte epistolar, seguidas de abundante colección de modelos de cartas referentes a los más variados asuntos de la vida social.*	[¿1913?] No consta	S/ S
Autor desconocido (editor, José Yagües)	*El arte de escribir cartas. Colección de abundantes modelos de cartas amorosas, familiares, comerciales, memoriales, solicitudes y documentos usuales en la vida de relación social, precedidas de algunas noticias referentes al papel, la escritura, membretes, tratamientos, encabezamientos, principio, cuerpo y finales de las cartas postdatas, sobres y abreviaturas.*	[¿1917?] No consta	S/ S
Carmen de Burgos	*Modelos de cartas*	[¿1910?] No consta	S/S
Pedro Ferrer y Rivero	*Tesoro del artesano. Manuscrito para las esquelas de niños y de adultos. Libro segundo. Correspondencia epistolar*	1927 (13.ª ed.)	S/S
José Dalmau Carles	*El primer manuscrito. Método completo de lectura*	1927 No consta	N/N

[74] La selección se ha llevado a cabo tomando como punto de partida las fichas de los manuales epistolares en la España contemporánea (1927-1945) realizadas por Sierra Blas en su libro: *Aprender a escribir cartas…*, pp. 229-237. Si bien dicha selección se ha ampliado en función de los intereses de este estudio.

Autor	*Título*	*N.º edición consultada*	*Consejos y modelos de súplicas*
M. Valdivia	*El arte de escribir cartas*	1929 (1.ª ed.)	S/S
Agustín Chaseur Miralles (Harmency)	*Cómo debe escribir sus cartas el hombre*	1929 (1.ª ed.)	N/N
Juan Rabel	*Para escribir bien las cartas*	1932 (4.ª ed.)	S/S
Ester Borrell de Valls	*Nueva Guía Epistolar para escolares y adultos*	1932 No consta	N/N
Tomás Pérez Velázquez	*El secretario de Casa. Libro enciclopedia de formularios y documentos oficiales y particulares*	1934 (1.ª ed.)	S/S
Ángel Abad Tárdez	*Cartas patrióticas del frente aragonés*	1936 (1.ª ed.)	N/N
Ángel Abad Tárdez	*La carta del combatiente. Normas y modelos para escribirla*	1937 (1.ª ed.)	N/N
Autor desconocido	*Manual de cartas (Modelos)*	1938 (1.ª ed.)	N/N
J. Muñoz Corripio y R. Bori	*Sistema Cots. Correspondencia general. Método práctico*	1943 (4.ª ed.)	S/S
J. M. Ripollés	*Tratado de correspondencia familiar y redacción de documentos*	1943 (2.ª ed.)	S/S
Agustín Chaseur Miralles (Harmency)	*Cómo debe escribir sus cartas la mujer*	1943 (2.ª ed.)	N/S
Autor desconocido	*El perfecto manual del soldado (Modelos para escribir cartas)*	1944 No consta	N/S
Saturnino Calleja	*Lectura de Manuscritos*	(1900-1942) No consta	S/S

Tabla 1. *Elaboración propia*

Capítulo IV
«Por techo el cielo y por lecho la arena»
Peticiones desde los campos de internamiento

> […] Todo ser humano no ha muerto.
> Bien lo sabe tu compañero, que más fuerte que tú en
> su alma, vierte sus pensamientos en el sucio pedazo de
> papel que robó al volar del viento. Quizás tampoco él
> reciba respuesta; pero, por lo menos, habrá creado
> paz para sí mismo, porque se habrá dado una esperanza.
> El mundo no ha muerto […].[*]

> Cada carta era una tragedia de problemas personales, que averiguáramos dónde estaban los hijos, dónde estaban las mujeres, que los sacáramos de los campos de concentración, que estaban enfermos, que si no los sacaban se morían; en fin, cada carta, repito, era una verdadera tragedia. Por supuesto, […] creían que estábamos en España, que nuestra personalidad sindical podía jugar, que las autoridades no sabían que éramos unos vencidos y que […] los arenales del sur de Francia eran donde estaban, no cobijados, donde estaban encerrados […] los republicanos españoles rodeados de unas alambradas y de los senegaleses a caballo y a pie, con sus fusiles y con sus puestos de ametralladoras, de cara al mar, sin un edificio, sin nada, a la intemperie. Algo… algo verdaderamente inimaginable ¿no? Cartas y más cartas […].[1]

Así respondió Amaro del Rosal a Elena Aub cuando esta, al entrevistarle entre abril y octubre del año 1981 para el proyecto *Archivo de la Palabra*, le preguntó qué era lo que decían las cartas que los refugiados enviaban a la delegación de la UGT en París

[*] Bartolí, Josep y Molins i Fabrega, Narcís, *Campos de concentración (1939-194…)* (México D.F.: Ediciones Iberia, 1944), p. 99.

[1] Entrevista realizada por Elena Aub a Amaro del Rosal en Madrid entre abril y octubre de 1981. Archivo de la Palabra, INAH y MCU, PHO/10/ESP. 19. Consultada la versión transcrita en el CDMH, Libro 93-1-2, pp. 200-201.

para que esta intermediara ante el SERE. Amaro paseó junto a Elena por los pasajes más importantes de su vida, recorriendo su camino como militante y dirigente de la UGT, pero también su trayectoria personal. Durante horas reflexionó sobre su pasado, desenredó los nudos del olvido e intentó reflejar, con sus luces y sus sombras, su experiencia durante la guerra y el posterior exilio.

Si hasta ahora he recurrido a los testimonios escritos y orales de los propios refugiados, lo que me ha permitido conocer mejor qué significó para ellos la escritura y cómo se aferraron a las peticiones como el único salvavidas que les podía sacar a flote de su hundimiento, quería comenzar esta vez con la voz y la impresión del lector que se enfrentaba diariamente a estas peticiones, a los problemas, las inquietudes, la angustia y la desesperación de miles de refugiados que suplicaban su ayuda. De ahí, que este capítulo arranque con las palabras de Amaro de Rosal en virtud de su papel como representante de la UGT en el SERE, pero también en su tarea como secretario de dicho sindicato, y en el empeño especial que puso en el auxilio de sus afiliados. Y es que la lectura de estas peticiones conmocionó a los trabajadores de los organismos asistenciales y también a los responsables de partidos políticos y sindicatos. Detrás de cada línea, de cada palabra, se escondía la tragedia de una familia: historias de separación, de desarraigo y de derrota que merecían, cuanto menos, ser conocidas aunque su lectura no resultara fácil para quiénes además tenían en su mano la concesión o la denegación de lo solicitado. Lecturas difíciles que conllevaban decisiones aún más complicadas. Y los suplicantes, los refugiados españoles, lo sabían al redactar sus peticiones, sabían que de la lectura e impresión de sus solicitudes dependía la consecución de su demanda. Por ello, como veremos en las siguientes páginas, poco a poco fueron modificando su discurso, creando uno nuevo que fuera capaz de influir en sus lectores, que les ayudara a obtener aquello que demandaban.

1. El sindicato UGT y su labor de intermediario

Como vimos en el primer capítulo, la masiva llegada de refugiados al sur de Francia en el mes de febrero de 1939 no tuvo como respuesta la cálida acogida que algunos esperaban. Si bien es cierto que la falta de previsión y el miedo ante la entrada en el país de los derrotados de la Guerra Civil fueron dos de los motores que propiciaron el rechazo generalizado hacia los españoles; no lo es menos que la actitud adoptada por el Gobierno galo estuvo muy lejos de lo que se esperaba de un país abanderado de los derechos civiles de los refugiados políticos,[2] como quedó especialmente demostrado cuando se decretó el cierre de la frontera.

Al igual que otros partidos y sindicatos, la UGT tuvo que abandonar España en los últimos meses de la contienda. Algunos de sus líderes ya habían preparado la salida y

[2] Alted Vigil, *La voz de los vencidos…*, p. 43.

se encontraban en Francia, o en otros lugares, antes de la pérdida del frente de Cataluña, convencidos de que el resto de sus compañeros no tardarían en hacer el mismo camino, como, de hecho, sucedió. Otros resistieron hasta la caída de Barcelona, cuando se sumaron a la marea republicana. Hubo también quienes quedaron para siempre atrapados en la España franquista y que, por tanto, fueron objeto de las represalias y humillaciones sufridas por los vencidos.

Durante los años que duró el destierro, la UGT, al igual que otros organismos, tuvo que hacer frente a numerosos problemas tanto de carácter externo, como fue ayudar a sus afiliados recluidos en los campos y colaborar con el SERE en su evacuación, como interno, tales como los provocados por las diferencias de opinión o los derivados de la disgregación de la propia organización. A la dispersión de sus militantes y de sus líderes, no solo por la geografía europea, sino también por la americana y la africana se sumaba el enfrentamiento, cada vez más acuciante, entre unas posturas políticas y otras.[3] Esta división confluyó en dos corrientes claras, llegando al límite de asistir a la bifurcación de la sindical, una de orientación negrinista, representada por la Comisión Ejecutiva, y otra que aunaba a moderados y antiguos caballeristas, representada por el Comité Nacional. Todos estos problemas conllevaron que la Comisión Ejecutiva de la UGT llegase a Francia debilitada y enfrentada, circunstancia que se mantuvo a lo largo de todo su exilio.[4]

El 10 de febrero de 1939 tuvo lugar en Perpignan la primera reunión de los dirigentes y colaboradores ugetistas que habían conseguido cruzar la frontera. En ella acordaron que eran dos las tareas que tenían que desempeñar de forma urgente: auxiliar a los exiliados españoles que se encontraban en los campos y, al mismo tiempo, defender los derechos de aquellos que no habían podido huir de la España fascista. A partir de ese momento se tomaron las primeras medidas necesarias para el cumplimiento de estos objetivos. Se creó un aparato de dirección encargado de gestionar la acción solidaria; se auxilió a los miembros del Comité Nacional y se lanzó la idea de llevar a cabo distintas visitas a los campos para ofrecer asesoramiento a los ugetistas refugiados y para conocer de primera mano cuáles eran sus problemas más importantes.[5]

Estas primeras medidas de urgencia se vieron frenadas ante el golpe de Casado, que trajo consigo el colapso y el desconcierto, así como el fracaso de algunas iniciativas promovidas para sacar de España a algunos de los líderes ugetistas. A su vez, el reconocimiento por parte de Francia e Inglaterra del Gobierno de Franco, inhabilitó la

[3] Martínez Cobos, José, «La organización de la UGT. en el exilio», en Girón, José (ed.), *UGT. Un siglo de historia (1888-1988)* (Oviedo: Fundación Asturias, 1992), pp. 115-131.

[4] Tcach, César y Reyes, Carmen, *Clandestinidad y exilio. Reorganización del sindicato socialista, 1939-1953* (Madrid: FFLC, 1986), pp. 29-37; Mateos, Abdón, *Exilio y clandestinidad. La reconstrucción de UGT*, 1939-1977 (Madrid: UNED, 2001) e *Historia de la UGT. Contra la dictadura franquista, 1939-1975* (Madrid: Siglo XXI Editores, 2008).

[5] Del Rosal, *Historia de la UGT de España en la emigración...*, pp. 34-41.

labor que los embajadores y diplomáticos republicanos habían desempeñado hasta el momento en estas dos partes. Ante estas circunstancias, el Gobierno del doctor Negrín decidió instalarse en París para poder gestionar mejor la crítica situación existente. La Comisión Ejecutiva de la UGT hizo lo mismo gracias a la ayuda de la Confederación General del Trabajo (CGT) francesa, instalando sus oficinas en la sede de la Unión de Sindicatos entre marzo y abril de 1939. Sin embargo, continuó manteniendo sus sedes de Toulouse y Limoges. Desde estos tres puntos, se empleó en la protección de sus sindicados, en la resolución de los numerosos problemas internos que les atañían y en su reorganización para poder continuar trabajando en el futuro.

Para la UGT era importante hacer saber a sus afiliados que no les habían abandonado y que podían seguir confiando en su sindicato. Por este motivo, la cúpula dirigente se preocupó de forma especial por los internados en los campos, llevando a cabo numerosas iniciativas para asistirles, a la vez que servían de base para la reorganización del sindicato de una manera práctica y decisiva, puesto que de ella dependía, en buena parte, el auxilio prestado. Para facilitar dicha misión se establecieron dentro de los propios campos comités ugetistas. Formados por tres miembros, que solían ser hombres que habían desempeñado un papel relevante dentro del sindicato antes del exilio, estos comités eran el enlace con la Comisión Ejecutiva y en ellos residía la responsabilidad de hacer llegar a la misma sus problemas y demandas, así como de orientar a los militantes sobre cómo debían proceder para la gestión de las ayudas y de repartir las fichas que los candidatos a emigrar debían rellenar para remitirlas a las distintas organizaciones de ayuda. Pero esta no fue su única labor: a la vez que creaban redes de solidaridad también tejían otras de propaganda política, pues debían distribuir los folletos que la UGT les enviaba desde la Comisión Ejecutiva, así como la prensa y los boletines editados por la misma desde agosto de 1939.[6] En la declaración de intenciones que publicaron en el primer número de dicho boletín queda muy claro este doble interés, el de ayudar a los refugiados en su lucha, al tiempo que el de resucitar los ideales y la fuerza del movimiento sindicalista:

> La misión de nuestro «Boletín de información Sindical» es clara: estudiar y seguir atentos a todo el proceso social que se opera en España y analizarlo a través de nuestras concepciones ideológicas del sindicalismo, que permanece afiliado a la Federación Sindical Internacional [...]. Por último, prestaremos especial atención, dentro de lo que puedan ser facultades nuestras e incumbencias, al problema de la mano de obra de los refugiados españoles, a sus condiciones de vida y a prestarles aquella solidaridad y orientación a que estamos obligados, por imperativos de hermandad sindical y de sentimientos humanos.[7]

Por tanto, la labor solidaria desempeñada y motivada por la necesidad inmediata de los refugiados no solo perseguía fines humanitarios, sino que iba de la mano de la

[6] Del Rosal, *op. cit.*, pp. 57-59.

[7] *Boletín de información sindical,* 1, París, 1 de agosto de 1939, p. 1. FPI-Hemeroteca.

formación de los primeros núcleos preorgánicos de la UGT en el exilio.[8] A través de los distintos informes realizados por los comités ugetistas en los campos, como, por ejemplo, los elaborados por Daniel Anguiano Mangado y Ezequiel Delgado Ureña Martínez, la Comisión Ejecutiva no solo conocía las necesidades y los problemas de los refugiados, sino que también servía como elemento de control, conociendo de primera mano en qué estado se encontraban las disputas internas del exilio, cuáles eran sus apoyos, cuántas personas en los campos respaldaban la labor del SERE y de la UGT, cuáles eran las principales quejas hacia la organización de ayuda y la sindical, etc. Así, las visitas a los campos, además de perseguir el auxilio a los refugiados, pretendían también devolverles la confianza en una causa común, hacerles ver que no estaban solos y que sus organismos sindicales o políticos no les habían olvidado, a pesar de su común derrota. Anguiano Mangado y Ureña Delgado lo reflejaban así en su informe sobre el campo de Gurs, fechado el 12 de junio de 1939, basado en la visita realizada al campo días antes, el 30 de mayo:

> La presencia en los campos de representantes de organismos oficiales o políticos y sindicales produce visibles estados de satisfacción. Las informaciones que remiten los orientan y les dan esperanzas en el porvenir. No se consideran ni aislados ni abandonados [...]. Perciben que les acompaña y les defiende un extenso y fuerte sentimiento de solidaridad ideal y humano. El pensamiento de los refugiados salta por encima de las alambradas y se considera formando parte del que les defienden, ayudan y luchan por su misma causa antifascista.[9]

Este hecho, casi imperceptible en un principio, se incentivó con la gestión de las ayudas, especialmente con la manera en que éstas se organizaron y los criterios de selección que se emplearon para determinar la emigración de unos y otros refugiados hacia América. Con la escritura de la petición se iniciaba el proceso de selección. Los informes de los campos cobraron especial relevancia en dicho proceso. En ellos ha quedado constancia de la importancia que tenía cumplir con los ideales y los preceptos de la sindical dentro del campo, ya que un paso en falso o desleal significaba la pérdida de influencia ante la oportunidad de ser seleccionado.

Así, las peticiones que protagonizan este capítulo no eran tanto demandas de auxilio directo, sino súplicas que rogaban la intermediación de la UGT ante el SERE para conseguir distintos propósitos, en su mayoría solicitudes para ser incluidos en las listas de propuestos para emigrar que elaboraba el sindicato. Muchos refugiados enviaban sus solicitudes dobles, es decir, al SERE y a la organización sindical o política a la que pertenecían a la vez, buscando que la segunda reforzara su petición ante la primera. Así, sucede, entre muchos otros, con la del carpintero recluido en el campo de Septfonds, Juan Zabala:

[8] MARTÍNEZ COBOS, «La organización de la UGT en el exilio...», p. 117.

[9] Informe sobre el campo de Gurs elaborado por Daniel Anguiano Mangado y Ezequiel Delgado Ureña Martínez, 12 de junio de 1939, FPI-AARD, Caja 299, carpeta 13.

> Camp[o] de Septfonds, 21 de agosto de 1939.
> Camarada Amaro del Rosal: Salud.
> Apreciable y distinguido camarada. La presente sirve para comunicarle que habiendo recibido una nota del alto organismo SERE acusándome el recibo de mi ficha para la emigración y siendo tan grandes mis deseos el salir de esta mísera vida del campo y poder reunirse uno con la familia, que también se encuentra refugiada, y poder reconstruir el hogar deshecho, trabajar y ser libre en uno de los países generosos que nos acogen, bien sea México o Chile, que así figura en mi ficha. Que me veo obligado a recurrir a ti, estimado camarada, con el fin [de] que estudies mi caso, para ver si puedes, dentro de las normas establecidas incluirme en una de las expediciones próximas, que os lo agradecería en el alma [...].[10]

Juan sabía muy bien que no bastaba con que el SERE tuviera y hubiera aceptado su ficha de emigración para conseguir salir del campo. Por eso, no dudó en ponerse en contacto con Amaro del Rosal para pedirle que estudiara su caso y le incluyera en las listas de evacuación que la UGT proponía al SERE. Los refugiados conocieron pronto el funcionamiento de este sistema de ayuda, lo que explica, según afirma Amaro del Rosal, el colapso que tuvo lugar en las oficinas de la UGT ante la llegada masiva de súplicas:

> Si en las oficinas de la Comisión Ejecutiva se llegaron a recibir hasta doscientas cartas diarias, en cuanto el SERE inició sus funciones empezaron a llegar, a nombre del consejero de la UGT, A. del Rosal, otras tantas, viéndonos obligados a mantener un equipo de mecanógrafas para atender exclusivamente la correspondencia. Anguiano se encargaba de estudiar cada carta recibida en el SERE y proponer la contestación adecuada. En Limoges se produjo el mismo fenómeno. Los compañeros también escribían a la Tesorería solicitando su «influencia» para que se les aprobara su ficha; una fiebre de éstas invadió todos los campos. Desde ese momento, el problema estaba en torno a la petición de cada refugiado.[11]

Como era normal, la preocupación de cada refugiado era entrar a formar parte de una de estas listas, algo que no resultaba sencillo, puesto que cada grupo político o sindical tenía limitada su capacidad de actuación, disponiendo tan solo de un porcentaje sobre el número total de evacuados que había sido establecido previamente en las reuniones del Consejo del SERE, como ya vimos en el segundo capítulo. Por ello, los exiliados no escatimaron en recursos para ser seleccionados. Utilizaron todas las herramientas que tuvieron a su alcance, incluida su trayectoria vital, que era su mejor aval, para convencer a los encargados de clasificarles de que ellos merecían más emigrar hacia América. Los refugiados no se equivocaron en sus propósitos, puesto que la propia Comisión Ejecutiva, en una reunión celebrada en mayo de 1939, había previsto la dificultosa tarea de elegir a los exiliados que podían emigrar y había dejado claro que en la selección debían primar los criterios políticos y morales de cada refugiado:

[10] Petición de Juan Zabala Ripollés (Campo de Septfonds) para Amaro del Rosal (París), 21 de agosto de 1939, FPI-AARD, Caja 267, carpeta 1.

[11] Del Rosal, *Historia de la UGT de España en la emigración...*, p. 70.

La Comisión Ejecutiva debe fijar extraordinariamente su atención sobre este problema con el fin de dictar aquellas normas o aquellas directrices que garanticen en todo momento una gran austeridad y un estricto principio de justicia para toda la política de emigración de nuestros compañeros. No debemos olvidar que este problema tendrá hondas consecuencias en el futuro. Es preciso prestarle una gran atención y tener en cuenta que deben atenderse muy escrupulosamente sus aspectos morales, con el fin de tener garantizada en todo momento una gestión que tantos intereses envuelve y de índole sentimental y, por otro lado, de gravedad tan suma, pues en muchos casos se trata sencillamente de poner en juego la vida de nuestros mejores militantes. Sobre este problema deberá consignarse como norma y como principio, que la designación de emigrados estará en todo momento en relación directa con el grado de responsabilidad y personalidad del militante.[12]

Un sistema que, según el propio Pablo de Azcárate, tenía defectos manifiestos pero que no podía ser de otra manera puesto que se trataba de una emigración política en la que debían primar los criterios políticos.[13] Poco tiempo tardaron los refugiados en conocer estos y otros criterios de selección, de ahí que no dudaran en destacar en sus súplicas su «grado de responsabilidad y personalidad como militante», lo que se tradujo, como veremos, en una lucha incansable por convencer a los representantes de la UGT de que su vinculación con el sindicato y con la República había sido más fuerte que la del resto de sus compañeros. Las numerosas críticas recibidas por este sistema, tanto por parte de los refugiados como por la de otros organismos asistenciales, han quedado reflejadas en los informes que se han conservado de los campos. Así, tras la difusión de los nombres de los elegidos del campo de Saint-Cyprien para emigrar a México en el primer barco disponible, algunos refugiados denunciaron al sindicato que muchos de los que habían sido seleccionados ya tenían prefijada su marcha a España, produciéndose por ello situaciones incómodas e injustas para todos:

Estos hechos se han considerado como exponentes de criterios discriminadores de partidos y sindicatos de selección por grados de responsabilidad política y sindical. El juicio formado es que las representaciones en partidos y sindicales se sirven de la colectividad que representan no para analizar conductas y derivar de ellas normas de selección justa o cuando menos racional y equitativa, sino para crear privilegios y preferencias personales.[14]

Los refugiados que se embarcaron en 1939 rumbo a México o Chile sabían y eran conscientes de que lo hacían gracias a la labor de ayuda realizada por los sindicatos, partidos políticos u organismos de auxilio, o lo que es lo mismo, gracias a la derrotada República española a la que ellos, en mayor o menor medida, habían servido. Al mismo tiempo, sentían un fuerte agradecimiento hacia el país de acogida, sentimiento que se

[12] Informe de la Secretaría de la UGT presentado a la Comisión Ejecutiva de la UGT, París, en mayo de 1939, FPI-AARD, Caja 270, carpeta 2.

[13] Cfr. De Azcárate, *En defensa de la República...*, p. 137.

[14] Informe sobre el campo de Saint-Cyprien elaborado por Daniel Anguiano Mangado y Ezequiel Delgado Ureña Martínez, 12 de junio de 1939, FPI-AARD, Caja 299, carpeta 13.

mantuvo durante todos los años de exilio. Emprendían una nueva vida, la «causa» por la que tanto se habían sacrificado les estaba dando una nueva oportunidad, y así se lo hacían saber desde la Comisión Ejecutiva de la UGT justo antes de embarcar, no sin recordarles que estuvieran donde estuvieran debían mantener su compromiso adquirido en la lucha antifascista, que no terminaba ni en los campos franceses ni al cruzar el Atlántico:

> Los que os marcháis, ni rompéis las filas de la UGT, ni debéis consideraros ausentes de los que se quedan en España. Para vosotros no existe más que un mundo proletario. Seguid aportando vuestra ayuda, vuestra colaboración a nuestra lucha de independencia, sentíos en todo lugar y momento soldados de la República española, defensores de la independencia patria y de su régimen de libertad. En esta lucha sed vanguardia en honor de los caídos y del gran deber que con ellos tenemos contraído. Planteaos en todo instante, como honor de trabajadores conscientes, el deber ineludible de participar activamente en la acción por la reconquista de España.[15]

Este discurso nos sirve para recapitular y confirmar la doble intención de la UGT en sus labores de ayuda: el auxilio a los vencidos y el mantenimiento de la fe en la lucha antifascista. A pesar de que, al llegar a los países americanos, especialmente a México, a los refugiados españoles se les impidió participar de forma activa en la política, muchos mantuvieron intacto su compromiso con la causa, sintiéndose siempre republicanos exiliados, a lo que ayudó el hecho de que el Gobierno mexicano no retomara relaciones formales con el Gobierno español hasta 1977. Por este motivo, no es de extrañar que algunos refugiados que residieron la mayor parte de su vida en la capital mexicana cuando se les preguntaba a qué habían dedicado su vida contestaran sin titubear que «a la lucha contra el fascismo».[16] Al mismo tiempo, el sistema asistencial desplegado por la UGT sirvió para mantener el contacto con los refugiados y reunificar los núcleos existentes, que después se convirtieron en fundamentales durante los años del exilio en Francia. Un circuito de ayuda y propaganda que pudo crearse y mantenerse, sin duda, gracias a la escritura.

2. Los afiliados

La mayoría de los autores de las peticiones que componen este capítulo, enviadas entre el 6 de junio y el 9 de noviembre de 1939, eran varones que rondaban la treintena. Tan sólo cinco de las 82 súplicas analizadas fueron escritas por mujeres, de las cuales

[15] Discurso de despedida del *Mexique* pronunciado por la Comisión Ejecutiva de la UGT, Burdeos, 12 de julio de 1939, FPI-AARD, Caja 270, carpeta 2.

[16] Así respondió José Farreras Borrull a mi pregunta sobre cuál había sido su profesión durante la entrevista que le hice en su casa en México D. F. el 4 de octubre de 2011. Quiero dar las gracias a la profesora Dolores Pla Brugat por haberme dado la oportunidad de realizar dicha entrevista y a José Farreras Borrull por su amabilidad y por su ejemplo de vida. Ambos fallecieron en 2014.

dos habían trabajado como secretarias para la organización sindical y otra era viuda de guerra.[17] La escasa presencia de mujeres como autoras de estas misivas es algo normal si tenemos en cuenta que las fichas de evacuación debían ser rellenadas tan sólo por el cabeza de familia y que en éstas se incluían los datos de todos los miembros del grupo, de la misma forma que ocurría en buena parte del resto de las organizaciones de ayuda como ya vimos. Además, no hay que olvidar que la mayor parte de estas peticiones salieron de los campos de concentración cuya población mayoritaria era masculina. No obstante, también se encuentran peticiones con otra procedencia, aunque en una proporción mucho menor, como, por ejemplo, el Ancien Hospital Militaire de Perpignan, desde donde escribió José Ribas Jiménez, quien solicitó a Amaro del Rosal emigrar a Chile:

> Camarada Amaro del Rosal:
>
> Querido amigo: Me dirijo a ti para comunicarte que hace tres meses que solicité [una ayuda] para ser evacuado del territorio francés, cosa que envié dos fichas, a las que no me han correspondido y enterándome que estás preparando una expedición para Chile le agradeceré me tomara en consideración para ese país, sino recuerda de mí puede tomar informe a Pascual el S[ecretario] G[eneral] del P[artido] S[ocialista] U[nificado] C[atalán] [...], puede informar mi garantía a la causa del Gobierno de la República; después de informarle de mí quisiera que procediera lo mejor posible y me incluya en la expedición del día 20 para Chile pues me encuentro en una situación muy difícil [...], espero de tu reconocida bondad me evacue lo antes posible, se despide con un saludo marxista, tu amigo,
>
> J. Ribas.
>
> Espero no creas que soy ni abogado ni carterista como los que se han marchado los primeros solo soy un trabajador del campo que creo habrá alguna plaza en México o en Chile para mí.[18]

José termina su petición haciendo alusión a su profesión: campesino, una de las más favorecidas a la hora de emigrar. Tan solo en la mitad de las peticiones analizadas se menciona el oficio desempeñado por el autor. Es difícil averiguar por qué algunos refugiados obviaron este detalle de su vida personal en sus súplicas. Lo que sí podemos afirmar es que los que lo incluyeron, igual que José, lo hicieron bien porque pensaban que su oficio les iba a facilitar su emigración o bien para vincularse, debido a esa labor que realizaban a algunas de las delegaciones de la UGT, uniendo trabajo y sindicato en sus argumentaciones.

[17] Respectivamente, María Caravaca (Liévin, Francia) para Ezequiel Delgado Ureña Martínez (París), 20 de junio de 1939, FPI-AARD, Caja 322, carpeta 11-C1; Herminia Palacios ([ilegible]) para Amaro del Rosal (París), 28 de agosto de 1939, FPI-AARD, Caja 322, carpeta 26-C2; y, María Álvarez (Duras, Francia) para Amaro del Rosal (París), 23 de agosto de 1939, FPI-AARD, Caja 322, carpeta 5.

[18] Petición de José Ribas Jiménez (Ancien Hospital Militaire de Perpignan) para Amaro del Rosal (París), s. f., FPI-AARD, Caja 267, carpeta 1.

Centrándome en los datos analizados, se observa que el sector más representado es el secundario, predominando los oficios industriales, tales como mecánicos, obreros, metalúrgicos, etc. A este le sigue muy de cerca el sector terciario, donde destacan los administrativos y las profesiones liberales, especialmente los maestros. Finalmente, aparece el sector primario, conformado por campesinos, agricultores y mineros. El número menor de peticiones en lo relativo a este último sector no indica, sin embargo, una presencia menor de estos oficios pues lo que sucede es que estos militantes solían firmar sus peticiones de manera colectiva. Para completar estos datos y conocer mejor el espectro socioprofesional de los refugiados en los campos franceses, contamos con el censo profesional elaborado por el SERE en el verano de 1939 gracias a una encuesta realizada a los 159.127 hombres que se encontraban aún internos. En este censo se establece que el sector más representado es el industrial, con un 45,5%, dato que coincide con el nuestro. A este le seguirían el agrícola, un 30,4%, y el sector servicios con un 10,5%.[19]

Otro de los datos relevantes que los refugiados reflejaban en sus peticiones era el de su filiación política, consignado en la mayor parte de las solicitudes. Lógicamente, la afiliación a la UGT es la más representada, aunque también hay casos de afiliados a la Federación Española de Trabajadores de la Enseñanza (FETE). A su vez, el partido político más citado es el PSOE, lo que puede deberse a que los refugiados pertenecientes a otros partidos no dejaran constancia de este dato debido a las disputas internas anteriormente mencionadas y por el miedo a que esto fuera visto como algo negativo en su expediente.

En cuanto a los distintos objetivos que perseguían las solicitudes, hay que destacar, en primer lugar la evacuación hacia otro país, fundamentalmente México o Chile por ser estos dos países donde se realizaron expediciones colectivas financiadas principalmente por el SERE. No obstante, como ya he señalado, no eran peticiones directas, sino que de lo que se trataba era de conseguir que la UGT interviniera en los procesos de selección favoreciendo a sus sindicados refugiados frente a otros. Razón por la cual, Esteban García, un ajustador mecánico perteneciente desde el año 1931 al Sindicato Metalúrgico de Vizcaya y participante activo en la contienda, escribió a Amaro del Rosal solicitándole su intermediación ante el SERE para su evacuación, ya que llevaba más de cinco meses esperando la respuesta de dicha institución:

> [...] Puesto que el objeto de esta mi carta es el de poner a U[ste]d al corriente mi situación: hace aproximadamente cinco meses que lleve las fichas del S[E]RE para mi evacuación a México, hasta esta fecha nada se me ha comunicado a pesar de yo haber escrito directamente al S[E]RE. Por este motivo me dirijo a U[ste]d para si en U[ste]d está se repare a tiempo la injusticia que se comete con este pobre correligionario.[20]

[19] Censo profesional elaborado por el SERE y presentado en la Conferencia Internacional de Ayuda a los Refugiados españoles, París, julio de 1939, FPI-AARD, Caja 306, carpeta 9, docs. 16-18.

[20] Petición de Esteban García (Campo de Gurs) para Amaro del Rosal (París), 24 de agosto de 1939, FPI-AARD, Caja 267, carpeta 2.

Algunos afirmaban que se dirigían a la UGT porque el propio SERE les había informado de que era así como tenían que proceder y lo demostraban adjuntando las cartas recibidas de dicha organización o reproduciendo en sus solicitudes fragmentos de las mismas, donde se especificaba cómo funcionaban las listas de evacuados. De esta forma actuó Tomás Mulas Iglesias, casado y con hijos, perteneciente al sindicato de la madera de Madrid, quien escribió varias cartas a Amaro del Rosal solicitándole ser incluido en las listas de embarque a Chile. En una de esas cartas anexó la misiva que el SERE le había enviado, en la que le informaba de que no tenía la capacidad de gestionar lo que él solicitaba, sino que para ello debía dirigirse a su sindicato:

> Queremos advertirle, por si lo desconoce, que las listas de personal que ha de emigrar son confeccionadas por las Sindicales y los Partidos Políticos. Es decir; ateniéndose a las necesidades profesionales de los países que han de acogernos y dentro de las responsabilidades de cada compatriota. Debe, pues, dirigirse al representante de su Partido en esta Junta, dirigiendo la correspondencia a esta misma dirección, exponiéndole sus deseos, para que él a su vez, a la vista de su caso y de acuerdo con el Partido siempre, le incluya en la listas de emigrados y entonces, por nuestra parte, no existe el menor inconveniente, ya que nuestro deseo es el de poder complacer a todos, puesto que todos han dado su esfuerzo por la causa [...].[21]

A pesar de que la intervención de la UGT ante el SERE para conseguir la evacuación a otros países fuera el motivo más recurrente en las súplicas estudiadas (75%), también encontramos otras razones (25%), como la solicitud de ayuda económica y sanitaria, la demanda de trabajo fuera del campo, el ruego del subsidio correspondiente del SERE o la petición del envío de ejemplares del *Boletín Sindical*. Entre ellas la que Francisco Fernández Rodríguez, madrileño afiliado a la UGT y militante del PSOE, escribió desde el campo de Barcarès a la Delegación de la UGT en Perpignan solicitando dinero para poder atender a su hija enferma y para comprar sellos y sobres que le permitieran restablecer el contacto con sus familiares más cercanos, en concreto con su mujer y sus hijos, quienes estaban en un refugio del sudoeste francés, y su hermano, interno en Agde:

> Estimados camaradas:
>
> Me dirijo a vosotros para expresaros mi actual situación y por si tuvieseis medios para aminorarla.
>
> Tengo refugiados en Les Mathes (Charente Inférieure) a mi compañera [...] y tres hijos pequeños —los tres mayores están desaparecidos en España— y la mayor se encuentra enferma desde hace tres meses (protuberculosa) careciendo en el refugio de los cuidados que su estado requiere. Precisa sobrealimentación, la que le ha sido suministrada hasta hace un mes aproximadamente con el «auxilio de entrada en Francia» que percibí en [el] Febrero pasado.

[21] Carta de Osorio Tafall (Oficinas del SERE, París) a Tomás Mulas Iglesias (Saint-Cyprien), 12 de agosto de 1939. FPI-AARD, Caja 267, carpeta 1.

Por otra parte y por carencia de numerario, carecemos de papel y sobres, y sellos, lo que nos obliga a estar incomunicados, así como con mi hermano [...] que se encuentra internado en Agde.

Por ello, me permito rogaros me facilitéis un socorro que me permita atender debidamente la salud de mi pequeña y solucionar la incomunicación forzosa a la que nos vemos sometidos.

Queda vuestro y de la causa obrera y antifascista,

Francisco Fernández Rodríguez.[22]

Cartas como las de Francisco y la de Esteban, muestran cómo los refugiados se dirigieron a sindicatos y partidos políticos para que estos les dieran ayuda para remediar sus problemas más inmediatos y cotidianos (enfermedades, hambre, necesidad de comunicación, información, etc.), al mismo tiempo que escribieron para buscar una solución definitiva a su lamentable situación, puesto que la mayor parte creían que la única vía posible para su salvación era reemigrar hacia un país americano que les ofreciera «pan, trabajo y hogar».[23]

3. Evaluando vidas. Las autobiografías de los militantes

Para evaluar las solicitudes que recibían, los miembros de la UGT necesitaban conocer cuál había sido la participación de los refugiados y su relación con el sindicato. En un momento de caos en el cual era difícil, por no decir imposible, acceder a la documentación generada antes y durante el conflicto en el seno de la UGT, y en realidad de cualquier organismo público o privado, para disponer de datos «objetivos» sobre los solicitantes, las autobiografías que los refugiados incluyeron en sus peticiones o en sus fichas de emigración sirvieron como instrumento de control y clasificación, especialmente cuando lo que se pedía era viajar a México o Chile. Muchas peticiones se convirtieron así en vehículos de transmisión de las «historias de vida» de los refugiados que se dirigían a la UGT, contenedoras de historias comunes que, de otro modo, probablemente no hubieran traspasado los límites del ámbito privado de sus protagonistas pero que lo hicieron con la finalidad de defender y justificar las acciones que habían realizado.

Fueron los propios partidos y organismos de ayuda quienes aconsejaban a los refugiados que incluyeran en sus peticiones aquellos datos que podían ser determinantes para la evaluación de su solicitud. Una práctica común en lo que al género de las súplicas se refiere y que cuenta con una larga trayectoria que comprende desde los memoriales enviados a los Tribunales de la Inquisición en los que hombres y mujeres

[22] Petición de Francisco Fernández Rodríguez (Campo de Barcarès) para la Delegación de Perpignan del Comité de la UGT (Perpignan), 23 de junio de 1939, FPI-AARD, Caja 267, carpeta 1.

[23] Tomo prestada la expresión que dio título al volumen colectivo coordinado por Dolores Pla Brugat, citado páginas atrás, Pla Brugat (coord.), *Pan, trabajo y hogar. Exilio republicano español...*

acusados de algún delito realizaban detalladas crónicas de su vida;[24] hasta los relatos autobiográficos que eran obligados a redactar los afiliados al Partido Comunista tras la II Guerra Mundial con la finalidad expresa de comprobar su grado de antifascismo o las «vidas de los prisioneros» que los presos de guerra tuvieron que escribir desde los campos de concentración y los batallones de trabajos forzados de la España franquista para ser clasificados en función de su adhesión al nuevo régimen.[25]

Este deseo de legitimación ante la autoridad está muy presente en las peticiones que los refugiados enviaron a Amaro del Rosal, especialmente en el resultado final de la narración, ejerciendo una fuerte influencia en la elección de los episodios que se narran, puesto que el objetivo de los peticionarios era convencer a sus destinatarios de que habían llevado una vida ejemplar y vinculada, desde fechas muy tempranas, a la historia de la sindical a la que ahora suplicaban unir su destino. El autor de la súplica elegía y seleccionaba la información para conducir al lector de la misiva a la idea de que formaba parte de su historia sindical y, por tanto, era justo prestarle ayuda. De esta manera, se conformaban distintos discursos argumentativos cuya finalidad fundamental era intervenir en las opiniones, los gestos y los comportamientos de sus interlocutores a través de los enunciados expuestos.[26]

En este punto, no debemos olvidar que estas narraciones de la vida pasada se realizaban al mismo tiempo que los refugiados rellenaban unas fichas en las que debían informar sobre sus antecedentes políticos, militares, laborales, familiares, etc. Por tanto, los exiliados mostraban en sus súplicas los aspectos de su vida que las autoridades les demandaban y no tanto lo que ellos consideraban necesario o apropiado. Esto fue lo que le sucedió, entre tantos otros, a Antonio Navarro Carrascosa, quien se dirigió a Amaro del Rosal el 25 de agosto de 1939 desde Mondeville (Francia) para narrarle su paso por el sindicato y su participación en la Guerra Civil. El motivo que le llevó a escribir dicha autobiografía fue, según las palabras del autor, que había recibido una notificación en la que se le requería poner al corriente de su actuación al delegado de la UGT para ver si podía ser considerado emigrable o no:

[24] Para más información pueden verse algunos de los artículos recogidos en AMELANG, James. S. (coord.), «De la autobiografía a los ego-documentos: un fórum abierto», *Cultura Escrita & Sociedad,* 1 (2005), pp. 15-122 e IUSO, Anna (dir.), *La face cachée de l'autobiographie* (Carcassonne: Garae Hésiode, 2011).

[25] BOARELLI, Mauro, *La fabbrica del passato. Autobiografie di militanti comunisti (1945-1956)* (Milán: Feltrinelli, 2007); PENNETIER, Claude y PUDAL, Bernard, *Autobiographies, autocritiques, aveux dans le monde communiste* (París: Belin, 2002) y, de los mismos autores, *Le sujet communiste. Identités militantes et laboratoires du «moi»* (Rennes: PUR, 2014) y SIERRA BLAS, *Cartas presas. La correspondencia carcelaria en la Guerra Civil...*, pp. 155-208.

[26] ADAM, Jean-Michel, *Les textes, types et prototypes. Récit, description, argumentation, explication et dialogue* (París: Nathan, 2001), pp. 103-104; y del mismo autor, «Le textes et ses composantes. Théorie d'ensemble des plans d'organisation», *Revue de sémio-linguistique des textes et discours*, 8, 1993, edición digital, sin paginar [consultada en: htpp://semen.revues.org/4341].

Estimado compañero:

Acabo de recibir carta del SERE SEC-CE 11339/71409, en la cual me dicen que me dirija a ti poniéndote al corriente de mi actuación.

Pues bien, pongo en tu conocimiento que fui Delegado de las Patrullas de Control de Barcelona en el Castillo de Montjuic, donde ingresé el 1.º de agosto de 1936 a propuesta del Compañero Martínez [...].

En octubre de 1936 la misma organización me nombró Delegado de vecinos en la barriada donde yo habitaba «Aragón n.º 213-5.º-2.º Barcelona», cesando el 15 de marzo del siguiente año por ingreso voluntario en el 31.º Batallón del Cuerpo de Carabineros.

De mi actuación anterior a la guerra os diré que sufrí 11 meses de prisión en la Cárcel Modelo de Barcelona a raíz de la represión de agosto de 1917.

Estoy afiliado a la UGT desde el día 1.º de julio de 1936, sección de reparadores de Calzado «Ramo de la Piel Barcelona».

[...] Esperando hagáis cuanto esté de vuestra parte porque pueda embarcarme lo antes posible queda vuestro y de la causa antifascista.

Antonio Navarro Carrascosa.[27]

Así, a pesar de que no existiera una normativa que solicitara la inclusión de «historias de vida» en las peticiones, sí que éstas en muchas ocasiones eran demandadas por las autoridades competentes y servían como criterio evaluador de las súplicas, aunque también como medio de controlar y vigilar a sus militantes y de conocer su grado de compromiso con la sindical cuando ya todo estaba perdido y la fidelidad a la organización era más necesaria que nunca. Siguiendo a Michel Foucault, estamos, por tanto, ante un ejercicio introspectivo que se explica únicamente a través de la relación que los individuos comunes mantienen con el poder y gracias al cual tenemos vestigio de su existencia:

El poder que ha acechado esas vidas, que las ha perseguido, que, aunque solo fuese por un instante, ha prestado atención a sus lamentos y a sus pequeños estrépitos, y que las marcó con un zarpazo, ese poder fue el que provocó las propias palabras que de estos seres nos quedan, bien porque alguien se dirigió a él para denunciar, quejarse, solicitar o suplicar, bien porque el propio poder hubiese decidido intervenir para juzgar y decidir sobre su suerte.[28]

Esta particularidad provocó que algunas «historias de vida» estuvieran redactadas muy formulariamente, siguiendo el esquema ofrecido por las fichas de emigración. Los refugiados enumeraban cargos y destinos sabiendo de antemano que iban a ser juzgados por ellos y llevando a cabo un ejercicio de intertextualidad que vinculaba el texto de

[27] Petición de Antonio Navarro Carrascosa (Mondeville, Calvados) para Amaro del Rosal (París), 25 de agosto de 1939, FPI-AARD, Caja 322, carpeta 24-C2.

[28] Foucault, Michel (traducción y edición a cargo de Julia Varela y Fernando Álvarez Uría), «La vida de los hombres infames» [1977], en *Obras Esenciales, Vol. II. Estrategias de poder*, (Barcelona: Paidós, 1999), p. 393.

las fichas con el texto final de la petición. Se produjo, en palabras de Mauro Boarelli, una «burocratización de la práctica autobiográfica»: los peticionarios incluían sus datos autobiográficos en sus escritos como si éstos fueran una instancia.[29]

Para reforzar sus narraciones, los autores de estas misivas solían ofrecer numerosos datos concretos y contrastables (números de carnet y de afiliado, nombres de amigos y personajes relevantes que podían avalar sus testimonios, descripciones de lugares y hechos conocidos, etc.). Esta estrategia discursiva, cuyo uso en la súplica se constata prácticamente desde su origen hasta nuestros días, convertía la petición en un «espacio de credibilidad»[30] en el que el autor y el lector quedaban unidos en un compromiso epistolar que, ante la falta de documentación «oficial» que autentificase estas «historias», constituía la única herramienta disponible para evaluar las solicitudes.[31]

Este afán de avalar la propia historia personal abrumando al lector con datos puntuales y supuestamente contrastables, lo observamos a la perfección en la petición de Ramón Chavarría Tallada quien escribió a la UGT desde Affieux (Francia), tras su paso por diversos campos de internamiento, para que el sindicato interviniera en su solicitud al SERE de emigración a Latinoamérica, principalmente a Chile aunque sin descartar México. En su súplica se afanó por proporcionar al sindicato nombres propios y fechas concretas que dotaran de mayor realismo a su discurso, consignando los cargos que había ostentado desde mucho antes del inicio de la contienda, así como durante la misma:

> Estimado camarada: [¡]Salud!
>
> Me dirijo a U[ste]d como representante de la UGT en el SERE.
>
> Soy un antiguo afiliado a la UGT a la que pertenezco desde 1926. Fundador de la FETE (tengo el n.º general 209). Fundador de la FETE en Galicia (1930) y luego en Baleares (1932). Miembro directivo del Comité Provincial de la UGT de Baleares. Director del semanario "Unión y Cultura" órgano de la casa del pueblo de Jóllar-Baleares (que fui suspendido en octubre del 1934 y estuve procesado).
>
> Hui de Mallorca al estallar el movimiento faccioso, me refugié en Barcelona donde estuve al servicio del Ministerio de Instrucción Pública hasta que fui movilizado en el 1.º B[atall]on de la 100 Brigada, 11 División [...].
>
> Pueden responder de mi actuación y personalidad:
>
> D. Dolores García Tapia
>
> D. Herminio Almendros, inspector de 1.ª Enseñanza, de la FETE
>
> D. Antonio Moles, catedrático a la Universidad de Barcelona

[29] BOARELLI, Mauro, «L'écriture de soi sous contrainte. L'autobiographie dans le parti communiste italien (1945-1956)», en Iuso (dir.): *La face cachée de l'autobiographie...*, pp. 153-178.

[30] Así lo demostró Fassin Didier en su estudio sobre las peticiones enviadas en los años 90 por desempleados franceses al organismo estatal encargado de su ayuda. Cfr. DIDIER: «La supplique. Stratégies rhétoriques et constructions identitaires...», pp. 964 y ss.

[31] Se produce de esta manera el «pacto autobiográfico», es decir, el autor crea un discurso dirigido a un lector que cree que su narración es verídica. Cfr. LEJEUNE, Philippe, «El pacto autobiográfico», en *El pacto autobiográfico y otros estudios* (Madrid: Megazul, 1994), p. 72.

D. Víctor Agulló, del Partido Socialista y de la UGT de Baleares
D. Andrés Ferretganes, de la UGT de Baleares [...]
Queda de U[ste]d y de la causa.

Ramón Chavarría.[32]

A pesar de los elementos comunes, cada petición y cada «relato de vida» tienen unas características propias, ya que las diferentes capacidades gráficas y lingüísticas de los refugiados, así como las estrategias discursivas utilizadas por éstos para conseguir su propósito, eran diferentes. Lógicamente, ambas cuestiones se influían de forma directa: la composición textual de la súplica respondía al nivel de alfabetización. Cuanto más formado estuviera el autor, más elaboradas y originales eran sus peticiones. Por el contrario, al igual que vimos en el capítulo anterior, la escasa preparación llevaba a los solicitantes a copiar modelos prefijados o emplear los de otros compañeros. Esta diferente competencia tiene su reflejo, generalmente, en la extensión de los escritos mientras que hay algunas muy extensas, prolijas en detalles y descripciones; otras se limitaban a un par de párrafos o a unas cuantas líneas.

Estas reglas se cumplen tanto en las autobiografías que se incluían en las peticiones como en aquellas que no eran incorporadas dentro del cuerpo de la carta, sino que se elaboraban después, como un anexo a la misma a modo de *curriculum vitae*, como la realizada por Juan Estremes, campesino tarraconense, de 25 años, quien comenzó la súplica realizando primero una pequeña exposición de los hechos, tras la cual adjuntó los datos autobiográficos que consideraba más relevantes para su evaluación: personales, sindicales y militares. Dichos datos aparecen enumerados como si se tratase de una lista y simulando el orden que se les daba en las fichas de emigración que los refugiados tenían que rellenar. La «burocratización de la práctica autobiográfica», de la que hablaba antes, es aquí más evidente, pues apenas hay espacio para la narración personal, dada la escasa familiaridad del solicitante con la escritura, que resulta mucho más completa a nivel textual, pues requiere poseer conocimientos lingüísticos que puedan dotar de coherencia a los hechos narrados. La intencionalidad del autor se refleja no solo en la selección de la información autobiográfica que se ofrece al destinatario, sino también en la forma de estructurar dicha información y en la manera de presentarla.

[32] Petición de Ramón Chavarría Tallada (Affieux) para Amaro del Rosal (París), 26 de agosto de 1939, FPI-AARD, Caja 322, carpeta 16.

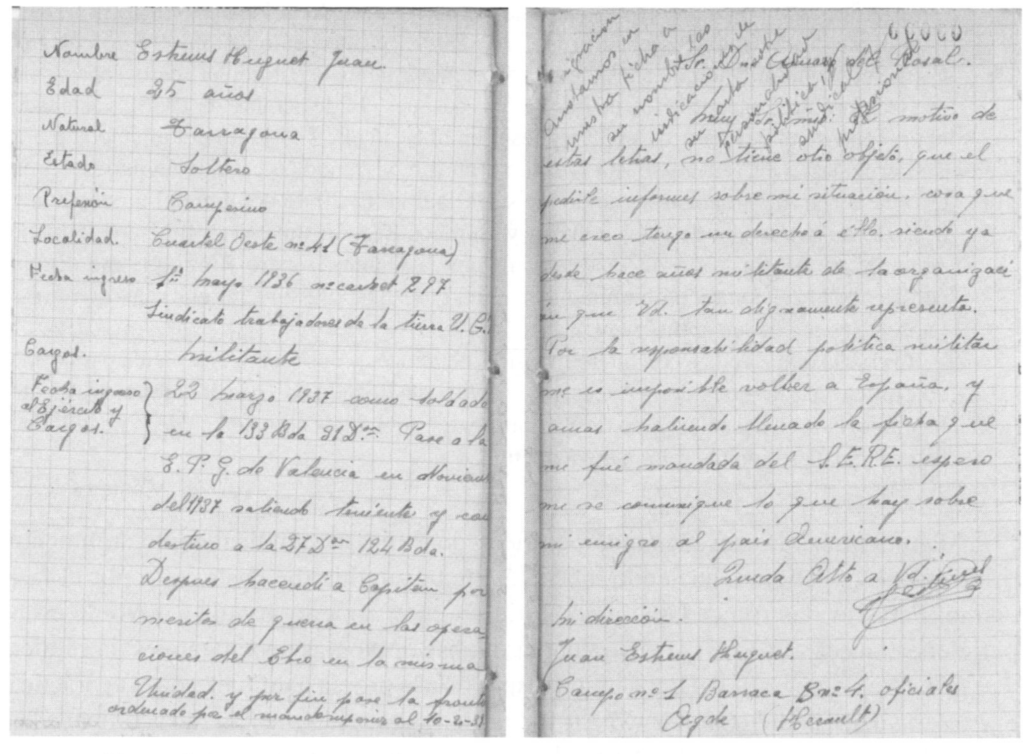

Nombre Estremes Huguet Juan.
Edad 25 años
Natural Tarragona
Estado Soltero
Profesión Campesino
Localidad. Cuartel Oeste nº 41 (Tarragona)
Fecha ingreso 1º mayo 1936 nº carnet 297
Sindicato trabajadores de la tierra U.G.
Cargos. Militante
Fecha ingreso al Ejército y Cargos. } 22 Mayo 1937 como soldado en la 133 Bda 31 Dvn. Pase a la E.P.G. de Valencia en Noviembre del 1937 saliendo teniente y con destino a la 27 Dvn 124 Bda.
Despues ascendí a Capitán por meritos de guerra en las operaciones del Ebro en la misma Unidad. y por fin pase la frontera ordenado por el mando imponiendo al 10-2-39

Sr. D. Amaro del Rosal.
... motivo de estas letras, no tiene otro objeto, que el pedirle informes sobre mi situación, cosa que me creo tengo un derecho á ello, siendo ya desde hace años militante de la organización que Vd. tan dignamente representa.
Por la responsabilidad politica militar me es imposible volber a España, y aunas habiendo llenado la ficha que me fué mandada del S.E.R.E. espero me se comunique lo que hay sobre mi emigro al país Americano.
Queda Atto a Vd.

Mi dirección.
Juan Estremes Huguet.
Campo nº 1 Barraca B nº 4. oficiales
Agde (Herault)

Figura 1. *Petición de Juan Estremes (Campo de Agde) para Amaro del Rosal (Delegación de la UGT, París), s. f., FPI-AARD, caja 267, carpeta 3.*

Esta forma de proceder a la hora de incluir las «historias de vida» en las súplicas no fue la más común. La mayor parte de los exiliados optaron por incorporar sus datos biográficos dentro del propio cuerpo de las súplicas, integrando así su discurso autobiográfico en el discurso epistolar. Un buen ejemplo es el de Manuel Páez Fernández, quien envía una extensa misiva en la que casi no deja lugar para la petición, primando la narración autobiográfica:

Apreciable camarada:

En el SERE se tramita a mi expediente de subsidio para marchar a Chile con el n.º 2060. [...] Aunque posiblemente me hago muy pesado le remito una breve reseña biográfica que U[sted] leerá si considera conveniente a quien pueda informar teniendo bastantes elementos de juicio.

En virtud de un concurso de traslado tomé posesión de la Escuela n.º 2 de María de Lanzarote (Islas Canarias) el 1.º de noviembre de 1931. Me afilié a la FETE (Sección de Las Palmas) el 1-1-1932, según consta en el carnet que poseo. Fundé la Federación Obrera de aquel pueblo y fui su primer presidente. Esta Federación seguía los postulados de la UGT. Trabajé las elecciones de 1933 y, en esa ocasión, por mi calidad de Presidente de la Federación, presenté al Camarada Juan Negrín López y a otros elementos que desde Las Palmas se habían desplazado a Lanzarote en propaganda electoral. Fui apoderado por el

Partido Socialista en aquel pueblo a pesar de no ser afiliado al Partido. En 1936 trabajé igualmente las elecciones por el Frente Popular y fui interventor en mi propio colegio. Formé el Ayuntamiento poco después, y con el movimiento destituido primero y encerrado en el Campo de Concentración de Las Palmas después (14 de octubre de 1936); trasladado al de Tenerife el 3 de mayo del 37 y puesto en libertad el 19 de junio del mismo año.

Permanezco en Tenerife hasta el 20 de o[ctu]bre viviendo en casa de un pariente y en esa fecha marché a Lanzarote de donde salí evadido. El 20 de octubre del mismo año y después de la travesía de estas a Dakar y Burdeos llego a Barcelona. En Barcelona me presenté en el Ministerio de Instrucción Pública y ante Amparo Ruiz, que me dio un certificado provisional como afiliado a la FETE desde el 32 y luego el carnet que firma Fábregas y que poseo actualmente.

Os ruego que atendáis con interés nuestras peticiones y nos facilitéis la salida para Chile con urgencia a fin de poder rehacer nuestra vida destrozada con ocasión del movimiento faccioso. Espero acuséis recibo de esta carta y me adelantéis algo acerca de la posibilidad de una rápida salida.Os saluda atentamente,

Manuel Páez.[33]

Manuel utiliza la «reseña autobiográfica» de su pasado sindical como argumento principal de su petición, haciendo hincapié en que su vida fue destrozada por el fascismo. Estas «vidas truncadas» se convirtieron en el soporte argumentativo de estas peticiones, quedando de esta manera unidas ambas tipologías documentales: la súplica y el género autobiográfico. Dicha unión responde a la propia naturaleza de esta práctica epistolar, ya que pedir, solicitar y rogar son acciones que siempre han ido acompañadas de un ejercicio de reciprocidad, es decir, la súplica muestra cómo el poder, individual o colectivo, da en tanto en cuanto recibe o espera recibir algo de aquellos a quienes protege, aunque lo que reciba sea solo su reconocimiento oficial. Dentro de este juego, el militante, como miembro de un organismo al que debía lealtad y del que procuraba protección, justificaba su petición con el derecho que le otorgaba su servicio, utilizando su propia autobiografía como garante de su compromiso y legitimación de su súplica.

4. «Estimados camaradas». Una propuesta de análisis del discurso

¿Cómo se conformaron estas autobiografías? ¿Hasta qué punto estuvieron determinadas por el contexto en el que se produjeron? ¿Verdaderamente en ellas se refleja la identidad de sus autores o acabaron convirtiéndose en una forma de autorrepresentación colectiva en la que primaban los roles ejercidos como grupo social? Para Luisa Passerini, en la producción autobiográfica de la clase obrera existen unos lugares comunes conformados a través de la memoria colectiva que siempre salen a la luz entremezclados con la

[33] Petición de Manuel Páez Fernández (Dreux, Eure et Loir) para Amaro del Rosal (París), 12 de agosto de 1939, FPI- AARD, Caja 322, carpeta 26-C1.

identidad individual en estos testimonios.[34] Algo similar ha afirmado Patrizia Gabrielli tras analizar las autobiografías producidas por militantes del Partido Comunista: la dimensión colectiva adquiere un peso mayor que la individual.[35] Fernando Durán López amplía esta idea a todos los textos autobiográficos, independientemente de quiénes sean sus autores, defendiendo que los «relatos de vida» siempre están determinados por la época y el momento en el que son producidos y que la verdad en este género no suele residir en lo individual, sino en lo colectivo.[36] «¿Quién soñaría en evocar un viaje sin tener una idea del paisaje en el cual transcurre?», se preguntaba Pierre Bourdieu para responder que las autobiografías, como contenedoras de «historias de vida» individuales, no cobran sentido si no se relacionan con la «superficie social» en la que se crean.[37]

Siguiendo todas estas hipótesis y para ahondar en las mismas, en este apartado abordaré el discurso que construyeron los refugiados en sus autobiografías, qué estrategias discursivas utilizaron para conseguir su propósito y en qué medida éstas reflejaron su identidad individual o colectiva. Me interesa, también, conocer las distintas identidades o categorías sociales que el refugiado empleó en su narración y si estas respondían o no a unos cánones previamente establecidos.

El objetivo de las siguientes páginas es, por tanto, el análisis del discurso que los refugiados utilizaron en sus peticiones, visto este desde una perspectiva social que nos permita entender cómo el individuo se sirve del lenguaje para conseguir un fin determinado, pero también cómo la sociedad y el contexto ejercen su influencia sobre el mismo, caracterizándolo de forma diferente dependiendo de su uso. Para cumplir este propósito, analizaré un pequeño corpus de súplicas que contienen autobiografías de los refugiados, valiéndome para dicho análisis de los preceptos de la Lingüística Textual y realizando una propuesta de análisis de discurso de las mismas, dado los excelentes resultados que en los últimos años han derivado del estudio de las cartas desde esta perspectiva.[38]

[34] PASSERINI, Luisa, *Torino operaia e fascismo* (Roma-Bari: Laterza, 1984), pp. 13-14. Véase también PENEFF, Jean, «Autobiographies de militants ouvriers», *Revue française de science politique*, 1/29 (1979), pp. 53-82.

[35] GABRIELLI, Patrizia, *Mondi di carta. Lettere, autobiografie, memorie* (Siena: Protagon Editori Toscani, 2000), p. 185.

[36] DURÁN LÓPEZ, Fernando, «La autobiografía como fuente histórica: problemas teóricos y metodológicos», *Memoria y Civilización*, 5 (2002), p. 183.

[37] BOURDIEU, Pierre, «Historia, antropología y fuentes orales» [1986], *Historia, antropología y fuentes orales*, 2 (1989), p. 32.

[38] RODRÍGUEZ GALLARDO, Ángel y MARTÍNEZ AGUIRRE, Rebeca, *La escritura femenina en reclusión. Cartas de Enriqueta Otero Blanco* (Santiago de Compostela: Fundación 10 de Marzo, 2009); RODRÍGUEZ GALLARDO, Ángel, «Tradiciones discursivas epistolares populares del siglo XV al XX», en Assunçao, Carlos; Marlene Loureiro, Gonçalo Fernandes (eds.), *Ideias Linguísticas na Península Ibérica,* (Münster: Nodus Publikationen, 2010), pp. 783-793; RODRÍGUEZ GALLARDO, Ángel, «La recepción epistolar: una aproximación crítica», en Castillo Gómez y Sierra Blas (dirs.), *Cinco siglos de cartas. Historia y prácticas epistolares…*, pp. 375-390; y, MARTÍNEZ AGUIRRE, Rebeca, «La escritura de cartas en las cárceles de mujeres durante el

Los refugiados españoles que se dirigieron a la UGT crearon un discurso compuesto a raíz de proposiciones que, mediante distintas operaciones de encadenamiento y de segmentación, constituyeron un entramado textual que, a su vez, se integró en un esquema composicional global que dotó de unidad al conjunto, dando coherencia al texto y respondiendo a su finalidad comunicativa, que no era otra que convencer al destinatario de que eran dignos merecedores de la ayuda solicitada. Estas estrategias de conexión entre proposiciones dan lugar, según Jean-Michel Adam,[39] a las secuencias que responden a modelos o esquemas tipificados. Podemos definir cinco categorías secuenciales: «narrativa», «descriptiva», «argumentativa», «explicativa» y «dialogal».[40] Para Jean Michel Adam, las cartas formarían parte de ésta última, ya que representan un diálogo que adopta forma escrita a pesar de la ausencia física de un interlocutor. Este es uno de los motivos de que las misivas contengan huellas de la relación dialogal, como demuestra, entre otros aspectos, la inclusión de la situación enunciativa a la hora de redactarlas, es decir, la aparición de la fecha y del lugar desde donde fueron escritas para informar al destinatario de dichos datos y situarlo en el contexto en el que se produce este «diálogo».[41]

Sin embargo, estamos ante composiciones heterogéneas que se caracterizan por la convivencia dentro de ellas de otras secuencias que siguen, eso sí, una doble estructura jerárquica, que es la que nos va a servir para llevar a cabo este análisis. En primer lugar, las secuencias fáticas, de apertura y de despedida, que nos muestran el interés de establecer y mantener una comunicación con el destinatario, las estrategias utilizadas para llamar la atención de este y que nos enseñan la imagen que el autor tiene del mismo y cómo se posiciona ante él. Y, en segundo lugar, las secuencias transaccionales que conforman el cuerpo de la carta. Dentro de éstas, mi propósito será conocer cuáles son las estrategias argumentativas que utilizan los refugiados para convencer a sus destinatarios, con la finalidad de demostrar que merecen la ayuda demandada.[42]

Franquismo», en Castillo Gómez y Sierra Blas, *Cinco siglos de cartas. Historia y prácticas epistolares...*, pp. 391-410.

[39] ADAM, *Les textes. Types et prototypes...* Pueden consultarse igualmente de este autor, «Hacia una definición de la secuencia argumentativa», *Comunicación, Lenguaje y Educación*, 25 (1995), pp. 9-22; «Les genres du discours épistolaire. De la rhétorique à l'analyse pragmatique des pratiques discursives», en Siess, Jürgen (dir.), *La lettre entre réel et fiction* (París: SEDES, 1998), pp. 37-53; [Junto a LORDA, Clara-Ubaldina] *Lingüística de los textos narrativos* (Barcelona: Ariel, 1999); y, «Types de textes ou genres de discours? Comment classer les textes qui disent de et comment faire?», *Langages*, 141 (2001), pp. 10-27.

[40] ADAM, *Les textes. Types et prototypes...*, pp. 45-168.

[41] ADAM, «Les genres du discours épistolaire. De la rhétorique à l'analyse pragmatique...», p. 44. La profesora Rita Marquilhas también ha reflexionado sobre esta relación que se entabla entre las misivas y el lenguaje oral debido al carácter híbrido de estas. Véase MARQUILHAS, Rita, «A historical digital archive of Portuguese letters», en Dossena, Marina y Del Lungo Camiciotti, Gabriella (eds.), *Letter Writting in Late Modern Europe,* (Amsterdam/Filadelphia: John Benjamin, 2012), pp. 31-43.

[42] ADAM, *Les textes. Types et prototypes...*, pp. 154-155.

Puesto que la autobiografía es utilizada por los refugiados con el fin de argumentar su vinculación con el sindicato y con la causa antifascista, he creído conveniente comenzar por analizar los distintos tópicos que aparecen en las secuencias argumentativas utilizadas, y ver hasta qué punto estos se repiten o no, ya que ello nos puede ayudar a comprender mejor cómo se forjó su identidad a través de su discurso y si ésta fue o no una identidad colectiva. Al mismo tiempo, quiero conocer la intención comunicativa que perseguían los refugiados y las estrategias que utilizaron para convencer al destinatario.

A pesar de que todos usaron su «historia de vida» como argumento principal de sus peticiones, no todos lo hicieron de la misma manera, ya que cada uno incidió en aquellas facetas que consideró más relevantes. No obstante, y a pesar de las diferencias, el estudio comparado de estas misivas aporta datos muy similares, lo que evidencia el deseo de conformar una identidad común, de autorrepresentarse ante el poder de la misma forma, como refugiados, militantes y combatientes, lo que indica que existían unos patrones comunes de comportamiento que se esperaban de un «militante de la UGT», que los refugiados los conocían y que intentaron reflejarlos en su discurso. Es decir, se trata de diferentes textos compuestos por secuencias, principalmente argumentativas, que muestran unos tópicos comunes que responden a diferentes valoraciones dogmáticas que los refugiados habían recibido, de forma consciente o inconsciente, a lo largo de su vida y que fueron conformando su identidad.[43]

4.1. ¿Por qué merezco emigrar?

¿Cuáles fueron los argumentos principales elegidos por los refugiados? ¿En qué orden los situaron estos en sus discursos y que importancia tuvieron, en función de ello, en las cartas? En la mayoría de las peticiones el primer argumento que aparece en la narración autobiográfica es el del perfil de militante activo. El suplicante se afana en hacer una descripción de los distintos cargos desempeñados en la sindical, en subrayar la antigüedad de su filiación y en destacar su participación activa en alguna delegación concreta (incluso muchos aducen ser partícipes de su fundación, lo que relaciona directamente al refugiado con los orígenes del sindicato, uniendo «historia de vida» con la propia historia de la organización a la que se dirige). Como ejemplo, podemos recurrir al caso de José Prats Carbella, de 31 años, casado y con un hijo, quien escribió el 9 de agosto de 1939 desde el campo de Septfonds al Comité Nacional de la UGT, solicitando un trabajo que le permitiera salir de allí:

[43] Sobre este proceso puede verse DE FINA, Anna; SCHIFFRIN, Deborah y BAMBERG, Michel (coords.), *Discourse and Identity* (Cambridge: Cambridge University Press, 2006) y MARQUILHAS, Rita, «*Eu anda sou vivo*. Sobre a edição e análise linguística de cartas de gente vulgar», *Estudos de Lingüística Galega*, 1 (2009), pp. 57- 59.

> Salud Compañeros.
>
> En primer lugar un saludo fraternal y sincero para los justos y para los compañeros componentes del Comité Nacional de la UGT de España, de parte mía, para continuar nuestra tarea firme sindical, para lograr el objetivo emprendido de 50 años atrás, por nuestros símbolos directivos inolvidables, fundadores de nuestra gloriosa UGT española.
>
> Compañeros tengo el honor de, ponerme en contacto vuestro, con el fin y deber, de militante algo destacado, dentro nuestras filas en el Ramo Mercantil o sea Unión General de Dependientes, del Comercio y la Industria, de Barcelona, casa del Pueblo, 1.ª de Mayo n.º [ilegible] junto con mis compañeros del Comité Central, como miembro del mismo, con nuestro Presidente Pedro Massanellas, y Jesús Granados, Secretario general del mismo, y más tarde con Isidro Valladosera.
>
> El que suscribe ingresado en la casa del Pueblo, de dicho Sindicato, más arriba mentado, en fecha 1.º Julio del año 1924, con n.º de carnet 840, Ramo Alimentación, Sección Mozos del Comercio, casa de trabajo en la Plaza Libertad n.º 6 (Gracia) y habiendo sido miembro del C[omi]té Central, hasta el 2 de Abril de 1937, y luego por recuerdo del mismo C[omi]té pasé a desempeñar el cargo de Secretario de la Junta, del Ramo Alimentación, hasta fecha 29 de octubre de 1937, dejando el cargo por asamblea efectuada, para incorporarme en el ejército, como voluntario en la 15.º Brigada Internacional, que al mes y medio de estar en ella, me nombraron Comisario de Compañía, para defender la independencia de nuestra patria querida, convencidos que lo merecía por mi comportamiento y mis antecedentes sindicales [...].[44]

El inicio de la carta de José es todo un homenaje a la UGT, de la que él se siente parte, como denota el uso de la primera persona del plural («nuestra tarea firme sindical», «nuestros símbolos directivos inolvidables»). Al utilizar esta estrategia lingüística, el autor se está situando en el mismo nivel que los destinatarios de su misiva, destacando, en primer lugar, que todos son miembros de una misma comunidad y que todos luchan por un «objetivo común». A su vez, observamos cómo José describe de forma muy detallada los cargos que ha desempeñado, aportando numerosos datos (fechas, lugares, número de filiación) que dotan de autenticidad a su relato y que le sitúan en el perfil de un «militante algo destacado»; así como hace hincapié en su incorporación al ejército, único motivo de su dimisión del cargo sindical que ocupaba. Esta petición nos muestra cómo su autor conoce plenamente la ideología y simbología de su sindicato y sabe cómo debe dirigirse a él para conseguir su favor. Y no solo eso, sino que elige «autorrepresentarse» a sí mismo como parte integrante de la UGT, como un «compañero» más que ahora necesita de su ayuda. Esta forma de presentación como militante activo es común en las cartas dirigidas a sindicatos o partidos políticos en momentos dramáticos y de crisis, como lo corroboran, entre otras, las cartas que fueron enviadas a Giuseppe di Vittorio, Secretario General de la *Confederazione Generale Italiana del Lavoro*

44 Petición de José Prats Carbella (Campo de Septfonds) para la Federación Nacional del Comercio de España (París), 9 de agosto de 1939, FPI-AARD, Caja 267, carpeta 1.

(CGIL) en los años 50, especialmente por aquellas que fueron escritas por compañeros del sindicato que cumplían condena por haber participado en actos de defensa de los derechos laborales.[45]

Pero, volviendo a la petición de José, de la misma podemos extraer el segundo argumento aducido por los refugiados en la mayoría de las cartas para reforzar sus solicitudes, que no es otro que la mención a la participación activa en la Guerra Civil española, o lo que es lo mismo, al perfil de combatiente que aparece en más de la mitad de las peticiones y que en ocasiones aparece unido al perfil de militante, como única argumentación de su súplica. En este caso, podemos observar cómo el haber luchado en la contienda les otorgaba un «status» de víctimas, a la vez que de valientes defensores de los ideales de la República, que atestiguaba su ideología y su moralidad, proyectando una imagen positiva de sí mismos.[46]

Cuántos más datos se aportaran de la participación en la contienda más se realzaba la misma. Destacamos el caso de Amador González, quien escribe una petición desde el campo de Septfonds para emigrar a Chile. En dicha misiva narra la odisea por la que tuvo que pasar para desertar de las filas franquistas (en las que estaba por encontrarse en Zamora al inicio de la sublevación militar) para unirse al Ejército republicano:

> Estimados compañeros:
>
> Viéndome en la necesidad de dirigirme a vosotros, me permito enviaros la presente a fin de que adoptéis las resoluciones pertinentes a este caso.
>
> Fui fundador del sindicato de Oficios Varios El Pego (Zamora), desempeñando en 1.931 desde su fundación, el cargo de Secretario General del mismo, hasta julio del 36, donde me sorprendió la traición militar. Siendo detenido el 29 de octubre del mismo, para fusilarme el mismo día. Tomé parte en un complot dirigido por el general jefe de la 7.ª División Orgánica, donde me encontraba presentando mis servicios militares. Este complot, en base principal era Valladolid, con ramificación a las provincias gallegas, particularmente en La Coruña. Más tarde, fui encuadrado en una Batería del 15/5 y llevado al frente de Guadalajara, donde a pesar de la estrecha vigilancia a [la] que estaba sometido, sin contar de puesto peligroso por servir en Artillería pesada, aún tardando algún tiempo, pude lograr mi deserción, a las filas Republicanas, presentándome a la 33.° División perteneciente al 4.° Cuerpo de Ejército. Una vez puesto en libertad, después de los trámites necesarios fui enrolado en la 79.° Brigada perteneciente al Ejército de Maniobras del Sur. Cuando la ofensiva de Aragón, fui elegido por el Comisariado de la 70.ª División, para tomar parte de la Sección de Contraespionaje de la misma. Cuando la pérdida de Cataluña, yo me encontraba en los combates de Extremadura (sector de Balaequillo). Cuando la entrega

[45] BERGAMASCHI, Myriam (ed.), *«Caro papà di Vittorio...», Lettere al secretario generale della CGIL* (Milán: Edizione Angelo Guerini e Associati, 2008), p. 69.

[46] El interés por proyectar una imagen positiva es muy importante en las construcciones autobiográficas incluidas en las peticiones. Cfr. CABRAL BASTOS, Liliana y LEITE DA OLIVEIRA, Maria do Carmo: «Identity and personal/institutional relations: people and tragedy in a health insurance customer service», en De Fina, Schiffrin y Bamberg: *Discourse and Identity...*, p. 190.

> de la toma Centro-Sur, por el Consejo de Defensa, al fascismo, me encontraba en la Plaza de Emilio Castelar (Valencia), en el mismo momento de ser izada la bandera Monárquica. Midiendo los peligros que pudieran existir, para llegar a Francia, decidí vencerlos y en unión de otros dos compañeros salimos a pie dispuestos a cubrir la meta señalada, costara lo que costara, objetivo que fue logrado, después de 19 días de penoso camino [...].[47]

El recorrido que Amador realiza por su vida comienza llamando la atención hacia su vinculación directa con el sindicato en Zamora, del que el peticionario destaca que «fue fundador». A su vez, vemos cómo el autor hace hincapié en los innumerables contratiempos que tuvo que salvar para conseguir llegar hasta Francia, «costara lo que costara». Su narración autobiográfica responde a una idea fundamental que recorre el escrito de principio a fin: su entrega a la causa republicana por encima de cualquier peligro o sacrificio.

A los argumentos del militante y del combatiente se unían otros más personales, más humanos, que tenían que ver con temas de salud, económicos y familiares. Estos temas eran presentados de forma algo diversa, puesto que no se aludía ya al pasado glorioso y orgulloso de haber pertenecido a una causa común, sino que se centraban en la derrota y en las penalidades sufridas tanto por ellos como por sus familiares. Nicolás Ruiz de Valdivia, un maquinista que escribe desde el campo de Septfonds el 20 de agosto de 1939, suplica ser considerado «emigrable» y, para ganarse el favor de Amaro del Rosal, esgrime como argumento personal todo lo que él y su familia habían perdido por servir a la causa antifascista:

> En España, en defensa de nuestra misma causa antifascista he perdido mi humilde pero completo hogar entrando en Francia solamente con lo puesto, en esta, después de seis meses cumplidos veo quebrantar mi salud y si esta situación se prolonga temo perder lo único que me queda que para mí es todo, mi esposa a falta de salud y obligada a soportar nuestra separación.[48]

Aunque algo más de la mitad de los peticionarios utilizaron temas familiares, bien derivados del sacrificio realizado por la República o de la necesidad de la reunificación familiar, tan solo el 16% decidió comenzar su argumentación con los mismos. En el resto de los casos estas argumentaciones aparecen en segundo lugar o, incluso, de forma marginal al final de la petición. A su vez, cabe destacar que, mientras que los datos autobiográficos relacionados con la militancia y la participación activa en la Guerra Civil se presentan de una forma descriptiva, aportando datos, cifras, nombres y lugares, los episodios familiares narrados responden, en cambio, a un discurso más personal, basado en los sentimientos y en las necesidades emocionales. Estas «argumentaciones

[47] Petición de Amador González (Campo de Septfonds) para Amaro del Rosal (París), 26 de agosto de 1939, FPI-AARD, Caja 267, carpeta 1. Los palabras subrayadas aparecen así en el original.

[48] Petición de Nicolás Ruíz de Valdivia (Campo de Septfonds) a Amaro del Rosal (París), 20 de agosto de 1939, FPI-AARD, Caja 267, carpeta 1.

afectivas» buscaban despertar la empatía del lector a través del relato del sufrimiento personal, como se refleja en el ejemplo anteriormente citado.[49] Dicho argumento es común en las cartas de petición y entra dentro de lo que algunos estudiosos han denominado como la «narrativa del sufrimiento»[50] o la «retórica de la miseria»,[51] cuya finalidad era construir una identidad de víctima ante la organización o institución que cumplía el rol de benefactora o protectora. De esta forma, el peticionario conseguía que el organismo al que se dirigía sintiera la necesidad de ser solidario con él y le concediera su ayuda.

Este hecho se puede comprobar, entre otras, en la petición del campesino Francisco Bolano, quien solicita emigrar a Chile desde Vernet d'Ariège el 2 de agosto de 1939, en la que, además de enumerar los argumentos por los cuales él se considera como «apto» para la emigración y en los que coincide con los que han sido expuestos hasta el momento, añade un último párrafo en el que describe cuál ha sido para su familia el balance de la contienda:

> [...] Significando a ustedes que me creo tan emigrable como el 1.º, tanto en la vida civil, como en cuanto respecta a militar, siendo que de este campo salen para México y Chile, hombres que incluso estaban esperando los avales para marchar a España cosa como pueden comprender verdaderamente dolorosa.
>
> [...] El que suscribe no puede regresar a España. Uno por haber pertenecido a la sindical desde que tuve edad para ello, y 2.º Que por mi situación y buen comportamiento durante la campaña, de soldado pasé a ser capitán, pasando por los escalafones citados en la ficha. Por tanto les ruego me dispensen si incurro en faltas ortográficas siendo, que mi capacidad no permite otra cosa por haberme dedicado siempre a las faenas del campo.
>
> Tengan muy en cuenta lo presente.- Mi querido padre fue fusilado por el fascismo el 11 de Noviembre de 1936 y como de costumbre, cortaron el pelo a la madre[,] la purgaron[,] la maltrataron, y lo más cruel y fatal es ser víctima de violación por los Alemanes e Italianos [...].[52]

La petición de Francisco cita todos los argumentos mencionados: él se considera «emigrable» por su pasado civil y militar pero no se detiene en dar demasiados detalles sobre esto. En cambio, llama la atención sobre los destinatarios con una interpelación clara cuando se trata de relatar el sufrimiento familiar: «Tengan muy en cuenta lo presente», lo que refleja la intencionalidad del peticionario a la hora de introducir esos datos autobiográficos, especialmente traumáticos, pero que son consecuencia de su compromiso, y el de su familia, con la causa antifascista.

[49] González Carballás, Lucía, «Clases populares y poder: cartas de emigrantes gallegos», en Rodríguez Gallardo, *La escritura cotidiana contemporánea...*, pp. 52-53.

[50] Cabral Bastos y Leite da Oliveira, «Identity and personal/institutional relations: people and tragedy in a health insurance...», p. 204.

[51] Didier, «La supplique. Stratégies rhétoriques et constructions identitaires...», p. 959.

[52] Petición de Francisco Bolano (Campo de Vernet d'Ariege) para Amaro del Rosal (París), 2 de agosto de 1939, FPI-AARD, Caja 267, carpeta 1.

Militancia sindical, lucha en la contienda civil y sacrificio personal y familiar lo que les convertía en «víctimas», son por tanto, los tres tópicos que los refugiados usaron de manera reiterada en sus «historias de vida» con la finalidad de conseguir aquello que demandaban, siendo por ello los tres pilares sobre los que se estructuraron sus peticiones y en los que pusieron todas sus esperanzas para ser considerados «emigrables». Las distintas secuencias argumentativas que formaron parte de su discurso nos muestran cómo la identidad individual de los refugiados estaba en constante interdependencia con los procesos sociales e ideológicos que les envolvían, lo que provocó que narraran su experiencia personal situándola dentro de la experiencia colectiva de la que formaban parte y utilizando para ello, como forma de autorrepresentación, las voces y los discursos públicos dominantes.[53] Se sentían parte de una comunidad cuyo objetivo principal era la lucha contra el fascismo, siendo esta batalla la que les unía. Por ello, a pesar de las diferencias que podían tener como individuos, todos adoptaron unas consignas comunes, sin importar su clase social o económica, o incluso su rol como peticionario o destinatario de la súplica.

Esta unión entre la «narración individual» y la «colectiva» es una característica común de las «historias de vida» que reflejan momentos traumáticos. Así, el individuo que la realiza suele estar determinado no solo por su propia experiencia, sino también por la de los demás, motivo por el cual es común encontrar ítems repetidos o episodios muy semejantes contados en autobiografías distintas y que, incluso, responden a lugares y momentos diferentes. Esto se debe a que el refugiado no construye su discurso solo mediante sus recuerdos, sino que también inciden en él las narrativas del contexto social al que pertenece. El sentimiento de colectividad y de unión como grupo social ante una tragedia es mayor que las posibles diferencias que puedan existir, que acaban por convertirse en pequeños detalles sin importancia.[54] Como ya advertía Pierre Bourdieu, el individuo se desdibuja en su propia «historia de vida», en la que adquiere un peso mayor el contexto social que le envuelve.[55] Por ejemplo, no importa de dónde son naturales, cómo fue su infancia, cuál fue su formación, cómo era su familia, etc. Lo que verdaderamente hay que destacar en la autobiografía es que han sido «militantes», «combatientes» y «represaliados y víctimas», siendo estas las tres categorías sociales que les conforman como grupo, como colectivo.[56]

[53] De Fina, Anna; Schiffrin, Deborah y bamberg, Michel, «Introduction», en De Fina, Schiffrin y Bamberg (coords.), *Discourse and Identity...*, pp. 13-14.

[54] Schiff, Brian y Noy, Chaim, «Making it personal: shared meanings in the narratives of Holocaust survivors», en De Fina, Schiffrin y Bamberg, *op.cit.*, pp. 398-425.

[55] Bourdieu, «Historia, antropología y fuentes orales...», p. 32.

[56] Según Anna de Fina la identidad del individuo siempre está en relación con una categoría social. Cfr. De Fina, Anna, «Group identity, narrative and self-representations», en De Fina, Schiffrin y Bamberg (coords.), *Discourse and Identity...*, pp. 351-375.

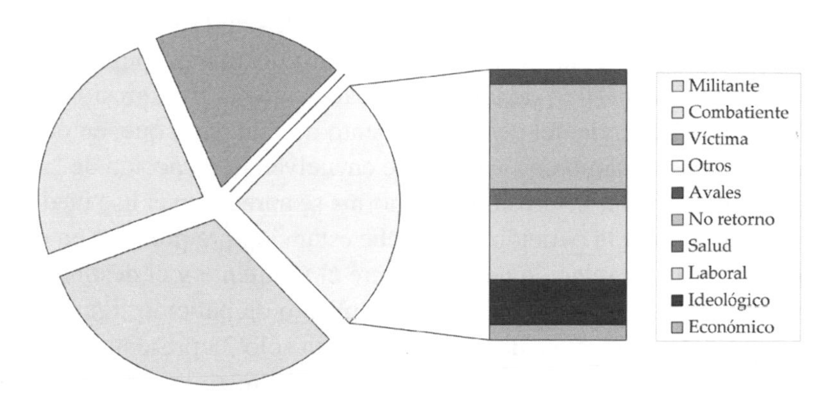

Figura 2. *Gráfico comparativo del uso de los distintos criterios argumentativos en las peticiones, Selección de 25 peticiones conservadas en FPI-AARD 267-1; 267-2; 267-3; 267-3; 322-2, 322-9; 322-11; 322-16; 322-20; 322-24; 322-26; 322-27; 322-30. Elaboración propia.*

4.2. **¿Quién es quién?**

Otro de los rasgos que nos permite ver cómo los refugiados se sentían parte de un colectivo son las «secuencias fáticas» que aparecen en las súplicas a examen. Como advertí en líneas anteriores, dichas secuencias se corresponden con la apertura y el cierre de la carta y nos muestran el carácter dialogal de la misiva. Si observamos los saludos y las despedidas de las súplicas encontramos fórmulas que se alejan de la norma epistolar que establecía que en todo momento debía prevalecer la distancia entre el peticionario y la persona o entidad con el poder de conceder la súplica.

En primer lugar, la fórmula de saludo que más se repite (concretamente aparece en el 64% de las peticiones) es «Apreciable camarada», que presenta algunas variaciones como «Estimado camarada», «Querido camarada» o «Estimado compañero». Tan solo en una de las peticiones analizadas el emisor mantiene las distancias «debidas» con el destinatario y usa la fórmula de «Muy Señor Mío».[57] En segundo lugar, entre las fórmulas de despedida las más frecuentes son: «Queda tuyo/suyo y de la causa», «Queda suyo y de la causa proletaria», que están presentes en un 36% de las súplicas. Aunque en las despedidas hay más variedad que en los saludos, pudiendo encontrar también algunas que hacen hincapié en la lucha: «Salud y democracia, lucharemos hasta morir»; «Con

[57] Manuel Páez Fernández (Eure-et-Loir) para Amaro del Rosal (París), 12 de agosto de 1939, FPI-AARD, Caja 322, carpeta 26-C1; Bartolomé Costa (Perpignan) para Amaro del Rosal (París), 17 de agosto de 1939, FPI-AARD, Caja 322, carpeta 11-C3; Cayetano Cilverio (Bagnères de Bigorre) para Amaro del Rosal (París), 14 de agosto de 1939, FPI-AARD, Caja 322, carpeta 11-C4; Juan Estremes Huguet (s. l.) para Amaro del Rosal (París), s. f., FPI-AARD, Caja 267, carpeta 3; Julio Robles (Campo de Gurs) para Amaro del Rosal (París), 24 de agosto de 1939, FPI- AARD, Caja 267, carpeta 2; y, Juan Alonso Asensio (Limogne, Lot) para Amaro del Rosal (París), 23 de agosto de 1939, FPI-AARD, Caja 322, carpeta 2.

saludos revolucionarios y antifascistas»; «Atentamente le saluda este noble camarada».[58] Saludos y despedidas que se alejan de lo que la norma epistolar estipulaba, como quedó reflejado en el capítulo anterior, donde comprobamos que la transgresión de la norma epistolar no siempre depende del desconocimiento de esta, sino que, en ocasiones, se puede relacionar con los cambios sociales que envuelven la redacción de la misma.

De igual manera, esta transgresión de la norma se aprecia en el uso inadecuado del verbo que debe introducir la petición y que debe estar siempre presente en este tipo de escritos como muestra de relación desigual entre el remitente y el destinatario.[59] Solo 9 de las 25 peticiones presentan un verbo de súplica o de petición. Igualmente, en la totalidad de la muestra seleccionada de 80 cartas, tan solo 33 presentan verbos típicos de la súplica, como «rogar, «solicitar», «pedir», etc. El resto introduce su solicitud a través de verbos que expresan deseo, casi siempre conjugados en condicional: «me gustaría», «desearía», «si pudiera», etc.

Por todo lo expuesto, vemos cómo este análisis textual y discursivo sustenta la idea de que los refugiados españoles fueron capaces de crear un discurso común que perseguía acercarse a sus interlocutores a través de distintas «consignas políticas» o de una «ideología», anteriormente aprendida en su experiencia como sindicalistas y combatientes, que les hacía partícipes de una causa común, motivo por el cual hicieron uso de su «historia de vida» como garante de su compromiso político y, a su vez, como medio para argumentar el derecho que tenían de conseguir lo demandado.[60] Esta apreciación pone de relieve la importancia que tiene la ideología en el proceso de construcción de la identidad, especialmente cuando se trata de una identidad colectiva, de grupos o comunidades.[61]

Finalmente, se corrobora la idea del peticionario como un sujeto pasivo que se ciñe a lo establecido por el poder y le ofrece su autobiografía para ser evaluado, pero también la del sujeto activo que modifica esos datos a través del uso del lenguaje y de un discurso concreto para influir en el poder. Individuos que, a través del uso que hacen del lenguaje

---

[58] Julio Robles (Campo de Gurs) para Amaro del Rosal (París), 24 de agosto de 1939, FPI-AARD, Caja 267, carpeta 2; Nicolás Ruíz de Valdivia (Campo de Septfonds) para Amaro del Rosal (París), 20 de agosto de 1939, FPI-AARD, Caja 267, carpeta 1; José Prats Carbella (Campo de Septfonds) para Amaro del Rosal (París), 23 de agosto de 1939, FPI- AARD, Caja 267, carpeta 1; Bartolomé Costa (Perpignan) para Amaro del Rosal (París), 17 de agosto de 1939, FPI-AARD, Caja 322, carpeta 11-C3; y, Carta de Francisco Bolano (Campo de Vernet d'Ariège) para la Delegación de la UGT (París), 2 de agosto de 1939, FPI-AARD, Caja 267, carpeta 1.

[59] PETRUCCI, «La petición al señor...», pp. 55-63; y, del mismo autor, *La ciencia de la escritura...*, p. 100.

[60] Según Jean-Michel Adam todas las premisas y datos elegidos revelan la idea que el locutor se hace de las representaciones (conocimientos, creencias, ideología) de su interlocutor y buscan convencer al mismo de la credibilidad de sus enunciados. Cfr. ADAM, «Hacia una definición de la secuencia argumentativa...», p. 16.

[61] FAIRCLOUGH, Norman y WODAK, Ruth, «Análisis crítico del discurso», en Van Dijk, Teun A. (comp.), *El discurso como interacción social. Estudios sobre el discurso II. Una introducción multidisciplinaria* (Barcelona: Gedisa, 2000), p. 393.

escrito, transforman el género epistolar que, debido a los acontecimientos traumáticos y extraordinarios, pasa a convertirse en un instrumento en manos de los «desfavorecidos», que ya no solo muestran su rol como «víctimas», sino que también utilizan el mismo para autorrepresentarse como dignos merecedores de aquello que solicitan, como bien demuestra que el argumento más utilizado sea el que les encuadra dentro de las categorías de «militantes» y «combatientes». Justo dentro de estas categorías es donde el peticionario se siente más cómodo para realizar una apropiación mayor del escrito que le permite transgredir la norma estipulada y modificar el discurso epistolar preestablecido.

5. El «lenguaje ugetista»

Que casi todos los refugiados fueran capaces de elaborar un discurso para intentar convencer a su destinatario no quiere decir que todos tuvieran las mismas capacidades para realizarlo. Su distinto nivel cultural, sus diferentes conocimientos gráficos y competencias lingüísticas y su propia experiencia fueron determinantes en el resultado final de sus súplicas. Como colofón a este capítulo, analizaré algunas características gráficas y lingüísticas de estas peticiones para ver cuáles se encuadran en lo que se ha denominado como escritura popular, como comprobaremos en las siguientes líneas.

Comenzando por el análisis morfosintáctico y ortográfico existen ciertas dificultades comunes en la mayor parte de los refugiados, ya que el 73% de las peticiones tienen desviaciones ortográficas y, además, una gran parte de las mismas presentan también variaciones gramaticales y sintácticas. En lo que respecta a la ortografía, buena parte de los refugiados parece desconocer las convenciones ortográficas (43%). Una de las mayores dificultades es la de representar gráficamente algunos fonemas para los cuales existen varios grafemas posibles. Esta confusión se observa en el fonema /x/, representado gráficamente por <ge>, <gi> o por <j>, dando lugar a variaciones como «dirijirme» o «refujiados». Otra de las confusiones más frecuentes se encuentra en la representación del fonema /b/ para el que se utilizan las letras <b> o <v>, dando como resultados registros como «benir», «inbasores», «havitava» o «buestra», entre muchas otras [Figura 3].[62] En algunos casos, esta confusión es producida por una «grafía fonética» (se escribe como se pronuncia, como en «benir») y, en otros casos, por hipercorrección (como en «habitaba»).

Al mismo tiempo, aparecen grafías derivadas de la neutralización de algunos fonemas, como sucede con el seseo (los fonemas /θ/ y /s/ son reducidos a uno solo, /s/) y con el ceceo, que es el mismo proceso, pero a la inversa (reducción de los fonemas /θ/ y /s/ a uno solo /θ/). Estas derivaciones típicas del lenguaje hablado y características de algunas variedades, en concreto de distintos dialectos meridionales del español, suelen

[62] Los ejemplos citados han sido tomados de las siguientes cartas, Juan López Álvarez (Campo de Bram) para Amaro del Rosal (París), 24 de agosto de 1939, FPI-AARD, Caja 267, carpeta 3; y, Antonio Navarro Carrascosa (Mairie de Mondeville, Calvados) para Amaro del Rosal (París), 25 de agosto de 1939, FPI-AARD, Caja 322, carpeta 24-C2.

tener escasa representatividad en el lenguaje escrito, salvo por aquellas personas que no tienen un dominio pleno de la escritura y utilizan de forma intuitiva las letras <z>, <c>, y <s>, como puede verse en «acontesimientos», «nesesito», «meces», o «dezeo».[63] Estas muestras de la oralidad en la escritura provocan que algunos autores hayan afirmado que una de las características de los escribientes poco letrados es que utilizan un «alfabeto fónico» en sus escritos.[64]

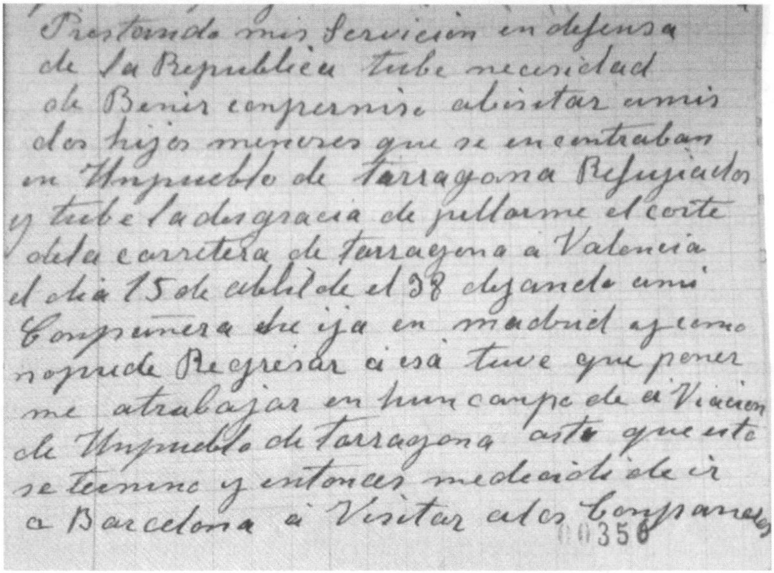

Prestando mis servicion en defensa
de la Republica tube necesidad
de Benir con permiso a bisitar a mis
dos hijos menores que se encontraban
en Unpueblo de Tarragona Refujiados
y tube la desgracia de pillarme el corte
de la carretera de Tarragona a Valencia
el dia 15 de abril de el 38 dejando a mi
Compañera hija en madrid y como
no pude Regresar a esa tuve que poner
me atrabajar en hun campo de a Viacion
de Unpueblo de Tarragona asta que esto
se termino y entonces me decidi de ir
a Barcelona a Visitar a los Compañeros
00356

Figura 3. *Fragmento de la petición de Juan López Álvarez (Campo de Bram) a Amaro del Rosal (Delegación de la UGT, París), 24 de agosto de 1939, FPI-AARD, Caja 267, carpeta 3.*

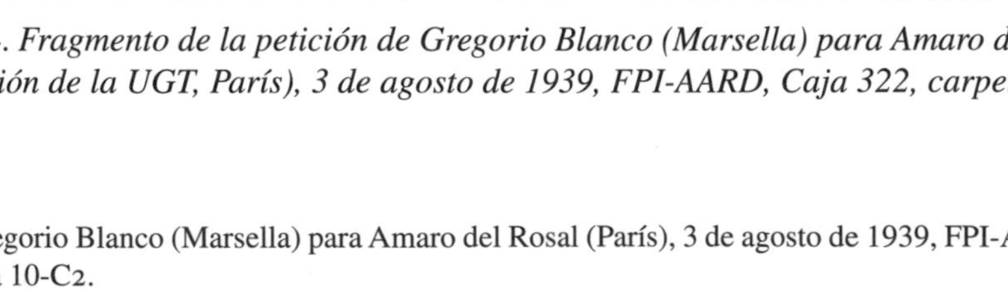

00002
de nuestra U. G. T. seré atendido por estos
compañero en mis deceos, ya que á España
no puedo bolber y Mexico no me interesa.
quiero estar cerca de los acontesimientos que
se a becinan. pero nesesito trabajar para
resolber mi problema economico.

Figura 4. *Fragmento de la petición de Gregorio Blanco (Marsella) para Amaro del Rosal (Delegación de la UGT, París), 3 de agosto de 1939, FPI-AARD, Caja 322, carpeta 10-C2.*

[63] Gregorio Blanco (Marsella) para Amaro del Rosal (París), 3 de agosto de 1939, FPI-AARD, Caja 322, carpeta 10-C2.

[64] ANTONELLI, Quinto, «Appunti su una scrittura popolare», en Leoni y Zadra, *La città di legno. Profughi trentini in Austria…*, pp. 203-212.

Por último, cabe destacar, por su abundante presencia en el corpus analizado el variable empleo de la <h>, que no se corresponde con ningún fonema, dependiendo su uso bien de la evolución latina de la palabra o de convenciones ortográficas que se han realizado a posteriori: «umanitario», «acerlo», «hunirse», son tan solo una pequeña muestra de ello.[65]

Junto a esta casuística es común también encontrarnos dificultades en la puntuación de los textos elaborados, bien por ser inexistentes, inadecuadas o insuficientes o por aparecer en exceso; la segmentación variable de las palabras, con la presencia continua de los fenómenos de hipo e hipersegmentación, y el arbitrario uso de mayúsculas o minúsculas, etc. Alrededor de un 30% de las peticiones muestran alguna de estas características, que son propias de las fases de adquisición gráfica, es decir, de los momentos en los que un individuo se enfrenta al siempre complejo proceso de pasar del lenguaje hablado al lenguaje escrito, sin poseer todavía las herramientas necesarias para superarlo con éxito.[66]

Dentro del ámbito textual, lo más significativo es, sin duda, el continuo recurso a la reiteración que los refugiados hacen con el fin de hilar su desordenado discurso en un intento evidente de dotar a sus súplicas de cohesión y coherencia. Según Marlene Scardamalia y Carl Bereiter, una de las diferencias fundamentales entre los escribientes noveles y los expertos es que los primeros solo consiguen activar el modelo de relato del conocimiento (*knowledge telling*), lo que provoca que sus textos se distingan por ser un conjunto de tópicos repetidos que carecen de una línea argumental, cuyas ideas aparecen desordenadas debido a la falta de previsión en la composición escrita y a la escasa reformulación del texto elaborado, que construyen a través de la copia de modelos o de saberes aprehendidos. En cambio, los escribientes plenamente eficientes son capaces de transformar el conocimiento en composición escrita compleja (*knowledge transforming*), lo que les permite elaborar textos originales de carácter explicativo o argumentativo que requieren de una organización textual mayor.[67]

[65] Los ejemplos pertenecen a las cartas de Manuel García (Montauban, Tarn et Garonne) para Amaro del Rosal (París), 20 de agosto de 1939, FPI-AARD, Caja 322, carpeta 18, C2, docs. 1-2; y, Juan López Álvarez (Campo de Bram) para Amaro del Rosal (París), 24 de agosto de 1939, FPI-AARD, Caja 267, carpeta 3.

[66] Sobre el proceso de adquisición gráfica infantil es de obligada referencia FERREIRO, Emilia; PONTECORVO, Clotilde; RIBEIRO MOREIRA, Nadja y GARCÍA HIDALGO, Isabel, *Caperucita Roja aprende a escribir. Estudios psicolingüísticos comparativos en tres lenguas* (Barcelona: Gedisa, 1998); así como, la aplicación de estas teorías en SIERRA BLAS, *Letras huérfanas*..., pp. 584-638.

[67] SCARDAMALIA, Marlene y BEREITER, Carl, «Knowledge telling and knowledge transforming in written composition», en Rosenberg, Sheldon (ed.), *Advances in Applied Psycholinguistics: Reading, writing, and language learning* (Cambridge: Cambridge University Press, 1987, Vol. 2), pp. 142-175. Agradezco a Ana Luisa Costa que me facilitara este artículo y me diera a conocer a estos autores.

Por otro lado, las dificultades que muchos refugiados tuvieron a la hora de escribir sus cartas han de relacionarse también con el desconocimiento de la naturaleza administrativa o jurídica de las peticiones. En su gran mayoría, los solicitantes forman parte de los denominados por Armando Petrucci como «semialfabetizados funcionales», es decir, poseen limitadas competencias para llevar a cabo un ejercicio de este tipo, pero tienen que hacerlo por necesidad y ello les lleva a asimilar sin comprender los principios del juego.[68]

Aunque ya se han señalado algunos ejemplos que muestran las particularidades lingüísticas de las que estábamos hablando, hay peticiones en las que los escribientes muestran una gran dificultad para redactar el escrito debido a sus escasas competencias alfabéticas, lo que nos permite ver aunadas en un solo documento la mayor parte de las características citadas. Por ejemplo, la petición de Román Gandarillas, un mutilado de guerra refugiado en Francia junto a su mujer y su suegra que fue castigado y enviado a Barcarès por salir del refugio en el que se encontraba sin permiso para ir a la Prefectura.

Román presenta un ductus irregular e inseguro, que refleja su escasa familiaridad con el instrumento de escritura. A su vez, tiene problemas para respetar los márgenes, no separa un párrafo de otro, la puntuación empleada no es la adecuada y todo ello le impide ordenar la información, influyendo en la legibilidad del texto. Este aspecto está íntimamente relacionado con la estructura que le da al discurso: los hechos son presentados de forma atropellada, va relatando lo sucedido según le viene a la memoria, sin preocuparse de darle sentido: «me an castigado sin rrazon/ ninguna cuando el rrepresentante de su// rrefuguio se digo estas/ palabras amisuegra si/ quería rre unirse con/ los yjos tenia que ir/ para España y os tante/ ha esto me fui ha perfectu/ra haber sien esto podia/ hazer algo para ser rreuni/dos toda la familia».[69] El texto es presentado como un *continuum*, tanto en la forma, como revela la segmentación irregular de las palabras: «medirigo», misituación», «sinpermiso»; como en el fondo, debido a la incapacidad de planificación textual y a la falta de un dominio culto de la escritura. Por otro lado, en cuanto a las características ortográficas destacan la representación no convencional de los fonemas /x/ y /b/ y el uso de la letra /h/: «dirigo», «escrive» «hasi», «aga»; y la duplicación de consonantes al inicio de palabra, especialmente, cuando quiere representar el sonido [r] como si se tratase de una vibrante múltiple, que solo se usa en posición intervocálica, fruto de la generalización de una regla ortográfica en un contexto inadecuado, como se observa en «rrefugio», «rreclamar», «rrepresentante».

[68] Petrucci establece seis categorías para definir el grado de alfabetización de un individuo: cultos, alfabetizados profesionales, alfabetizados instrumentales, semianalfabetos funcionales, semianalfabetos gráficos y analfabetos. Cfr. Petrucci, *La ciencia de la escritura...*, pp. 29-30.

[69] Román Gandarillas (Campo de Barcarès) para Amaro del Rosal (París), 30 de julio de 1939, FPI-AARD, Caja 267, carpeta 3.

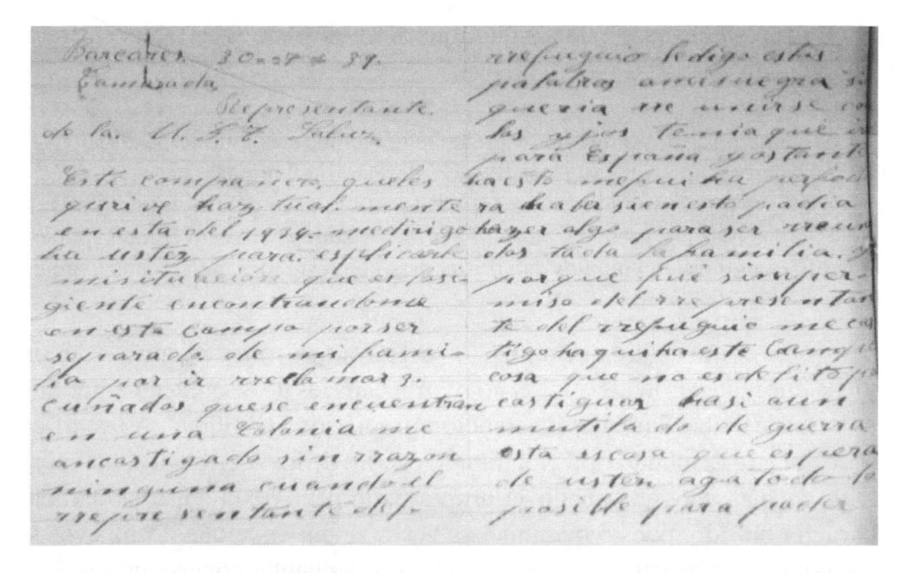

Barcarès 30-7-39.
Gandarillas
Representante
de la U.G.T. [illegible]
Este compañero que les
quiere [illegible] mente
en esta del 1939 me dirijo
ha usted para explicarle
mi situación que es la siguiente encontrandome
en este campo por ser
separado de mi fami-
lia por ir reclamar 9
cuñados que se encuentran
en una colonia me
an castigado sin razon
ninguna cuando el
representante del

refugio le digo estas
palabras a mi negra si
queria reunirse co
los hijos tenia que ir
para España [illegible]
hasta me fui ha [illegible]
[illegible] padia
hazer algo para ser reun
dos toda la familia y
porque fue simple
miso del representan
te del refugio me cas
tigo ha [illegible] este campo
cosa que no es delito p
castiguar hasí aun
mutila de guerra
esta escasa que espera
de usted aga todo lo
posible para poder

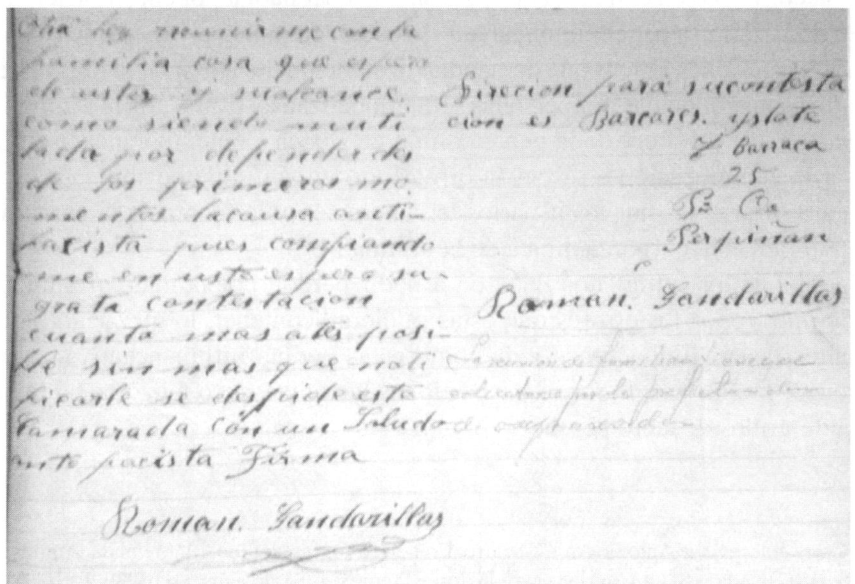

estar reunirme con la
familia cosa que espero
de usted y [illegible]
como siendo muti
lado por defenderme
de los primeros mo
mentos la causa anti-
fascista pues confiando
me en usted espero su
grata contestacion
cuanto mas antes posi-
ble sin mas que noti
ficarle se despide este
camarada con un saludo
antifascista Firma
Roman Gandarillas

Direccion para su contesta
cion es Barcarès. Islote
7 Barraca
25
3ª Cª
Perpiñan
Roman. Gandarillas

Figura 5. *Petición de Román Gandarillas (Campo de Barcarès) para Amaro del Rosal Díaz (Delegación de la UGT, París), 30 de julio de 1939, FPI-AARD, Caja 267, carpeta 3.*

Las continuas interjecciones de lo oral en lo escrito, fruto de las cuales son muchas de las características ya señaladas, se evidencian también en las llamadas de atención que el emisor realiza al destinatario con la intención de establecer una cadena dialogada con él. Entre otras, destacamos la petición colectiva de seis refugiados internos en Saint-Cyprien que demandan a Dolores Piera algunos bienes de primera necesidad, como ropa, conservas, sellos, etc. En la petición, que transcribo a continuación, he destacado en cursiva las expresiones que muestran el deseo de establecer ese diálogo «encadenado» con el receptor de la misiva:

> Salud.
>
> Los camaradas firmantes de la presente relacion, todos de la Sindical UGT y del P[artido] deseariamos que aser posible nos mandarais alpargatas, papel y sobres, algo de conservas (ya que la comida mas pronto escasea) y por lo demas vosotros mismos pues esto eslo que mas nos interesa, *claro que direis*, y sellos pero esto como suponemos que se nos hara algo difícil aquí nos dan dos al mes pero este mes, aun no nos lo an dado, *asi es que vosotros mismos.*[70]

Expresiones como «claro que diréis» o «así es que vosotros mismos», denotan que las personas que redactaron la petición no fueron capaces de diferenciar entre las expresiones coloquiales y las llamadas de atención propias de la oralidad. A las dificultades para discernir entre el mundo oral y el mundo escrito de los escribientes inexpertos que ya han sido citadas, hay que añadir la propia naturaleza de la epístola, caracterizada por su carácter híbrido, puesto que muchas veces se entiende que las misivas son una especie de conversación entre ausentes, que al no poder hablar por encontrarse separados recurren a la escritura para comunicarse.[71] Esta característica provoca que sea habitual encontrar expresiones fáticas que demandan la atención del lector de la misiva, máxime si las cartas son producidas por personas semialfabetizadas. Como afirma Antonio Gibelli, el acceso a la escritura de la gente común en Época Contemporánea abrió nuevas puertas a la comunicación a distancia ofreciendo un sinfín de posibilidades, pero no pudo «garantizar a sus nuevos usuarios la concreción y la fuerza de la comunicación directa, fuertemente corpórea, típica de la oralidad».[72]

Algunos de los refugiados llegaron a pedir perdón por la mala presentación de sus peticiones o por los errores que éstas pudieran contener, lo que denota que eran conscientes de sus limitaciones y de cómo estas podían influir negativamente en el destinatario:[73] «Sin más, te ruego me perdones las faltas, pero tengo la cabeza que es una olla de grillos de tanto pensar».[74]

[70] Carta colectiva de Antonio Anjó Navarro, Francisco Barque Jarque, M. Meninda, Antonio Loberia y Jordi Reus (Campo de Saint-Cyprien) para Dolores Piera (s. l.), 4 de agosto de 1939. FPI-AARD, Caja 267, carpeta 1. Dolores Piera tuvo un cargo destacado en la *Unió de Dones de Catalunya*. Durante su exilio trabajó en la *Oficina Internacional d'Ajut a la Infància*.

[71] ADAM, «Les genres du discours épistolaire. De la rhétorique à l'analyse pragmatique...», p. 40.

[72] GIBELLI, Antonio, «Emigrantes y soldados. La escritura como práctica de masas en los siglos XIX y XX», en Castillo Gómez (coord.), *La conquista del alfabeto...*, pp. 202-203.

[73] La petición de perdón por la mala escritura es un rasgo común de la epistolografía popular, tanto es así que algunos autores como Attilio Bartoli afirman que dichas fórmulas corresponden al esquema prefijado de las mismas. Cfr. BARTOLI LANGELI, Attilio, *La scrittura dell'italiano* (Bolonia: Il Mulino, 2000), pp. 161-162.

[74] Petición de Alfonso Gimeno Marín (Campo de Septfonds) para Felipe Pretel (París), 21 de octubre de 1939, FPI-AARD, Caja 267, carpeta 1.

Todos los rasgos observados en las peticiones de Román Gandarillas o la colectiva de Antonio Anjó, entre otros, muestran algunas de las características de la «escritura popular» que he constatado en el análisis realizado y que se apoyan en otros estudios que desde los años 90 en adelante se han preocupado por esta categoría, como por ejemplo los trabajos llevados a cabo por Armando Petrucci y Attilio Bartoli para el caso italiano;[75] el estudio de las características de las escrituras producidas por las «maos inabis» analizadas por Rita Marquilhas;[76] los diversos análisis desarrollados por Antonio Castillo Gómez, entre otros, para el caso español;[77] o el trabajo de Claire Blanche-Beneviste, centrado en la relación entre oralidad y escritura.[78]

Las peculiaridades que acabo de citar reflejan, principalmente, un uso alejado del patrón de escritura aunque, como ha señalado alguno de los autores citados, la presencia de estas características no tiene por qué ser equilibrada ni acumulativa dependiendo siempre del grado de alfabetización de los escribientes. Todo ello es fruto de una alfabetización incompleta que provoca que algunos refugiados no pudieran realizar sus súplicas con la corrección que estas requerían ya que su condición de «escribientes inexpertos» les conllevaba serias limitaciones para la composición textual, lo que no impidió, sin embargo, que muchos se lanzaran a esta tarea con la esperanza puesta en esos trozos de papel que tenían el poder de cambiar su destino.

Aunque casi todos los refugiados, al menos los que escribieron las súplicas que aquí se analizan, consiguieron superar las dificultades enumeradas, unos con mayor suerte y acierto que otros, no faltaron los que se rindieron y acabaron por solicitar los servicios de un delegado gráfico, igual que vimos en el capítulo anterior. La presencia de estos intermediarios es visible en aquellas peticiones en las que existe una clara diferencia entre la rúbrica y el texto de la misiva o bien a aquellas peticiones colectivas en las que dos o más emisores elevan a su destinatario una súplica conjunta. Ambos casos representan únicamente el 15% del total.

En cuanto a las peticiones colectivas del fondo analizado, éstas solían firmarse por entre 2 y 4 personas que tenían una relación de parentesco o de amistad, pero hay casos

[75] PETRUCCI, Armando, «Para la historia del alfabetismo y de la cultura escrita: métodos, materiales y problemas», en Petrucci, *Alfabetismo, escritura, sociedad...*, pp. 25-39; y, del mismo autor, «Escrituras marginales y escribientes subalternos», *Signo. Revista de Historia de la Cultura escrita*, 7 (2000), pp. 67-75; y BARTOLI LANGELI, *La scrittura dell'italiano...*, pp. 161-166.

[76] MARQUILHAS, Rita, *A Faculdade das letras. Leitura e escrita em Portugal no séc. XVII* (Lisboa: Imprenta Nacional-Casa da Moeda, 2000); y, de la misma autora, «¿Analfabetismo o funcionarios? Vestigio de la tradición burocrática», en Castillo Gómez, *La conquista del alfabeto...*, pp. 267-285.

[77] CASTILLO GÓMEZ, Antonio, «Tras la huella escrita de la gente común», en Castillo Gómez, Antonio (ed.), *Cultura escrita y clases subalternas: una mirada española* (Oiartzun: Sendoa, 2001), pp. 9-34.; y del mismo autor: «De la suscripción a la necesidad de escribir...»; RUBALCABA PÉREZ, Carmen, *Entre las calles vivas de las palabras* (Gijón: Trea, 2006).

[78] BLANCHE-BENVENISTE, Claire, *Estudios lingüísticos sobre la relación entre oralidad y escritura*, (Barcelona: Gedisa, 1998).

que se trataba de colectividades enteras que demandaban la evacuación colectiva a otro país para en él poder desarrollar de forma conjunta su actividad laboral, como puede apreciarse en esta firmada por más de 30 campesinos, con edades comprendidas entre los 20 y los 44 años, pero enviada por Pedro Hurtado en representación de todos a la UGT el 24 de agosto de 1939 desde Barcarès:

> [...] Solo pedimos si se nos puede conceder terreno, en Méjico para cultivarlo directamente y para sacar el máximo rendimiento de nuestra buena boluntad y técnica de la tierra [...].
>
> Comprender compañeros que nosotros de pena lloramos en estos campos de arena misera, viendo como nuestros fuertes brazos, nuestra juventud, nuestra salud y nuestra producción, se hace impotente en estas arenas, cuando nosotros sabemos que nuestro trabajo es un paso más hacia la Victoria.[79]

En definitiva, fuera de forma colectiva o individual, por mano de algún compañero o propia, con mejor o peor grafía y con más o menos alteraciones ortográficas, los exiliados españoles emplearon todas sus fuerzas, argumentos e ilusiones en escribir sus peticiones para ser incluidos en una de las listas que les concediera un pasaje hacia una nueva vida. Palabras usadas como balas en lo que ellos consideraban como la continuación de su lucha antifascista, batalla que esta vez tenían que librar a través de la escritura.

[79] Petición colectiva de Pedro Hurtado y otros (Campo de Barcarès) para la Delegación de la UGT (París), 24 de agosto de 1939, FPI-AARD, Caja 267, carpeta 3.

Capítulo V
México: País de acogida
Las solicitudes al CTARE

Qué hilo tan fino, qué delgado junco
—de acero fiel— nos une y nos separa
con España presente en el recuerdo,
con México presente en la esperanza.
Repite el mar sus cóncavos azules,
repite el cielo sus tranquilas aguas
y entre el cielo y el mar ensayan vuelos
de análoga ambición nuestras miradas.
España que perdimos, no nos pierdas;
guárdanos en tu frente derrumbada,
conserva a tu costado el hueco vivo
de nuestra ausencia amarga
que un día volveremos, más veloces,
sobre la densa y poderosa espalda
de este mar, con los brazos ondeantes
y el latido del mar en la garganta.
Y tú, México libre, pueblo abierto
al ágil viento y a la luz del alba,
indios de clara estirpe, campesinos
con tierras, con simientes y con máquinas;
proletarios gigantes de anchas manos
que forjan el destino de la patria;
pueblo libre de México
como otro tiempo por la mar salada
te va un río español de sangre roja,
de generosa sangre desbordada.
Pero eres tú esta vez quien nos conquistas,
y para siempre, ¡oh vieja y nueva España![*]

[*] Garfias, Pedro, *Entre España y México* (poema escrito y publicado a bordo del Sinaia, *Diario de la 1.ª expedición de republicanos españoles a México*, 18, 12 de junio de 1939), p. 19. Reproducido en Serrano Migallon, Fernando, *Los barcos de la libertad. Diarios de viaje. Sinaia, Ipanema y Mexique (Mayo-julio de 1939)* (México D. F.: Colegio de México, 2006), p. 136.

> En primer lugar, os envío un cariñoso saludo a mi llegada a México, procedente de Francia, por vuestro enorme trabajo realizado a favor de los republicanos españoles, trabajo que todos los españoles honrados reconocemos y sabemos agradecer a ese gran organismo que tan honradamente nos representa a los españoles en nuestra emigración. Así como también agradecemos, y os pedimos, sigáis haciendo todo cuanto podáis por los que aún quedan en los campos de Francia, para que puedan venir a nuestro lado y dejen de sufrir del criminal trato que allí se les está dando.[1]

Con este mensaje de agradecimiento comenzaba Julián Olmos la carta que el 9 de septiembre de 1940 enviaba, desde la ciudad de San Cristóbal de las Casas (Chiapas), a José Puche, presidente del CTARE. En esta petición, además de reconocer la labor llevada a cabo por dicho organismo, algo que no todos los refugiados hicieron, realizaba dos demandas, una de carácter personal, información sobre dos amigos desaparecidos, y otra colectiva, que sus compañeros recluidos en los campos franceses no fueran olvidados.

Vemos, por tanto, cómo el mensaje enviado por las diferentes organizaciones de ayuda, partidos políticos y sindicatos antes de que los refugiados pusieran rumbo hacia sus nuevos países de adopción no había caído en saco roto para la mayor parte de los españoles que arribaron a las costas americanas a partir del verano de 1939. En el capítulo anterior, señalé que desde dichos organismos se empeñaron en hacer partícipes a quiénes les pedían ayuda del sentimiento de unión que debía estar siempre presente en ellos y de que allá donde fueran debían defender las ideas que les habían conducido hacia su exilio, mensaje que caló en el ideario y la conciencia de los refugiados.

En México comenzaba para muchos el episodio de una nueva vida, lejos, esta vez sí, de la guerra y la violencia. El «ventanal luminoso de México» siguiendo las palabras de Domingo Rex, uno de los exiliados que llegó al país azteca, se abría para los refugiados aportando un rayo de luz a la penumbra en la que habían vivido inmersos durante los últimos años de su existencia.[2] Habían alcanzado la tierra prometida, pero lo habían hecho sin más equipaje que el que conformaban sus sueños rotos y la ilusión por cambiar su destino. Por ello, en esta nueva etapa de su trayectoria, siguió siendo fundamental la escritura de peticiones, gracias a la cual podían solicitar todo aquello de lo que carecían. De esta forma, se mantenía su particular relación de interdependencia con un Estado derrotado pero empeñado en sustentarles.

La palabra, lejos de oxidarse, siguió siendo su mejor arma de lucha. Ahora, ya estaban entrenados para su uso, puesto que la mayoría conocía el funcionamiento administrativo y burocrático de los organismos de ayuda a los que se dirigían y eran muy

[1] Petición de Julián Olmos Sebastián (San Cristóbal de las Casas, Chiapas) para José Puche (Oficinas del CTARE, México D. F.), 9 de septiembre de 1940, AH-BINAH, CTARE. Sección Gobernación y Coordinación (Gob. y Coord.) expedientes de refugiados, rollo 131, exp. de Julián Olmos Sebastián.

[2] REX, Domingo, *Un español en México. Confesiones de un transterrado* (México: Talleres Fuentes Impresores, 1983), p. 51.

conscientes de cuál debía ser el discurso que debían contener sus peticiones para que éstas fueran escuchadas. No debemos olvidar que su presencia en México se debía, en buena parte, a otras súplicas redactadas durante otros momentos del exilio. Así pues, las peticiones conservadas en el Archivo Histórico del CTARE, integrado en el Archivo Histórico de la Biblioteca del Instituto Nacional de Antropología e Historia (AH-BINAH) en México D. F., son quizás las menos espontáneas a las que nos enfrentamos, debido a que la experiencia que los refugiados tenían en su redacción no era la misma que cuando comenzaron a dar los primeros pasos del éxodo.[3]

Si en los capítulos anteriores he analizado las características principales, tanto internas como externas, de las cartas de súplica producidas a lo largo de la trayectoria de los refugiados españoles, en el estudio de caso que sigue a estas páginas quiero profundizar en otros aspectos que envuelven a la súplica y que la acaban configurando como un documento vivo: su procedimiento administrativo y su conservación. Solo de esta manera podemos saber cómo estas peticiones terminaron contribuyendo a la configuración de la memoria del exilio español.

1. Volver a empezar al otro lado del océano

El apoyo del presidente mexicano Lázaro Cárdenas a la República española había quedado patente desde el inicio de la contienda, cuando el país azteca envió una pequeña contribución de armas al frente, que, si bien no fue decisiva para el desarrollo de la confrontación bélica, sí que mostraba la buena disposición del Gobierno mexicano hacia la República. Una voluntad de socorro y auxilio que se manifestó en otras ocasiones, especialmente cuando, en los momentos previos a la derrota republicana, varios representantes del Gobierno de Negrín acudieron a México para pedir a Cárdenas la acogida de los posibles evacuados españoles. Entre otros, Juan Simeón Vidarte, secretario general del PSOE, quien fue uno de los primeros en entrevistarse con el presidente mexicano. En este encuentro Vidarte preguntó a Cárdenas hasta dónde llegaba su compromiso con la causa republicana y si estaba dispuesto a recibir a los republicanos derrotados. La respuesta de este no dejaba lugar a dudas: «Si ese momento llegase, puede usted decir a su Gobierno que los republicanos españoles encontrarán en México una segunda patria. Les abriremos los brazos con la emoción y cariño que su noble lucha por la libertad y la independencia de su país merecen».[4]

[3] Un primer acercamiento a las mismas puede verse en ADÁMEZ CASTRO, Guadalupe, «"Soy un átomo de escasa percepción..." Peticiones de los refugiados españoles al CTARE», en Castillo Gómez y Sierra Blas (dirs.), *Cinco siglos de cartas. Historia y prácticas epistolares*..., pp. 337-355; y «Un pasaporte hacia la libertad. Súplicas y solicitudes de los exiliados españoles al Comité Técnico de Ayuda a los Republicanos españoles», *Vínculos de Historia*, 5 (2016), pp. 290-308.

[4] SIMEÓN VIDARTE, Juan, *Todos fuimos culpables* (México D. F.: Fondo de Cultura Económica, 1973), p. 788.

México ya había acogido a algunos españoles durante la contienda, concretamente a dos pequeños, pero muy significativos, grupos: los niños de Morelia y los intelectuales de la Casa de España.[5] Pero fue al finalizar la misma, y ante la masiva llegada de exiliados a Francia y el internamiento de buena parte de estos en los campos de concentración, cuando el Gobierno mexicano cumplió su palabra y abrió las fronteras de su país a los entre 20.000 y 24.000 españoles, teniendo en cuenta las cifras oficiales, que arribaron a sus costas a partir del verano de 1939.[6]

El presidente Cárdenas recibió a estos refugiados como un acto de solidaridad ante una población desvalida y un Gobierno derrotado con el que compartía buena parte de su ideario. Pero, a su vez, también pensaba en los beneficios que esa «fuerza humana», en palabras de Dolores Pla, podía suponer para México en un momento de crecimiento económico e industrial. No obstante, un sector de la opinión pública mexicana se mostró reticente ante la llegada de este contingente de españoles, ya que pensaban que iban a ocasionar problemas de orden político y laboral.[7] Por ese motivo, Cárdenas, en un intento por evitar la confrontación y las críticas, puso una serie de limitaciones para el traslado y la selección. La primera había quedado clara desde el principio: las instituciones republicanas debían ser las encargadas de costear el viaje y el mantenimiento de los refugiados durante los primeros meses que pasaran en su nuevo país de acogida; la segunda, era la prohibición del establecimiento de los mismos en grandes ciudades, especialmente en la capital, puesto que lo que se pretendía era repoblar algunas zonas de México y fortalecer la economía de lugares menos desarrollados. Por otro lado, el Gobierno mexicano fijó unos criterios para la selección de inmigrantes, de la que siempre tenía la última palabra la Delegación Mexicana en Francia: el 60% debían ser agricultores, el 30% artesanos y técnicos cualificados y, el 10% intelectuales.[8] Aunque, como reflejan las numerosas obras que se refieren al exilio español en México, si la primera medida se cumplió a rajatabla y los viajes y primeros meses del refugiado fueron costeados por el SERE o, posteriormente, por la JARE, el resto fue un rotundo fracaso.

[5] Sobre los niños de Morelia remito a PLA BRUGAT, Dolores, *Los Niños de Morelia. Un estudio sobre los primeros refugiados españoles en México* (México D. F.: Conaculta; INAH, 1999); PAYÁ VALERA, Emeterio, *Los niños de españoles de Morelia: El exilio infantil en México* (Jalisco: Colegio de Jalisco, 2002); y, SIERRA BLAS, Verónica: «"Con el corazón en la mano...". Cultura escrita, exilio y vida cotidiana en las cartas de los padres de los niños de Morelia», en Castillo Gómez, Antonio (dir.) y Sierra Blas, Verónica (coord.), *Mis primeros pasos. Alfabetización, escuela y usos cotidianos de la escritura (siglos XIX y XX)* (Gijón: Trea, 2008), pp. 415-458. Sobre la Casa de España remito a LIDA, Clara E.; MATESANZ, José Antonio y ZORAIDA VÁZQUEZ, Josefina, *La Casa de España y el Colegio de México. Memoria 1938-2000* (México D.F.: El Colegio de México, 2000).

[6] PLA BRUGAT, Dolores, *Els exiliats catalans. Un estudio de la emigración republicana española en México* (México D. F.: INAH, 1999), p. 160.

[7] PLA BRUGAT, «El exilio republicano en Hispanoamérica...», p. 102.

[8] PLA BRUGAT, *Els exiliats catalans...*, pp. 142-143.

No voy a profundizar en cómo se realizó la selección de los refugiados emigrados en México ni cómo y porqué los porcentajes finales tuvieron tan poco que ver con los propuestos en un inicio, pues es un tema que ya he tratado en el segundo capítulo de este libro. Lo que interesa conocer ahora es cómo fue la llegada de estos refugiados a México, para muchos el último viaje en su experiencia como exiliados, y qué papel jugó el CTARE en su acomodo a fin de contextualizar el contenido y alcance de las súplicas escritas en este momento.

Las tres grandes expediciones que transportaron un número mayor de refugiados a México en el verano de 1939 fueron el *Sinaia* con 1.599 personas a bordo, el *Mexique* con 2.067 personas y el *Ipanema* con 994 pasajeros. A estas cifras hay que sumar las procedentes de los que arribaron a México en pequeños grupos familiares. A finales de agosto de 1939 se encontraban allí alrededor de 6.000 españoles a los que había que procurar alojamiento, manutención y trabajo para que en poco tiempo pudieran subsistir por sus propios medios.[9] El SERE, que se había encargado de costear parte de estos viajes desde París, precisaba contar con un organismo que estuviera cerca y conociera la realidad mexicana para poder ayudar a estos refugiados de tal forma que no entrara en conflicto con el Gobierno mexicano al incumplir su parte del trato. Fue así como se decidió crear una delegación en México que se ocupara de la gestión de las ayudas a los exiliados y de auxiliarles durante sus primeros meses de estancia en el país azteca.

Figura 1. *Fotografía de algunos refugiados desembarcando del* Sinaia, *Veracruz, 13 de junio de 1939, Archivo fotográfico de los Hermanos Mayo. AGN-CDMH, Sección Cronológica, Sobre 3, Neg. 104.*

[9] ALTED VIGIL, *La voz de los vencidos. ...*, p. 218.

Así nació el CTARE, el 29 de junio de 1939, dos semanas después de la primera llegada masiva de refugiados a México a bordo del *Sinaia*. Dicho Comité estaba presidido por el doctor D. José Puche Álvarez y se encargó de sostener a los refugiados y acompañarles durante sus primeros pasos en México. Al principio funcionó con los fondos que le mandaba Francisco Méndez Aspe, ministro de Hacienda del Gobierno de Negrín, pero poco tiempo después se creó la Financiera Industrial y Agrícola (FIASA) con el objetivo de invertir el dinero que poseía el Comité y de esta forma poder sostener sus propias tareas de auxilio. A pesar de la pérdida del cargamento del Vita, que cayó en manos de Prieto como ya advertí, el CTARE inició su andadura con un presupuesto que oscilaba en torno a los dos millones de dólares, unos diez millones de pesos, lo que suponía la cuarta parte de los recursos manejados por Negrín.[10] De estos fondos, aproximadamente la mitad fueron a parar a los servicios y préstamos a los refugiados. La otra mitad se empleó en las inversiones empresariales ya que éstas fueron uno de los objetivos primordiales del Comité.[11]

En cuanto a las ayudas directas a los refugiados, cabe destacar los subsidios personales otorgados a todos los considerados como cabeza de familia que arribaron a las costas aztecas. Estos subsidios, que supusieron un 30% de los gastos de este apartado, no entraban dentro de los planes del Comité y resultaron poco efectivos puesto que supusieron un gran desembolso de fondos, mientras que a los refugiados no les alcanzaba para cubrir todas sus necesidades.[12] A partir del mes de diciembre de 1939 se instó a todos los refugiados, que todavía dependían de los subsidios del Comité, a registrarse en alguno de los albergues y de los comedores creados por el CTARE, puesto que los subsidios dejaron de concederse a partir del mes de enero de 1940.[13]

De su funcionamiento tenemos un valioso testimonio en Daniel Vieitez, quien llegó al país azteca en el mes de julio de 1939 a bordo del *Ipanema*, procedente de uno de los campos de concentración franceses. Gracias a su profesión de abogado consiguió trabajar en las oficinas del CTARE, concretamente se dedicaba a revisar y tramitar la documentación que enviaban otros refugiados. En la entrevista concedida para el Archivo de la Palabra, explicó cómo fueron sus primeros días en México y la labor realizada por el SERE:

> [...] Ya desde la estación nos fueron diciendo en qué alojamientos podíamos estar; seguía pagando el SERE. Y la gente se distribuyó, casi todos a, muy alrededor, por la parte de la colonia Roma, creo que era, o Condesa [...]. Y en hotelitos y en fondas y demás;

[10] MATEOS, *La batalla de México...*, p. 87. Aurelio Velázquez apunta a que el presupuesto total con el que contó dicho Comité ascendió a 11.365.444.36 pesos mexicanos. Cfr. VELÁZQUEZ HERNÁNDEZ, *La otra cara del exilio. Los organismos de ayuda...*, p. 121.

[11] VELÁZQUEZ HERNÁNDEZ, *op. cit.*, pp. 166 y ss.

[12] VELÁZQUEZ HERNÁNDEZ, *op. cit.*, p. 168

[13] Aviso Urgente del Comité, México D. F., 27 de diciembre de 1939. AH-BINAH, CTARE, Oficina de Trabajo, rollo 118, exp. 6385.

> alrededor de eso, nos íbamos acomodando, porque luego había que pasar por el SERE a identificarse. Y allí le daba a uno a diario, le daban a uno, según la familia que tenía, dos – tres pesos diarios, que en aquel entonces era mucho. [...] Había también comedor, sí. Había algún refugio. Pero todo eso duró muy poco. La gente se fue colocando. Entonces en México era bastante fácil.[14]

Daniel Vieitez nos muestra cómo, además de los subsidios, los refugiados también podían hacer uso de los albergues y de los comedores establecidos por el Comité. Hasta 29 albergues, muchos de los cuales también contaban con servicio de comedor, instaló y mantuvo el CTARE en México, de los cuales 12 estuvieron en la capital. Para poder acceder a ellos los refugiados tan solo tenían que demostrar que carecían de un trabajo con que sustentarse y realizar la correspondiente solicitud en las Oficinas del Comité.

Pero más allá de los subsidios, los comedores y los albergues, el Comité tuvo otro objetivo mucho más ambicioso que el de ser un organismo asistencial que procurara pan y cama a los refugiados. Una de las finalidades con las que había sido ideado el Comité era crear empleo estable para los exiliados en México, para de esta forma beneficiar tanto a los refugiados como al Gobierno mexicano, a los primeros dándoles la oportunidad de tener con qué ganarse la vida en un nuevo país, y al segundo, aportando a México numerosos beneficios que favorecieran su desarrollo demográfico, social y económico, tal y como había planeado Lázaro Cárdenas.[15] Para llevar a cabo este propósito debían ser muy cuidadosos a la hora de elegir los sectores donde crear empresas, asegurándose de que éstas no entraran en competencia con la economía nacional. Según Aurelio Velázquez, el CTARE se configuró como un verdadero «Comité Técnico», puesto que estaba formado por especialistas en distintas materias que evaluaban la viabilidad de los proyectos empresariales llevados a cabo por el Comité y, a su vez, se aseguraban de que el Gobierno mexicano estuviera de acuerdo con ellos. Cada miembro del consejo era experto en una materia: el Dr. Puche se encargaba de los asuntos médicos, Agustín Millares Carlo de los educativos, José Carner prestaba especial atención a los culturales (era el encargado de la editorial Séneca) y para los proyectos agrarios e industriales contaban con Joaquín Lozano y Martín Díaz de Cossío como analistas.[16]

El fracaso de algunas de las empresas creadas, el agotamiento de los fondos de los que disponía el Comité y el enfrentamiento entre Negrín y Prieto, son algunas de las razones que llevaron a la disolución del CTARE en 1942. No obstante, la labor que desempeñó esta organización asistencial durante los primeros años de exilio fue imprescindible. Atendieron a 8.700 personas que de una forma o de otra se beneficiaron de su

[14] Entrevista realizada por Enriqueta Tuñón a Daniel Vieitez en México D. F., septiembre y noviembre de 1987. Archivo de la Palabra. INAH y MCU. PHO/10/85. Consultada la versión transcrita en el CDMH, Libro 114, p. 196.

[15] ORDÓÑEZ ALONSO, *El Comité Técnico de Ayuda a los Republicanos españoles...*, p. 21.

[16] VELÁZQUEZ HERNÁNDEZ, «El exilio español, ¿Un impulso económico para México?... », pp. 4-5.

ayuda.[17] Y, para que dicha ayuda fuera posible, todos tuvieron que recurrir a la escritura de una carta de súplica puesto que así lo estipulaban las normas del Comité, como podemos comprobar en un anuncio publicado por dicho organismo el 24 de junio de 1940:

> AVISO IMPORTANTE
> Se pone en conocimiento de todos los compatriotas, que las peticiones de albergue, comedor, mutualidad médico-farmacéutica, etc., deberán hacerse por escrito, consignando en el mismo las circunstancias que concurren en cada caso y que obligan a solicitar ayuda, así como el domicilio donde habrá de serles dirigida la contestación, que también se hará por escrito. México, 24 de junio de 1940.[18]

2. Los recién llegados

Crescenciano Aguado Merino, natural de Autilla del Pino (Palencia), de 45 años, abogado, cruzó la frontera con Francia por la Junquera el 9 de febrero de 1939 y se instaló en Perpignan.[19] Antonio Ainsa Pardo, campesino y ganadero de 28 años, natural de Llosa de Sobremonte (Huesca), salió de España el 10 de febrero en 1939 y estuvo internado en el campo de concentración de Septfonds.[20] Catalina Greito Vilaplana, viuda, 23 años, enfermera y nacida en Cabañal (Valencia), atravesó los Pirineos en el mes de febrero de 1939 e ingresó en el campo de Saint-Cyprien.[21]

Crescenciano, Antonio y Catalina provenían de familias distintas, de lugares diferentes y separados entre sí; tenían intereses y aficiones dispares. Durante años habían vivido sin saber los unos de la existencia de los otros y quién sabe si alguna vez supieron de ella. Pero su historia particular, en un momento determinado, quedó unida para siempre dentro de la historia colectiva del exilio puesto que los tres consiguieron el preciado pasaje hacía las costas aztecas. Igual que muchos otros españoles, ellos huyeron de España tras la caída de Cataluña, vivieron en Francia durante su primer éxodo (aunque en condiciones diversas) y, finalmente, compartieron las instalaciones del *Sinaia* en la travesía hacia México. Una vez allí los tres elevaron una súplica a las Oficinas del Comité. Crescenciano pedía que se mantuviera el subsidio a sus sobrinos, recién llegados a México y menores de edad; Antonio solicitaba información sobre un amigo que había llegado a México como él, a bordo del *Sinaia* pero del que desconocía su paradero; y, finalmente, Catalina suplicaba trabajo y un préstamo para hacer frente a la difícil situación en la que se encontraba tras el fallecimiento de su marido como consecuencia de su maltrecha salud debilitada por su participación en la guerra.

[17] Alted Vigil, *La voz de los vencidos...*, p. 232.

[18] Aviso urgente del Comité, México D. F., 27 de diciembre de 1939, AH-BINAH, CTARE, Oficina de Trabajo, rollo 118, exp. 6385.

[19] AH-BINAH, CTARE, Estadística, exp. personales, rollo 1, exp. de Crescenciano Aguado Merino.

[20] AH-BINAH, CTARE, Estadística, exp. personales, rollo 1, exp. de Antonio Ainsa Pardo.

[21] AH-BINAH, CTARE, Estadística, exp. personales, rollo 25, exp. de Catalina Greito Vilaplana.

¿Quién sabe si estos tres personajes interactuaron, se cruzaron en la proa del barco que les conducía hacía un mundo nuevo, intercambiaron expresiones e ideas sobre la guerra o la política, o asistieron juntos a algunas de las conferencias que se dieron durante el viaje?[22] Todos estos detalles se nos escapan pero lo que sí podemos afirmar es que, aunque aparentemente no fuera mucho lo que les uniera antes de la Guerra Civil, sí lo era lo que tenían en común tras la derrota republicana y, prueba de ello, es la conservación de sus cartas de súplica en el Archivo del CTARE.

Sus cartas, entre otros, pueden servir para ejemplificar que tipo de personas escribieron al Comité pidiendo ayuda, pues si algo distingue a este fondo es su heterogeneidad socio-profesional: agricultores, abogados, campesinos, contables, peritos agrícolas, carpinteros, sastres, enfermeras, médicos, metalúrgicos, amas de casa, etc.[23] Aunque no siempre es fácil precisar a qué se dedicaban los peticionarios, de los datos consignados en las cartas de súplica se deduce que la mayoría de ellos estaban empleados en actividades terciarias. Según el estudio de caso realizado por Dolores Pla Brugat, basado en un minucioso análisis de los 5.434 expedientes personales conservados en el CTARE, se trató de un exilio básicamente familiar, proveniente de toda la península ibérica (con cierto predominio de las grandes ciudades como Madrid y Barcelona, de donde provenían la tercera parte) y con algún compromiso político o sindical, algo que no es de extrañar ya que, como he apuntado, en la selección primaron los criterios políticos según los porcentajes asignados a cada partido o sindicato.[24]

En conclusión, estamos ante una emigración familiar y preminentemente urbana con un alto número de intelectuales pero sin perder de vista al elevado porcentaje de «refugiados del común», que son los que tienen una mayor presencia en el fondo analizado. Tal y como afirmaron muchos exiliados en las entrevistas que concedieron para el Proyecto Archivo de la Palabra, como Pascual Casanova Rius, quien llegó a México en el *Niasa*, y respondió de la siguiente forma cuándo le preguntaron por la aportación de los refugiados a México:

[22] Para más información sobre las actividades culturales que se llevaron a cabo durante los viajes del *Ipanema*, el *Sinaia* y el *Mexique* remito a los propios diarios que se editaron a bordo, SERRANO MIGALLÓN, *Los barcos de la libertad. Diarios de viaje...*

[23] La Legación de México en París, en septiembre de 1939, apuntaba un 13,34% de campesinos, un 23,39% obreros, alrededor de 8% eran oficinistas o técnicos, un 13% se correspondían con los militares u otros oficios, y el porcentaje más elevado era el de los intelectuales, que ascendía hasta algo más del 40%. Si bien estos porcentajes deben ser tomados con precaución, especialmente en lo referente a los intelectuales pues hubo una tendencia generalizada a incluir en este grupo a colectivos que si bien tenían una educación superior, no eran intelectuales en sentido estricto de la palabra. Así, Dolores Pla, afirma que el 48,77% de los refugiados que llegaron a México pertenecían al sector terciario pero que de ellos sólo alrededor del 7% podían ser considerados artistas o intelectuales, siendo mayoría los dedicados a las profesiones liberales (15%). Cfr. PLA BRUGAT, *Els exiliats catalans...*, p. 168 y VELÁZQUEZ HERNÁNDEZ, *La otra cara del exilio. Los organismos de ayuda...*, p. 88.

[24] PLA BRUGAT, *El exiliats catalans...*, p. 172.

> [...] Pues vino gente, sí, vino gente, eh, profesionistas, vino gente, profesores, eh, gente eminente, pues esto, esta gente pues influyó en forma positiva en el país, vino gente de, de extracción más humilde, pero eran, por ejemplo, eh, campesinos que aportaron mucha, muchas ideas nuevas para la explotación del campo, por ejemplo. Vinieron obreros, muchos obreros especializados, sobre todo en textiles [...].[25]

Como ya avancé páginas atrás, el sistema de auxilios establecido por el Comité requería que las peticiones fuesen realizadas a nivel familiar, normalmente por el varón cabeza de familia. De ahí que en el conjunto analizado, el 85% de las súplicas pertenezcan a hombres, mientras que el 15% restante son de mujeres, con una notable intervención de viudas (8 sobre 18). Estos datos concuerdan con el estudio realizado por la profesora Pilar Domínguez Prats sobre las fichas de la JARE, quien afirma que tan solo el 15% de las mismas fueron realizadas por mujeres que en ese momento cumplían el rol de cabeza de familia, tratándose, sobre todo, de viudas, solteras o mujeres separadas.[26] Por lo tanto, salvo casos aislados, podemos determinar que las mujeres que se dirigieron a las instituciones de ayuda en México lo hicieron porque no tenían cerca la presencia de un varón que lo hiciera por ellas. Incluso hubo algunos organismos, como la JARE, en los que existió, dentro de la propia junta, un Comité Femenino encargado de llevar a trámite todo lo referido al ámbito doméstico y familiar, como las becas de los colegios subvencionados por la institución o las ayudas familiares que se otorgaban en forma de préstamo.[27]

Otra característica de los suplicantes que se dirigieron al CTARE es que la mayor parte no tuvo problemas para realizar las peticiones. Esto, sin duda, está relacionado con la selección previa llevada a cabo por el SERE, que provocó que los españoles que arribaron a México tuviesen una formación académica y profesional por encima de la media del entramado social del que se habían desgajado. Según las fichas abiertas por el CTARE, solo un 1,4% de ellos eran analfabetos, cuando el índice de analfabetismo en la España de 1940 ascendía al 23%.[28] Casi el 80% de las peticiones analizadas están realizadas de forma adecuada, siguiendo las características que he analizado en los capítulos anteriores, lo que puede atribuirse tanto a la mayor competencia lecto-escritora de los suplicantes como a la experiencia que habían adquirido en la realización de este ejercicio epistolar a lo largo de su trayectoria como exiliados.

[25] Entrevista realizada por Dolores Pla Brugat a Pascual Casanova Rius en Guadalajara (México), del día 17 al 20 de agosto de 1974. Archivo de la Palabra. INAH y MCU. PHO/10/41. Consultada la versión transcrita que se conserva en el CDMH, Libro 23, pp. 225-226.

[26] Domínguez Prats, *De ciudadanas a exiliadas. Un estudio sobre las republicanas españolas...*, pp. 96-101.

[27] Domínguez Prats, Pilar, «El exilio republicano a México en los años cuarenta. Una emigración asistida», *Tebeto: Anuncio del Archivo Histórico insular de Fuerteventura,* 2/2 (1992), pp. 330 y ss.

[28] Pla Brugat, Dolores, «Características del exilio en México en 1939», en Lida, Clara E., *Una inmigración privilegiada. Comerciantes, empresarios y profesionales españoles en México en los s. xix y xx* (Madrid: Alianza Editorial, 1994), p. 227. La cifra del porcentaje de analfabetismo en España pertenece a Vilanova Ribas y Moreno Juliá, *Atlas de la evolución del analfabetismo en España...*, p. 68.

¿Y qué motivos desencadenaron las peticiones? Pues ni todas las cartas contenían una única petición ni la solicitud fue la única razón para dirigirse al CTARE, ya que algunas cartas incluyeron mensajes de agradecimiento o quejas hacía el Comité. En estas últimas se denunciaba el trato de favor que este organismo mostraba hacía ciertas personas dependiendo de su tendencia política o de su relación con la República, así como a la gestión que el CTARE hacía de las ayudas o del dinero del que disponía.

En el fondo trabajado, la solicitud que más se repite es la autorización para entrar en México (30% del total). Esto puede deberse a que la mayor parte de los expedientes consultados provienen de la sección Gobernación y Coordinación, que era la encargada de tramitar los permisos y viajes de los exiliados a México. En algunos casos estas súplicas eran realizadas por gente que estaba en Francia o en otros lugares y se dirigía al Comité solicitando su viaje a México, aunque este no era el procedimiento adecuado, como he podido constatar, entre otros, con el expediente de Eleonor Madrenas, una refugiada en Francia que solicitó ayuda al CTARE para que este intercediera respecto a la solicitud que había mandado al SERE, en París, pidiendo su evacuación. Eleonor se excusó diciendo que escribía a la Comisión Mexicana del SERE, según ella lo denominaba, porque así se lo habían recomendado y por la urgencia que tenía de emigrar a dicho país:

> Arc-et-Senans, 23/6/39
> Comisión Mexicana del SERE
> Atención Sr. Puche
> Muy señores míos:
> Me permito dirigirles estas líneas, enviándoles en primer lugar un cordial saludo, y confirmando además la ficha que hace ya un tiempo envié debidamente *requisitada* (sic) a sus oficinas de París.
> Mis intenciones son las de evacuar de territorio francés y como por mis actividades ideológicas estoy comprendida entre los elementos que bajo ningún concepto pueden volver a España en tanto el fascismo detente el poder, no dudo tendrán en cuenta mi caso lo antes posible.
> [...] Yo estoy deseando que se me avise cuanto antes, y aunque en París, mi caso, al igual que el de los demás, estará en trámite para ser resuelto favorablemente, les agradeceré a ustedes hagan cuanto esté de su mano para abreviarlo, pues esta vida monótona es enervante.
> Yo deseo trabajar. Soy activa y seria. Tengo 28 años. Poseo fuertes nociones de francés. Mi profesión es la de taquimecanógrafa. Conozco a la perfección los trabajos generales de organización y oficina.
> No dudando tendrán a bien contestarme reciban un cordial saludo de
> Eleonor Madrenas.[29]

[29] Petición de Eleonor Madrenas (Centro de refugiados españoles, Arc-et-Senans) para José Puche (Oficinas del CTARE, México D. F.), 23 de junio de 1939. AH-BINAH, CTARE, Gob. y Coord., exp. de refugiados, rollo 130, exp. de Eleonor Madrenas.

En el expediente se conserva la respuesta que dio José Puche a esta petición, lo que confirma que, ante este tipo de demandas, el SERE tenía la última palabra y poco era lo que el Comité podía hacer: «Tomamos nota de su deseo, estando dispuestos a hacer todo lo posible para que sea realizado [...] Debemos manifestarle que la selección y embarque de los compatriotas que se encuentran en Francia es función del SERE en París».[30] De ahí que cuando no se tenía a ninguna persona que avalara o existía alguna circunstancia especial que justificara la demanda de emigración a México al CTARE, ésta se realizaba, comúnmente, a otro tipo de organismos asistenciales.

En cambio, es habitual la presencia de peticiones realizadas por familiares y amigos de refugiados en Francia que vivían en México y escribían al Comité reclamando a sus seres queridos y comprometiéndose a hacerse cargo de su manutención cuando éstos llegaran.[31] Hay ocasiones en las que incluso se ofrecían a pagar los gastos derivados del viaje y tan solo necesitaban la ayuda logística del Comité. En estas «súplicas intermediadas» se exponía la situación de los familiares haciendo hincapié en la necesidad que tenían de viajar hacia México. Como prueba de ello era común aludir a las cartas que habían recibido desde Francia u otros lugares en las que los familiares exponían la situación de abandono en la que se encontraban. Veamos un ejemplo en la súplica dirigida por Desiderio García Velartu al Comité, el 4 de enero de 1940, en la que pedía que algunos de sus familiares recluidos en campos de concentración o en refugios franceses pudieran ser evacuados a México:

> [...] Que por cartas que posee el solicitante, se ha enterado de que la vida en Francia se les hace cada día más imposible a los repetidos familiares.
>
> Por todo lo que se atreve a solicitar de U[ste]d se autorice la entrada en este país de los familiares en cuestión, en el bien entendido que el exponente corre con los gastos que la estancia de todos ellos ocasionaren en esta República, caso de no hallar trabajo los susodichos familiares.[32]

El caso de Desiderio no es aislado, pues fueron muchos los refugiados que utilizaron las cartas de sus familiares como pruebas irrefutables del infortunio de los seres queridos. Otros exiliados pensaron que la mejor forma de demostrar el estado de necesidad en el que se encontraban era desprendiéndose de esas misivas y enviándolas al Comité junto a sus peticiones para así reforzar sus solicitudes. Esta fue la estrategia seguida por la

[30] Carta de José Puche (Oficinas del CTARE, México D. F.) para Eleonor Madrenas (Centro de refugiados españoles, Arc-et-Senans, Francia), 7 de agosto de 1939. AH-BINAH, CTARE, Gob. y Coord., exp. de refugiados, rollo 130, exp. de Eleonor Madrenas.

[31] Estas cartas tendrían mucho que ver con lo que se conoce en la historiografía como «cartas de llamada». Sobre esta tipología véase Otte, Enrique, *Cartas privadas de emigrantes a Indias, 1540-1616* (Sevilla: Consejería de Cultura, 1988), pp. 25-28.

[32] Petición de Desiderio García Velartu (México D. F.) para el CTARE (Oficinas del CTARE, México D. F.), 4 de enero de 1940. AH-BINAH, CTARE, Gob. y Coord., exp. de refugiados, rollo 132, exp. de Aquiles Sánchez Sánchez, Fortunata Blanco Blanco y Santiago González Ojamburen.

exiliada Juanita Serrano, quien escribió desde México a la Secretaría de Gobernación para pedir que unos sobrinos suyos fueran sacados del campo de concentración en el que estaban y enviados a México donde ella se ocuparía de ellos. Tras varias cartas dirigidas a diferentes secciones del Comité y a distintas personalidades que trabajaban en el mismo, Juanita optó por enviar junto a sus peticiones una carta de su sobrina Pilar García Freire en la que ésta le contaba la desesperada situación que estaba viviendo en Francia con el inicio de la II Guerra Mundial:

> Querida tía Juanita:
>
> [...] Yo le escribí a usted en los primeros días de septiembre recién estallada la nueva guerra que desgraciadamente nos ha vuelto a encontrar. Entonces le decía, y hoy se lo repito, que con motivo de la guerra no sé cuál será al fin nuestro destino. Por el momento, Carlos se encuentra todavía en el campo de concentración pero no sabe si saldrá de ahí para ir a trabajar a una fábrica de guerra o si no tendrá más remedio que alistarse en la Legión extranjera.
>
> Como ve usted, tía Juanita, la vida en lugar de arreglarnos parece complacerse en ponerse cada día más negra.[33]

Esta carta incluye una anotación de Juanita con el nombre de su sobrina y la dirección del lugar en el que se encontraba, lo que manifiesta la esperanza que tenía puesta en que el Comité se pusiera en contacto con ella para solucionar su situación.

Tras las peticiones de entrada, las más numerosas son las súplicas escritas para conocer el paradero de algún familiar, para averiguar la dirección postal de algún amigo o para utilizar al CTARE como lugar de envío de cartas y recibo de las mismas cuando no se poseía un lugar fijo de residencia. El 19% de las súplicas tiene este origen. Esto vuelve a mostrar la necesidad de los refugiados en México de seguir manteniendo el contacto con todo lo que habían dejado atrás y el uso de la epístola como la principal transmisora de noticias en ese periodo. Dicho contacto no fue fácil, los refugiados se trasladaban con frecuencia de un lugar a otro, lo que motivaba que fueran muchos los familiares que perdían la pista a sus seres queridos, por lo que no tenían otra salida que escribir al CTARE para que este, utilizando sus registros y sus expedientes, facilitara los datos sobre personas que estaban desaparecidas.

A estas peticiones les siguen aquéllas en las que se solicita ropa (11%) o dinero (8%). También encontramos peticiones para salir de los campos de concentración franceses (8%), trabajo (7%) o subsidio (7%). Generalmente, en el caso de los exiliados y exiliadas que solicitaban dinero o ropa lo hacían pensando en tener mayores posibilidades para encontrar un empleo. Es el caso de María Joaquina Olivares Mateos, viuda de 62 años, y su hija María Aliseda Olivares, de 23 años y soltera, que escribieron una

[33] Carta de Pilar García Freire (Faillères, Francia) para Juanita Serrano (México D. F.), el 12 de octubre de 1939. AH-BINAH, CTARE, Gob. y coord., exp. de refugiados, rollo 129, exp. de Juanita Serrano.

carta conjunta en la que solicitaban al Comité el dinero suficiente para poder comprarse algunos objetos que les permitieran trabajar y sacar adelante a su familia:

> Muy S[eño]res nuestros:
>
> Como refugiadas y para reintegración de familia que constituimos con nuestro hijo y hermano respectivamente [...], hemos venido hace unos días con el deseo de encontrar medio de trabajo con que poder vivir al igual que tantos miles de compatriotas que por nuestras circunstancias familiares no podemos volver a nuestro país.
>
> Al objeto de poder comprarnos utensilios de trabajo: una máquina de coser con la que poder hacer en casa trabajo, que esperamos nos den en varias tiendas, y otra de escribir, aunque sea a plazos, para trabajar como mecanógrafa en copias, así como para los utensilios y muebles más indispensables con que podernos instalar en una modestísima vivienda, solicitamos de ese Comité se nos conceda en concepto de subsidio, donativo o ayuda la cantidad que estimen justa [...].
>
> Muy at[entamen]te les saludan.
>
> María Joaquina Olivares y María Aliseda.[34]

Hay otro 20% de demandas que aparecen en las súplicas con una temática muy variada y difícil de clasificar debido a su propia heterogeneidad: solicitudes de albergue o comedor, peticiones de asistencia sanitaria, cartas en las que se informaba sobre deudas contraídas con la FIASA. Un maremagno de peticiones que esconden una gran diversidad de motivos lo que nos conduce hacia dos conclusiones. La primera, la versatilidad de la modalidad epistolar que nos ocupa, en el cual encajan tantas temáticas como necesidades que solventar.[35] La segunda, la amplitud de las actividades de auxilio llevadas a cabo por el CTARE, lo que la define como uno de los organismos con mayor margen de actuación del exilio español.

Dada esta amplitud de funciones y preocupado por la heterogeneidad de las necesidades de los refugiados, el CTARE elaboró una memoria en la que figuraban las peticiones más comunes, 19 ítems en los que el Comité hacia un repaso de los motivos más recurrentes en las demandas de subsidio: para instalarse en casas particulares y abandonar los albergues, para la adquisición de herramientas y la puesta en marcha de negocios propios, etc.[36] Curiosamente muchas de las peticiones eran aquéllas para las que el Comité se negaba a dar un subsidio como el ya citado caso de María Joaquina y su hija cuya súplica fue desestimada.[37] Desde el 4 de septiembre de 1939, y según un

[34] Petición de María Joaquina Olivares y María Aliseda (México D. F.) al CTARE (Oficinas del CTARE, México D. F), s. f., AH-BINAH, CTARE, Gob. y Coord., exp. de refugiados, rollo 128, exp. de María Joaquina Olivares.

[35] SIERRA BLAS, «"En espera de su bondad, comprensión y piedad". Cartas de súplica...», p. 172.

[36] *Memoria de las finalidades que correspondientemente se alegan por los peticionarios de préstamos y auxilios para fundamentar sus instancias,* México D. F., s. f. AH-BINAH, CTARE, Secretaría General, Correspondencia Oficial, rollo 137, exp. 6512.

[37] Cfr. Acta del Consejo del Comité, México D. F., 10 de abril de 1940, AH-BINAH, CTARE, Secretaría General, rollo 136, exp. 6476.

comunicado oficial del Comité, se instaba a todos los refugiados que buscaban empleo a que no lo hiciesen pensando en negocios particulares, sino que ofreciesen sus servicios a la Oficina de Trabajo desde donde, teniendo en cuenta su formación y sus aptitudes, intentarían colocarles en alguna de las iniciativas empresariales llevadas a cabo por el Comité, lo que les serviría para reincorporarse al mundo laboral al mismo tiempo que participaban de los círculos comunes del exilio español.[38] A pesar de las buenas intenciones, el Comité con estas iniciativas tan solo consiguió dar trabajo a 850 personas, un número ínfimo si tenemos en cuenta el presupuesto con el que contaban y que suponía casi el 40% del total del fondo que manejaban.[39]

Finalmente, en cuanto al contenido de las súplicas, cabe destacar que un 15% de las mismas, independientemente de su motivación, aparece la narración autobiográfica que, como ya mostré en el capítulo anterior, se utilizaba como un mecanismo para justificar y reforzar la súplica destacando que era su lealtad a la causa republicana lo que les había conducido a la situación en la que se encontraban, por lo que entendían quc la República les debía auxiliar para que pudieran comenzar de nuevo y, con ellos, resurgieran con más fuerza los ideales por los que habían luchado. Además, algunos refugiados demandaban aquello a lo que consideraban tener derecho comparándose con otros casos de compañeros a los que sí se les había concedido la ayuda, incluso teniendo una implicación menor, entre otros Manuel Cocluo quien solicitó en el mes de agosto de 1940 un auxilio urgente para lo cual escribió una larga autobiografía en la que tras detallar todas las circunstancias que envolvían su exilio, exigió que, como funcionario del Estado, se resolviera su situación:

> [...] El balance de la post-guerra, se resume, para mí, así: padre, fusilado en Valladolid el 6 de agosto de 1936; madre y un hijito de 7 años, en la miseria, en España; hermano, bajo mi tutela, capitán de E.M, en uno de los horribles R[egimien]tos de Trabajo, en África francesa; esposa e hijito de 4 años, en Francia, hoy en ignorado paradero, ya que, mientras tanto irresponsable ha sido evacuado, no lo han podido ser mis familiares. Y yo tras 16 meses del más negro cautiverio en los campos especiales de Francia, aquí, en Coatzacoalcos, deshecho moral y físicamente, sin ropa con que vestirme y aun lo que es peor, sin medios económicos para gestionar el paradero de mis desgraciados esposa e hijo, ya que de la S.E.R.E., actual *destinadora* (sic) de este asilo en que me encuentro, nada puedo esperar, dada mi filiación y opinión política y sobre [ilegible].
>
> Yo, S[eño]r Director, soy un funcionario del Estado, con el cual tenía establecido un contrato bilateral, el cual cumplí yo siempre estrictamente. Creo que todo lo que sea representación de aquel Estado tiene el deber de no dejarme abandonado, con el mayor desamparo, a más, como dejo indicado, demostrado, por razones que, aun cuando sospecho no puedo categorizar, no percibí el auxilio a que tenía derecho con la consecuencia trágica

[38] Comunicado del CTARE, México D. F., 4 de septiembre de 1939. AH-BINAH, CTARE, Secretaría General, Correspondencia Oficial, rollo 137.

[39] VELÁZQUEZ HERNÁNDEZ, *La otra cara del exilio. Los organismos de ayuda...*, p. 270.

> de que mi mujer e hijo, tras largos y penosos meses de miseria y hambre en el campo de Argelès, les he perdido, quizás, para siempre. Todo esto se dice fácilmente, pero es algo terrible, máxime cuando se tiene una ejecutoria como la mía y hace uno, forzosamente, *sublevantes* (sic) juicios comparativos.
>
> Ignoro la resolución de continuidad que tendrá ese Comité en el S.E.R.E., pero como quiera que sea, me dirijo a U[ste]d[e]s en petición de lo siguiente:
>
> [...] Que, en consideración a mi servicio a la causa republicana y a mi condición de funcionario del Estado, se resuelva, en la medida de las posibilidades que tenga ese organismo, mi dolorosa actual situación, al igual que se ha hecho en casos idénticos.[40]

Queda claro como Manuel, igual que tantos otros, entiende que tenía un «contrato bilateral» con el Estado republicano y que mientras existieran organismos que le representaran estos tenían el deber y la obligación de protegerles, como ellos habían protegido a la República en el campo de batalla. Un ejercicio de reciprocidad que provocaba que tanto los refugiados como las instituciones de ayuda se necesitasen mutuamente, para que de esta forma continuasen construyendo deudas y lealtades imprescindibles de cara al mantenimiento del derrotado estado republicano y a la pertenencia de los exiliados al mismo.

3. Un documento vivo: el trámite administrativo

A lo largo de la Historia, y dado su carácter administrativo, la súplica suele conservarse en los archivos de los organismos o las instituciones a las que fueron enviadas junto a los expedientes que ellas mismas propiciaron. Un hecho que ha permitido, a quien se ha acercado a esta tipología documental, reconstruir la historia de los más débiles, de aquellos que, si no hubiera sido por su participación en este ejercicio de desigualdad, nunca hubieran formado parte del acervo de un archivo. Pero fue precisamente su estado de necesidad el que provocó que sus palabras se conservaran y que en torno a sus peticiones se generaran pequeños registros de sus vidas anónimas.[41] Sin embargo, detrás de la tramitación y de la conservación de dicha documentación se puede observar algo más que la mera lógica administrativa puesto que en los casos en los que las peticiones fueron enviadas a organismos asistenciales existió también una voluntad de registro y de memoria. Así pues, las diferentes instituciones de ayuda que surgieron en el periodo de entreguerras, entre las que sitúo las que protagonizan este libro, tenían como uno de sus objetivos «inventariar» a los refugiados de los que tenían que ocuparse y, para ello, el archivo de sus súplicas resultó fundamental.

[40] Petición de Manuel Cocluo (Coatzacoalcos, México D. F.) para José Puche (Oficinas del CTARE, México D. F.), 19 de agosto de 1940, AH-BINAH, CTARE, Gob. y Coord., exp. de refugiados, rollo 128, exp. Manuel Cocluo Gil.

[41] Lo que ha provocado que las súplicas sean una documentación excelente para el avance de la Historia Social; Gibelli, «Lettere ai potenti...» y Heerma Van Voss, «Petitions in Social History...».

Generalmente, en los citados archivos las cartas de súplica conviven con otro tipo de documentos tales como las fichas de registro, notas aclaratorias, informes internos, respuestas al trámite administrativo, etc. Estos pequeños volúmenes documentales suelen dar lugar a expedientes gracias a los cuales podemos reconstruir parte de la vida de los suplicantes pero también el funcionamiento interno de la institución a la que fueron dirigidas, sin olvidar que aportan una valiosa información sobre la época y el contexto en el que fueron producidas. Por todo ello, cuando se plantea un estudio total de las cartas de súplica es obligado detenerse en su propia historia, es decir, en el camino que siguieron las peticiones desde su redacción hasta su resolución definitiva. Algo que es imposible realizar en algunos de los fondos de peticiones del exilio español. Sería impensable, por ejemplo, llevarlo a cabo en las solicitudes enviadas a las delegaciones de la Asistencia Social analizadas en el tercer capítulo y cuya conservación fue aleatoria e improvisada, pero no para el caso del CTARE, gracias al cuidado y el empeño que se puso en la conformación y la conservación de los expedientes personales que contenían las citadas peticiones. Algo, que como veremos, no fue fruto del azar.

3.1. **Las peticiones, un reflejo del funcionamiento del Comité**

El primer paso que los refugiados debían realizar una vez que habían redactado sus solicitudes era proceder a su envío y conocer el procedimiento que debían seguir para que sus súplicas fueran leídas. Así, los exiliados debían interesarse por el cómo, el dónde y el por qué debían escribir sus demandas de auxilio a las Oficinas del CTARE. En primer lugar, resulta lógico pensar que los exiliados supieron del funcionamiento de las peticiones a través de las propias oficinas y delegaciones del CTARE, ya que nada más llegar a México debían registrarse como refugiados españoles (si no lo hacían podían perder el derecho a las ayudas), donde con toda probabilidad les comunicarían el procedimiento a seguir en caso de necesidad.

Otra opción es que los refugiados conocieran y leyeran el *Boletín al Servicio de la Emigración Española,* una publicación semanal editada por el propio Comité cuyo primer número data del 15 de agosto de 1939 y el último el 17 de agosto de 1940. En él, se solían divulgar anuncios o comunicados de interés para todos que en muchas ocasiones estaban relacionados con la gestión de las ayudas.[42] A la vez que informaban de los asuntos importantes, el Boletín sirvió también como un órgano de propaganda y publicidad de la labor realizada por el CTARE, como una carta abierta de la institución a todos los refugiados, como ellos mismos afirmaron en su primer número:

[42] El *Boletín al Servicio de la Emigración Española* se conserva en la Biblioteca Nacional de la Universidad Nacional Autónoma de México (UNAM). Desde aquí quiero agradecer a Jorge de Hoyos Puente que me diera las pistas necesarias para encontrar los ejemplares del Boletín.

Aspiramos, quienes lo escribimos, a que el Boletín sea el nexo espiritual entre todos los emigrados y pretendemos que su llegada a los hogares españoles produzca la emoción de una carta familiar por la que se ha de saber qué es, qué hacen, dónde andan, cómo viven, las personas queridas. Una carta que, además les hable de las preocupaciones comunes, de las comunes ilusiones para que unos sepan cómo van en el alma de los otros y éstos en las de aquellos y por el continuo contacto y la mutua comunicación, todos se sientan aliviados en las pesadumbres y estimulados en la esperanza. El Boletín quiere ser, pues, una manera de correo y sus redactores amanuenses o memorialistas que escriban, casi al dictado, lo que cada emigrado quisiera decir a todos y a cada uno de sus compatriotas, a los que están en el Nuevo Continente y a los que quedaron en el Viejo y tienen todavía la cabeza sobre sus hombros.[43]

Por último, no debemos pasar por alto uno de los medios más eficaces durante el exilio para enterarse de los procedimientos administrativos a seguir para la tramitación de los auxilios, que no es otro que la tradicional difusión de noticias de forma oral, el conocido vulgarmente como el «boca a boca». Una de las mayores obsesiones de los exiliados era conseguir las preciadas ayudas con lo cual es normal que la tramitación para obtener las mismas ocupara buena parte de sus conversaciones. Como prueba valga la carta escrita por Eugenio Alcaide al Comité, en la que le solicitaba que continuaran enviándole el Boletín a su domicilio para de esta forma estar enterado de la suerte de los refugiados. En ella Eugenio, agricultor de 28 años de edad y con escasos conocimientos gramaticales y ortográficos, como refleja la petición, explicaba al Comité cómo había conseguido su dirección a través de un conocido:

Mi más estimado camarada:
Salud te deseo al ser ésta en su mano, yo bien por el momento. Después de saludarlo, pasó a decidle que, habiéndome enterado por Mariano Jiménez Huerta que cesa de funcionar esta delegación de Puebla y dándome la seña donde tenía que dirigirme en lo sucesivo, quiero ponerme en contacto para todo lo que sea útil. Como les ruego que a estas seña[s] me manden el Boletín, [así] como otras noticias que pudieran ser útil[es].[44]

Cuando la súplica llegaba a las Oficinas del Comité, sito en la calle Sinaloa, comenzaba todo el procedimiento administrativo que constaba de diversos trámites sostenidos todos a través de un circuito de escritura. Se trataba, pues, de un procedimiento complejo y, quizás, excesivamente burocratizado, que generaba mucho trabajo a los funcionarios de las oficinas del CTARE, donde llegaron a emplearse hasta 60 personas.[45]

[43] *Boletín al Servicio de la Emigración Española,* 1, 15 de agosto de 1939, p. 1. Biblioteca Nacional de la UNAM. México D. F.

[44] Petición de Eugenio Alcaide (Puebla) para José Puche (Oficinas del CTARE, México D. F.), 5 de enero de 1940. AH-BINAH, CTARE, Estadística, exp. personales, rollo 2, exp. de Eugenio Alcaide Zapata.

[45] Además del desembolso para el Comité que significaba esta pesada carga burocrática. Velázquez Hernández, *La otra cara del exilio. Los organismos de ayuda...,* p. 167.

En primer lugar, se asignaba a cada solicitud el número de registro de entrada y se sellaba, aunque no todas las cartas presentan estos sellos. Tras esto, eran leídas por los trabajadores del Comité a fin de realizar las primeras diligencias. Rehacer este proceso es complicado ya que, desafortunadamente, no se ha conservado ningún reglamento interno que explique cómo funcionaba el entramado administrativo que giraba en torno a las ayudas. La ausencia de documentación que atestigüe este trámite es algo común a los informes y las instancias ya que se trata de documentos generados con gran rapidez, con una circulación limitada al peticionario y a las oficinas de la entidad.[46] Por otro lado, tampoco existe ningún testimonio directo de alguno de los trabajadores del CTARE y si hay alguno, como es el caso de la entrevista, anteriormente citada, de Daniel Vieitez,[47] no se prestó atención a estas menudencias cotidianas sin las cuales no hubiera sido posible sostener el sistema de ayudas del primer exilio español.

Las súplicas que nos ocupan, por tanto, no solo contienen los deseos, las aspiraciones y las historias de vida de los refugiados que las escribieron sino que también reflejan la propia historia del Comité. Todas las peticiones fueron sometidas a un procedimiento administrativo que, en cierta medida, las modificó convirtiéndolas en un documento diferente. Esto se debe a las huellas de lectura que los trabajadores del CTARE dejaron en ellas para llevar a cabo dicho procedimiento. Usaban la súplica como soporte de sus anotaciones convirtiéndola en una especie de documento vivo que encerraba las diligencias realizadas para tramitar la petición. Este aspecto, según diversos autores, es común a los expedientes administrativos, sobre todo en las solicitudes donde incluso pueden llegar a actuar con valor decisorio o también como notas con valor informativo o de conformidad.[48]

El estudio de las anotaciones que los evaluadores de la súplica dejaron en ellas es importante puesto que muestran qué era aquello en lo que ponía mayor interés el funcionario y que aspectos interesaban más a las instituciones que recibían estos escritos. Al mismo tiempo, ayudan a comprender mejor cómo se enmarcan las peticiones en la lógica administrativa de cada época y cómo eso influye en la construcción de la relación

[46] NAVARRO BONILLA, Diego, «La naturaleza del informe como tipología documental: documento gris, documento jurídico y documento de archivo», *Anales de documentación,* 5 (2002), p. 291.

[47] Entrevista realizada por Enriqueta Tuñon a Daniel Vieitez en México D. F. entre septiembre y noviembre de 1987. Archivo de la Palabra. INAH y MCU. PHO/10/85. Consultada en la versión transcrita en el CDMH, Libro 114, p. 196.

[48] SIERRA VALENTI, Eduardo, «El expediente administrativo. Esbozo de tipología documental», *Boletín de Anabad,* 29/2 (1979), pp. 61-74; PETRUCCI: «La petición al señor »; ALBINO FEDERICO, Maria, «La supplica: procedura per l'approvazione e aspetti formali», en Belloni, Cristina y Nubola, Cecilia, *Suppliche al pontifice. Diocesi di Trento, 1313-1565* (Bolonia: Il Mulino, 2006), pp. 28-36; y, SCHMIDT BLAINE, Marcia: «The power of petitions: Women and the New Hampshire Provincial Government, 1695-1770», en Heerma van Voss (ed.), «Petitions in Social History», pp. 57-78.

entre los ciudadanos y el poder público, los primeros demostrando sus necesidades y los segundos utilizando esta debilidad como forma de reforzar su autoridad.[49]

En las peticiones protagonistas de este capítulo se pueden observar tres huellas de lectura o marcas muy relacionadas con el proceso administrativo. En primer lugar, los sellos de registro, de sección y de otras instituciones. En segundo lugar, los subrayados que presentan casi el 20% de las peticiones, aunque de dudosa autoría puesto que no sabemos si fueron realizados por los propios peticionarios o por los trabajadores del CTARE. Denotan un interés por destacar los datos relevantes de la petición como el nombre, el motivo, etc. Por último, en numerosas súplicas encontramos anotaciones escritas que contienen breves comentarios, aclaraciones e instrucciones que los trabajadores dejaban en ellas o incluso la resolución de la misma. Todas estas huellas están colocadas de manera aleatoria en el escrito, bien en el margen superior o inferior, derecho o izquierdo, respetando el texto original o, en ocasiones, encima del mismo.

Comenzando por los sellos debemos decir que en el fondo analizado aparecen tres tipos: Los sellos de registro, con las siglas del Comité, el día de entrada de la súplica en las oficinas y, finalmente, el número de registro. Este sello tiene una variante más simple en la que tan solo aparece el número de entrada o de registro del documento.

El segundo tipo de sello es el de la sección a la que pertenecía la súplica dependiendo del asunto a tratar y de las distintas comprobaciones que debían efectuar. Por ejemplo, la petición de alguien que requería de una alimentación especial debía estar informada previamente por la Sección Médica. A ello remite, por ejemplo, el siguiente testimonio de uno de los médicos al servicio del CTARE, Ramón Rodríguez Mata:

> Pero había algunos que alegaban enfermedades, y entonces Puche me los mandaba a mí para que informara si estaba justificado el darles un poco más, darles uno cincuenta o más, o dos cincuenta más, porque estaban enfermos. Generalmente los informábamos favorablemente y se les daba un plus.[50]

Algunos de estos «informes» se realizaban sobre la propia petición mediante frases cortas escritas por el médico o por los encargados de sección en los que señalaban su acuerdo o desacuerdo con lo solicitado. Así sucedió con la petición de la mexicana Carmen Sosa, quien trabajó para el CTARE en el barco Manuel Arnús y, aprovechándose de esta situación, escribió a Francisco Barnés, ex ministro de la II República y médico al servicio del Comité, suplicando ayuda para una operación que necesitaba urgentemente.[51] Sus palabras consiguieron conmover a Barnés, quién, en la misma carta anotó tan solo una línea: «Debía hacerse algo». Encima de esta breve nota aparece el sello de la

[49] Cfr. Didier: «La supplique. Stratégies rhétoriques et constructions identitaires…», p. 960.

[50] Entrevista realizada por Marisol Alonso a Ramón Rodríguez Mata en México D. F. entre marzo y abril de 1979. Archivo de la Palabra. INAH y MCU. PHO/10/15. Consulta de la versión transcrita conservada en el CDMH, Libro 92, pp. 107-109.

[51] Petición de Carmen Sosa (Veracruz) para Francisco Barnés (Oficinas del CTARE, México D. F.), 22 de febrero de 1940, AH-BINAH, CTARE, Gob. y Coord., exp. de refugiados, rollo 132, exp. de Carmen Sosa.

Sección para la que él trabajaba: Médica. Todos estos datos y la procedencia final de la misiva (Sección Gobernación y Coordinación) nos hacen pensar que Barnés, al conocer el caso, envió la súplica a la sección encargada de tramitarla, no sin antes, recomendarla.

Hay otros sellos que aparecen en la documentación analizada de forma casi meramente testimonial. Pertenecen a otras instituciones u organismos que estaban relacionados con el Comité, como la Legación Mexicana. En otras muchas cartas no aparece ningún sello que nos indique la procedencia o el número de registro de la misma. Desconocemos cuál es el motivo de esto aunque cabe pensar que el excesivo trabajo y la compleja labor administrativa, tuviera asociados algunos olvidos de tipo burocrático, así como la inexistencia de una férrea normativa que lo regulara.

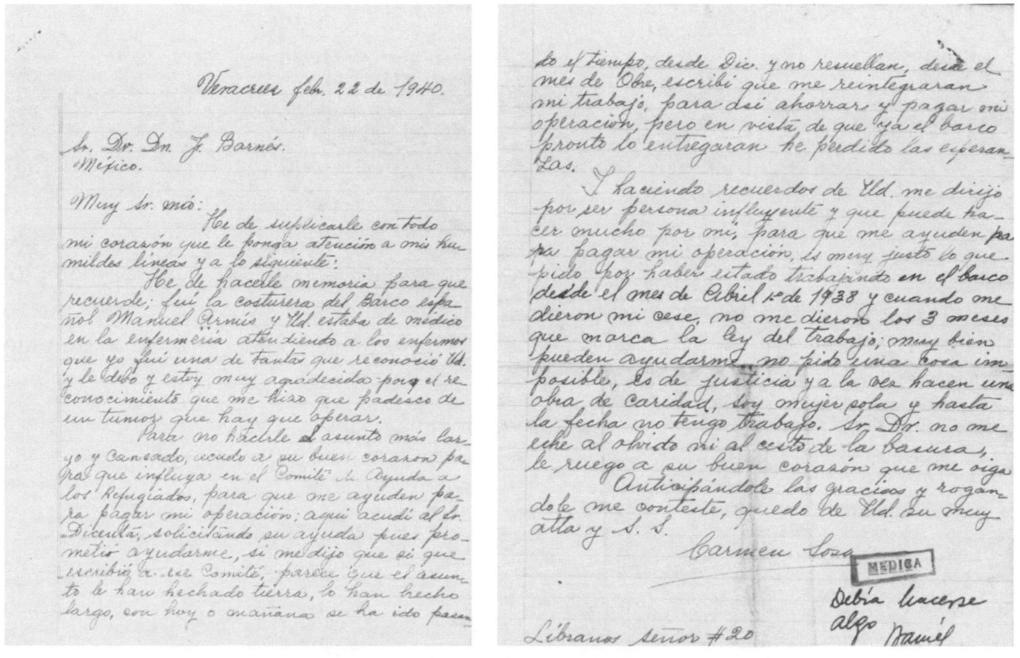

Veracruz feb. 22 de 1940.

Sr. Dr. Dn. F. Barnés.
México.

Muy Sr. mío:
He de suplicarle con todo
mi corazón que le ponga atención a mis hu-
mildes líneas y a lo siguiente:
He de hacerle memoria para que
recuerde; fui la costurera del Barco español Manuel Arnús y Ud. estaba de médico
en la enfermería atendiendo a los enfermos
que yo fui una de tantas que reconoció Ud.
y le debo y estoy muy agradecida por el reconocimiento que me hizo que padesco de
un tumor que hay que operar.
Para no hacerle el asunto más largo y cansado, acudo a su buen corazón para que influya en el Comité de Ayuda a
los Refugiados, para que me ayuden para pagar mi operación; aquí acudí al Sr.
Dicenta, solicitando su ayuda pues pro-
metió ayudarme, sí me dijo que sí que
escribió a ese Comité, parece que el asunto le han hechado tierra, lo han hecho
largo, con hoy o mañana se ha ido pasando el tiempo, desde Dic. y no resuelvan, desde el
mes de Obre, escribí que me reintegraran
mi trabajo, para así ahorrar y pagar mi
operación, pero en vista de que ya el barco
pronto lo entregaran he perdido las esperanzas.
Y haciendo recuerdos de Ud. me dirijo
por ser persona influyente y que puede hacer mucho por mí, para que me ayuden para pagar mi operación, es muy justo lo que
pido por haber estado trabajando en el barco
desde el mes de Abril 1º de 1938 y cuando me
dieron mi cese, no me dieron los 3 meses
que marca la ley del trabajo; muy bien
pueden ayudarme, no pido una cosa imposible, es de justicia y a la vez hacen una
obra de caridad, soy mujer sola y hasta
la fecha no tengo trabajo. Sr. Dr. no me
eche al olvido ni al cesto de la basura,
le ruego a su buen corazón que me oiga
Anticipándole las gracias y rogándole me conteste, quedo de Ud. su muy
atta y S. S.
Carmen Sosa

MEDICA

Debía hacerse
algo Barnés

Libranos Señor #20

Figura 2. *Petición de Carmen Sosa (Veracruz) a Francisco Barnés (Oficinas del CTARE, México D. F.), 22 de febrero de 1940, AH-BINAH, CTARE, Gob. y Coord., exp. de refugiados, rollo 132, exp. de Carmen Sosa.*[52]

Una segunda marca del trámite administrativo corresponde a los subrayados que aparecen en las peticiones con el fin de destacar los datos más relevantes, normalmente los nombres, el motivo de la súplica y los cargos que el peticionario había desempeñado durante la II República y la Guerra Civil. Es decir, aquello que podía influir en la resolución de la solicitud.

[52] Consultada y reproducida gracias a la copia digital conservada en el archivo de la FPI.

Un excelente ejemplo de esto se encuentra en la carta de Jerónimo Bouza Mila, internado en un campo de refugiados, quién escribió el 12 de julio de 1939 a Puche pidiendo que él y otros compañeros esperantistas fueran sacados del campo bajo la recomendación del mexicano Jesús Amaya. En esta carta se pueden observar subrayados los nombres de las personas por las que se pide, los nombres de los campos en los que se encuentran y el motivo de la petición: «enviar nuestros nombres al SERE».[53] Pero en esta petición también podemos apreciar otras huellas de lectura realizadas por los funcionarios del Comité. Así en el margen izquierdo aparece un número y el nombre de la Sección en la que la petición debía ser tramitada: «Secretaría y Gobernación». En el margen derecho, una nota manuscrita: «Comprobar reclamación y reclamar. Escribirles. Com[ite] a J[esús] Amaya».

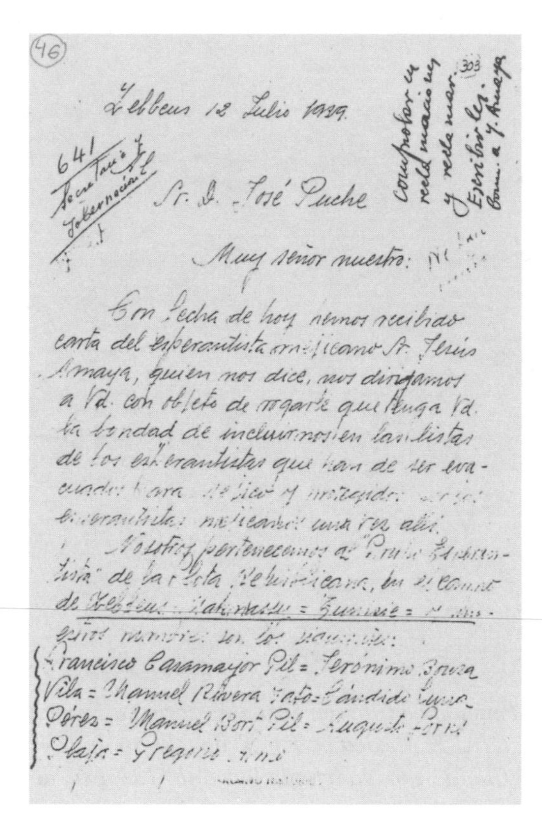

(46)

641 Secretaría y Gobernación

Comprobar reclamación y reclamar. Escribirles. Com. a J. Amaya

303

Lebbeus 12 Julio 1939.

Sr. D. José Puche

Muy señor nuestro:

Con fecha de hoy hemos recibido carta del esperantista mejicano Sr. Jesús Amaya, quien nos dice, nos dirigamos a Vd. con objeto de rogarle que tenga Vd. la bondad de incluirnos en las listas de los esperantistas que han de ser evacuados para [illegible] y [illegible] esperantistas mejicanos una vez allí.

Nosotros pertenecemos al "Grupo Esperantista" de la [illegible], en el campo de [illegible] = [illegible] = [illegible]. Nuestros nombres son los siguientes:

Francisco Caramayor Pil = Jerónimo Bouza Vila = Manuel Rivera [illegible] = Cándido [illegible] Pérez = Manuel Bort Pil = Augusto [illegible] Olaja = Gregorio [illegible]

Figura 3. *Petición de Jerónimo Bouza Mila ([Lebbeus]) para José Puche (Oficina del CTARE, México D. F.), 12 de julio de 1939, AH-BINAH, CTARE, Gob. y Coord., exp. de refugiados, rollo 129, exp. de Jerónimo Bouza Mila.*[54]

[53] Petición de Jerónimo Bouza Mila ([Lebbeus]) para José Puche (Oficina del CTARE, México D. F.), 12 de julio de 1939. AH-BINAH, CTARE, Gob. y Coord., exp. de refugiados, rollo 129, exp. de Jerónimo Bouza Mila.

[54] Consultada y reproducida gracias a la copia digital conservada en el archivo de la FPI.

Finalmente, en las súplicas más sencillas de satisfacer se recurría al propio papel que contenía la petición para dar respuesta a la misma. Un ejemplo de esto se observa en la carta de Francisco Fernández Bravo, escrita el 21 de octubre de 1940 desde Londres, en la que pedía la dirección de sus amigos José Aliseda Olivares y Celestino García Santos, de quienes esperaba que le pudieran ayudar a entrar en México. Justo detrás de la petición manuscrita de Francisco están escritas, por otra mano, las direcciones de ambos.[55]

Todo ello constata que los sellos, las anotaciones, los informes terminaran transformando totalmente el documento original demostrando que el carácter administrativo de esta tipología documental provoca que no sean documentos destinados a tener un solo uso (su lectura) sino que deben contener en sí mismos toda la información necesaria para su resolución lo que provoca que estén en continua transformación.

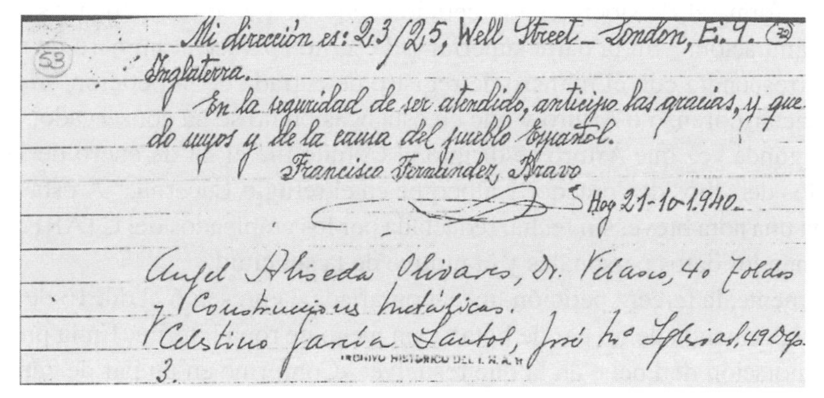
Al Comité de Ayuda a los Republicanos Españoles.

Tengo en ese país (nuestra segunda patria), dos amigos: Don José Aliseda Olivares y Dn. Celestino García Santos; no sé la dirección de ellos, y, esta es la causa por la cual me tomo la libertad de molestarles, al objeto de que Vds. hagan llegar a los mismos, y especialmente al primero, mis deseos de que vean el medio de arreglar rápidamente mi documentación para poder trasladarme a ésa.

Aquí, como desconozco el idioma, no podré nunca trabajar, y ellos que me conocen pueden hacer lo necesario para mi traslado, e informar a Vds. de quién soy.

Mi dirección es: 23/25, Well Street_ London, E. 9. Inglaterra.

En la seguridad de ser atendido, anticipo las gracias, y quedo suyos y de la causa del pueblo Español.

Francisco Fernández, Bravo

Hoy 21-10-1.940.

Angel Aliseda Olivares, Dr. Vilasco, 40 Toldos y Construcciones Metálicas.

Celestino García Santos, José Mª Iglesias, 49 Dep.

3.

ARCHIVO HISTÓRICO DEL I. N. A. H.

Figura 4. *Petición de Francisco Fernández Bravo (Londres) para el CTARE (Oficina del CTARE, México D.F.), 21 de octubre de 1940, AH-BINAH, CTARE, Gob. y Coord., exp. de refugiados, rollo 129, exp. de Francisco Fernández Bravo.*[56]

[55] Petición de Francisco Fernández Bravo (Londres) para el CTARE (Oficinas del CTARE, México D. F.), 21 de octubre de 1940, AH-BINAH, CTARE, Gob. y Coord., exp. de refugiados, rollo 129, exp. de Francisco Fernández Bravo.

[56] Consultada y reproducida gracias a la copia digital conservada en el archivo de la FPI.

3.2. **La peculiar historia de un viaje: Su itinerario**

Una vez explicado el funcionamiento administrativo que seguían las súplicas, me referiré al caso concreto de uno de ellos con objeto de perfilar bien el camino que seguían las peticiones presentadas al CTARE. Se trata del expediente abierto en relación a las súplicas enviadas por Arturo Albuixech Mases al Comité. Arturo tenía 47 años de edad, estaba casado y era mecánico de profesión. Durante la Guerra Civil había pertenecido al cuerpo de Infantería en la columna Durruti, donde obtuvo el grado de teniente por méritos de guerra. Cruzó la frontera entre España y Francia por los Pirineos el 15 de febrero de 1939 y permaneció más de tres meses interno en diversos campos de concentración: Prats de Molló, Septfonds, Barcarès. Finalmente, el 23 de mayo de 1939 se embarcó en Séte en el vapor *Sinaia* rumbo a México. Llegó a Veracruz el 13 de junio de 1939.

Es muy probable que, como ya hemos apuntado, para que Arturo embarcara en el *Sinaia* tuviera que haber escrito otras cartas, otras peticiones que llegaron a su destino, fueron tramitadas y, para su fortuna, atendidas, lo que le permitió cambiar su suerte. Quizás llevado por ese ánimo y convencido de que en México las cosas funcionarían igual, él siguió escribiendo peticiones para cada cosa que necesitaba, tal y como observamos al analizar su expediente. La primera solicitud que encontramos en el mismo está fechada el 14 de noviembre de 1939, es la petición de un préstamo para el taller que tenía en su propiedad en Guadalajara (Jalisco) junto al refugiado Lorenzo González Diez, de 27 años de edad, llegado a México en el *Sinaia* igual que él. De esta súplica tan solo conservamos un escrito firmado por el Jefe de los Servicios de Estadística en el que se informa al Presidente de la petición solicitada y de los datos más relevantes para su tramitación.[57] En la parte superior del escrito aparece el número de referencia que se correspondía con el número de registro de entrada de la petición original, que debió redactar Lorenzo o Arturo y que en esta ocasión no se ha conservado.

La segunda vez que Arturo se dirigió al Comité fue el 24 de enero de 1940 para solicitar los derechos de comedor y albergue en el refugio Lucerna.[58] A esta súplica le acompaña una nota breve, sin fecha, redactada por los empleados del CTARE, en la que se consignan los datos personales y el motivo de la solicitud.

Finalmente, la tercera petición, mecanografiada, la presentó el día 16 de marzo de 1940 con la demanda de un par de botas y un juego de ropa interior. En la propia carta hay una anotación de Puche en la que resuelve: «Conforme en un par de zapatos y un

[57] Carta remitida por el Jefe de la Sección de Estadística (Oficinas del CTARE, Máxico D. F.) para José Puche (Oficinas del CTARE, México D. F.), el 14 de noviembre de 1939, AH-BINAH, CTARE, Estadística, exp. Personales, rollo 2, exp. de Arturo Albuixech Mases.

[58] Petición de Arturo Albuixech (México D. F.) para José Puche (Oficinas del CTARE, México D. F.) el 24 de enero de 1940, exp. de Arturo Albuixech Mases.

juego de ropa int[erior] teniendo en cuenta antecedentes y la conducta del interesado».[59] Acompañando a esta solicitud volvemos a encontrar un documento remitido por el Jefe de los Servicios de Estadística dirigido al director, en el que de nuevo recoge los datos personales más relevantes del solicitante, resume la petición realizada y hace una breve relación sobre otros auxilios requeridos por el refugiado.[60] Esta carta está fechada el 20 de marzo de 1940, cuatro días después que la anterior, y en la parte superior volvemos a encontrar un número de referencia que coincide con el número de registro de la súplica realizada por Arturo.

De la documentación inserta en los expedientes se deduce que una vez que las peticiones llegaban a las oficinas del Comité y eran leídas por los trabajadores, éstos, además de requerir a las distintas secciones la información necesaria para realizar las comprobaciones que determinaran la veracidad de los hechos o los antecedentes del refugiado, elaboraban varios informes en los que de forma breve pero detallada mostraban al director cuál era la situación del demandante y el objeto de su petición. Así, en el expediente de Arturo Albuixech se incluye también una carta de la Inspección de Albergues y de la Secretaría General en la que se alababa la actitud del solicitante ante cualquier propuesta del Comité,[61] lo que pudo influir en la resolución adoptada por el Presidente.

En otras ocasiones, cuando la petición era de mayor envergadura o no se tenía tan clara su resolución, era enviada al Consejo General del Comité, que se reunía cada dos o tres días y tomaba las decisiones pertinentes en cuanto a las solicitudes que requerían una atención mayor y a otros asuntos de importancia (inversiones del Comité, relaciones con los sindicatos, manejo de los fondos, etc.). Normalmente, cuando se denegaba la súplica se resolvía ayudar al solicitante de otra manera como testimonian las actas del Consejo. Por ejemplo, en la revisión del día 29 de junio de 1939 en la que se trató, entre otras, la solicitud del exiliado Antonio Ballesteros, quién pedía 500 pesos para sacar a flote a su familia, el Consejo decidió no concederle este préstamo, pero pensando en la manutención de la familia decidió ampliar con una plaza más el concurso público que se iba a realizar para encontrar una mecanógrafa para el Comité, pensando en la hija de Antonio, que tenía conocimientos de mecanografía y podía desempeñar este trabajo.[62]

Una vez que se tomaba la decisión pertinente en cuanto a la solicitud del refugiado, se procedía a comunicar al mismo si la petición había sido aceptada o denegada. Había

[59] Informe-resumen de la petición de Arturo Albuixech (Oficinas del CTARE, México D. F.), 16 de marzo de 1940, expediente de Arturo Albuixech Mases…

[60] Carta remitida por el Jefe de los Servicios de Estadística para José Puche (Oficinas del CTARE, México D. F.), 20 de marzo de 1940, exp. de Arturo Albuixech Mases…

[61] Carta remitida desde la Inspección de Albergues para la Secretaría General (Oficinas del CTARE, México D. F.), el 16 de marzo de 1940, exp. de Arturo Albuixech Mases…

[62] Acta del Consejo, México D.F.:, 26 de junio de 1939, AH-BINAH, CTARE, Secretaría General, rollo 136, exp. 6476.

veces en las que se requería documentación al interesado antes de adoptar la resolución correspondiente. En el expediente que sirve de muestra esto no fue preciso y a Arturo Albuixech le fueron concedidas todas las ayudas que solicitó, incluida la de ropa, como atestigua la comunicación que le envió Gregorio Anadón, Secretaría de Gobernación, el 18 de abril de 1940, poco más de un mes después de la petición que él había presentado:

> Muy Señor mío:
> Con referencia a su solicitud del 16 de marzo pasado, tengo el gusto de informarle que con esta fecha se han dado las órdenes oportunas a la Sección de Compras de este Comité para que le proporcione un par de zapatos y una muda de ropa interior, debiendo usted ponerse en contacto con dicha Sección para la adquisición de dichas prendas.
> Muy atentamente le saluda,
> El Secretario General,
> G[regorio] Anadón.[63]

Para que esta resolución fuera efectiva tan solo quedaba que desde la Sección de Compras se diera la orden para adquirir estos artículos, como consta por una nota del 10 de abril anexada al expediente, a la que acompañan otra de pedido y entrega de la ropa (una camisa, un juego de ropa interior, un par de calcetines y un par de zapatos), en la que figura el precio de los artículos, la fecha y las firmas de la persona encargada de entregarlos y del interesado en recibirlo.[64]

El entramado administrativo que acabo de describir era necesario para la tramitación de las ayudas, al mismo tiempo que servía para que el Comité proyectase la imagen de un organismo serio en el que hasta la petición más nimia tenía que pasar por un exhaustivo control, algo que no siempre sucedía aunque se vanagloriaran de ello en el *Boletín al Servicio de la Emigración Española* en la temprana fecha de septiembre de 1939:

> ...Mientras tanto, nos tenemos que conformar diciendo que el Consejo del Comité se reúne diariamente largas horas; que estudia y examina proyectos y peticiones, que unos los aprueba y otros los rechazan con arreglo a su leal saber y entender y de acuerdo con las normas impuestas por los intereses generales de la emigración...[65]

4. Más allá de la súplica: Archivo, control y memoria

Pero más allá de la lógica administrativa, ¿qué persigue un organismo archivando y clasificando sus papeles? Y, lo que quizás sea más importante, ¿qué nos dice ese archivo de su funcionamiento? En el caso del archivo del CTARE una de las primeras cosas

[63] Carta de Gregorio Anadon (Oficina del CTARE, México D. F.) para Arturo Albuixech (México D.F.), el 18 de abril de 1940, exp. de Arturo Albuixech Mases...

[64] Nota de pedido de la Sección de Compras del Comité Técnico de Ayuda a los Españoles (México D. F.) firmada el 26 de abril de 1940, exp. de Arturo Albuixech Mases...

[65] *Boletín al Servicio de la Emigración Española,* 6, 21 de septiembre de 1939, p. 1. Biblioteca de la UNAM, México D. F.

que saltan a la vista es que todos los expedientes que conserva eran mucho más que un registro burocrático de su actividad puesto que detrás de los mismos podemos ver la voluntad de dicho organismo de controlar el pasado, el presente y parte del futuro de los refugiados que se dirigían a él. El Comité, como delegado del SERE y por ende de la maltrecha República española, ejercía así un cierto paternalismo con los refugiados, articulándose como protector de estos pero también ejerciendo su control sobre ellos. Esta voluntad la podemos corroborar con la finalidad de una de las principales secciones del Comité, la denominada «Estadística», en la que se conservan 5.547 expedientes personales de los refugiados, cuyo objetivo era: «...tener archivados todos los antecedentes de nuestros compatriotas, los cuales están a disposición de las autoridades mexicanas y de nosotros mismos».[66]

Y, ¿qué antecedentes le interesaba conocer al Comité?, ¿qué tipo de información demandaban a los refugiados? Para responder a estas cuestiones nada mejor que observar las fichas incluidas en los expedientes. Generalmente podemos encontrar hasta un máximo de tres fichas aunque no en todos los expedientes se conservan los tres modelos. Por un lado, las ya citadas en el segundo capítulo, fichas de evacuación del SERE, previas a la salida de Francia e indispensables para la selección de los exiliados que obtenían el pasaje hacia México. A estas podía acompañar, la Solicitud de Inmigración de los Estados Unidos Mexicanos, que debía ser completada como requisito previo para obtener el permiso de residencia. Estas dos no se conservan en todos los expedientes administrativos y su presencia en los mismos se debe a la actuación del Comité como intermediario ante otras instituciones.

[66] Cita extraída del discurso pronunciado por José Puche en la Conferencia Panamericana de Ayuda a los Refugiados españoles (15 de febrero de 1940), *Boletín al Servicio de la Emigración española,* 26, 22 de febrero de 1940, p. 7. Biblioteca de la UNAM. México D. F.

ESTADOS UNIDOS MEXICANOS

SERVICIO DE MIGRACION

Visa

SOLICITUD DE INMIGRACION

Hoja de identificación No

AL C. CONSUL DE MEXICO, EN VERACRUZ, Ver.

En cumplimiento de lo prevenido en los artículos 14, 26 y 36 de la Ley de Migración de los Estados Unidos Mexicanos, manifiesto a usted que pretendo internarme en dicho país en calidad de asilado político

Bajo protesta de decir verdad y a reserva de comprobar mi dicho con los documentos necesarios, rindo la siguiente información sobre mi persona y circunstancias:

MEDIA FILIACION

Apellidos ABAD RODRIGUEZ Nombre esteban

Estatura 1.55 Constitución física buena Color moreno

Pelo castaño Cejas arqueadas Ojos castaños Nariz recta

Boca pequeña Bigote ---- Mentón redondo Barba ----

Señas particulares cicatriz en brazo izquierdo

Nombre y domicilio de las personas que en los Estados Unidos Mexicanos pueden dar referencias respecto de mí

DATOS PARA LA ESTADISTICA

Sello fechador de la Oficina del Servicio de Migración que autoriza la entrada en México

Pais y lugar en donde resido, es decir, donde tengo mi domicilio permanente

1914

Sexo masculino Edad 25 años Raza blanca Estado Civil soltero

PAIS Y LUGAR DE NACIMIENTO: (Nací en Tomelloso (Ciudad-Real) España

NACIONALIDAD ACTUAL española

Idioma nativo castellano Otros idiomas que hablo ninguno

si sé leer y escribir. (Contéstese en sentido afirmativo (SI) o negativo (NO). Religión ninguna

Profesión albañil Oficio ----

Ocupación ---- (anoto mi ocupación principal)

LUGAR PROBABLE DE FINAL DESTINO EN MEXICO:

Motivo explícito del viaje

ELEMENTOS con que cuento para desempeñar la ocupación a que voy a dedicarme. Pecuniarios / Conocimientos técnicos / Útiles o maquinaria / Otros

VALORES que llevo conmigo Numerario / Otras especies

NOTA.--EL DATO QUE SIGUE LO PROPORCIONARA UNICAMENTE LA PERSONA QUE HAGA VECES DE JEFE DE FAMILIA:

Me acompañan las siguientes personas de mi familia. Mayores de quince años: Hombres / Mujeres. Menores de quince años: Hombres / Mujeres

CONTRATO DE TRABAJO

OTROS DATOS

Veracruz Mejico 15 de 1939

FECHA

FIRMA DEL PASAJERO

SELLO DEL CONSULADO. FIRMA DEL C. CONSUL

(Véanse instrucciones a la vuelta)

ESTA FORMA FUE APROBADA POR EL CONSEJO NACIONAL DE ESTADISTICA, EN SESION DE 14 DE MARZO DE 1929

Figura 5. *Solicitud de Inmigración de Esteban Abad AH-BINAH, CTARE, Estadística, Exp. Personales, Rollo 1, Exp. de Esteban Abad Rodríguez.*[67]

Para finalizar, siendo éstas las propiamente elaboradas por el Comité, y por tanto la que más interesa a este estudio, están las fichas que los exiliados debían formalizar para registro y control del organismo al que se dirigían aunque tampoco las encontramos

[67] Consultada y reproducida gracias a la copia digital conservada en el archivo de la FPI.

en todos los expedientes conservados. En este caso, dichas fichas, estaban compuestas por cuatro apartados muy detallados repartidos en cinco folios: [68]

a) Datos personales, prestando una atención especial a la formación y la experiencia profesional previa.

b) Actuación durante la guerra, tanto en lo que se refiere a lo militar (descripción de las unidades a las que se había pertenecido, el nombre de aquellas personas que pudieran corroborar su actividad, grados y recompensas alcanzados, operaciones en las que se había participado, heridas sufridas...) como en lo meramente civil (cargos desempeñados, familiares perdidos durante la guerra, perjuicios materiales sufridos...).

c) Contingente familiar, en este apartado se detalla la situación de todos los miembros que formaban parte de la familia, incluyendo la información tanto de los que estaban en México como de los que no.

d) Emigración, en donde se recogía la vida de los refugiados desde que habían pasado la frontera con Francia hasta que conseguían llegar a México.

Como vemos, estas fichas respondían tanto al pasado de los refugiados como a su presente y tanto a su vida individual como a la colectiva y familiar. El CTARE iba más allá de preguntar cuál era la formación y el oficio, algo normal dado que como he señalado la búsqueda de empleo para los refugiados fue una de sus principales labores, o cuál había sido la participación en la Guerra o la filiación política, datos que habían interesado al SERE para su selección, por ejemplo. El Comité se preocupaba además por otro tipo de cuestiones que ampliaban la información sobre la trayectoria vital de los refugiados: lugares en los que habían residido (antes y durante la contienda), información completa sobre sus familias (oficios, edades...), pérdidas sufridas, situación económica actual, etc. Se trataba de un exhaustivo cuestionario que demostraba que el interés del CTARE por conocer la identidad de los refugiados superaba su preocupación por protegerlos y ayudarles para lo cual no hubiera hecho falta un registro tan elaborado y minucioso que les proporcionaba una visión casi panóptica de sus trayectorias vitales.[69]

Este afán por conocer la situación presente y pasada de los exiliados del Comité se relaciona también con el deseo de conformar una comunidad bajo su protección que se vinculase, de forma directa, con el Gobierno que él representaba y que no era otro que el de la fallida República española. Ilsen About y Vicent Denis en el estudio que realizan sobre la historia de la identificación de las personas desde la Edad Media hasta nuestros días demuestran como desde el siglo XIX en adelante se hace preciso realizar

[68] Ficha personal de Esteban Abad Rodríguez para el CTARE. AH-BINAH, CTARE, Estadística, exp. personales, rollo 1, exp. de Esteban Abad Rodríguez.

[69] Sobre la visión panóptica de la sociedad que ofrecen algunos archivos contemporáneos remito a KETELAAR, Eric, «The Panoptical Archive», en Blouin, Francis X. y Rosenberg, William G. (eds.), *Archives, Documentation and Institutions of Social Memory. Essays from the Sawyer Seminar* (Michigan: University of Michigan, 2007), pp. 144-150.

una identificación reglada de cada individuo, hecho que está relacionado, en parte, con la conformación de los estados nacionales:

> La necesidad de definir con precisión la identidad de cada uno respondía en parte a la inscripción nominativa de las personas en esas instituciones y a los imperativos ligados a la formación del Estado nacional: diferenciar a los individuos para garantizar que las nuevas prestaciones eran individualizadas, con el fin de asegurar el principio de igualdad, impedir los fraudes y las usurpaciones.[70]

En la misma línea, el CTARE, se preocupó del registro de los refugiados en México, no solo con la intención de ayudarles sino también con el objetivo de conocerles, identificarles y tener, de alguna forma, bajo control a los últimos ciudadanos de la República española. Al mismo tiempo, la inscripción que los propios exiliados tenían que realizar en el CTARE al llegar a México y el contacto directo con el Comité a través de la gestión de sus solicitudes, les recordaba que, de alguna manera, seguían dependiendo de la República española, aunque solo lo hicieran con la intención de percibir un auxilio.

Por otro lado, tanto los expedientes y las súplicas como el resto de documentación generada a raíz de los mismos debían ser archivados y conservados con celoso cuidado pues eran el mejor testimonio de esa nación errante despojada de una identidad que debía reconstruirse, para lo cual la documentación que estaban generando era vital en cuanto a su conformación como una comunidad.[71] Si entendemos al archivo como el fruto de la voluntad de un individuo o de un colectivo de preservar las huellas de su propia actividad, y así salvaguardar su memoria y dar posibilidad de construir su historia[72] podemos deducir que la conformación del archivo del CTARE, lo que sus papeles nos dicen y lo que también se callan, respondió al interés del propio organismo de conservar el registro de su actividad no solo como un acto administrativo y puramente pragmático, sino también unido al deseo de convertirse en un «museo» de la memoria de los exiliados españoles ya que dicho archivo atestiguaba los comienzos de los refugiados arribados a México como consecuencia del éxodo, sus necesidades más acuciantes y, también su pasado más remoto. De esta forma, en dicho archivo estaba registrada parte de la memoria sobre la que los refugiados construyeron su identidad colectiva y sobre la que después se ha escrito parte de su historia.

Esta idea estuvo presente en sus propios inicios como demuestra la expresa voluntad, repetida hasta su muerte, del presidente del Comité de que esta documentación perma-

[70] About, Ilsen y Denis, Vicent, *Historia de la identificación de las personas* (Barcelona: Ariel Historia, 2011), p. 76.

[71] Según Elena Yeste el deseo de preservar la documentación responde a que ésta es un signo evidente de la identidad colectiva del grupo que la ha producido. Cfr. Yeste Piquer, Elena, «Guerra de archivos: el patrimonio documental de la memoria», en *Cuartas Jornadas Archivo y Memoria. La memoria de los conflictos: legados documentales para la Historia*, Madrid, 19-20 de febrero [consultado en: http://wwww.archivoymemoria.com].

[72] Ricoeur, Paul, *La memoria, la Historia, el Olvido* (Madrid: Editorial Trotta, 2003), p. 221.

neciera en México, lugar en el que había sido producida, al que por derecho pertenecía y dónde debía ser depositada puesto que no se encontraba allí de forma arbitraria sino que respondía a las consecuencias del éxodo al que miles de españoles se habían visto abocados. Su salvaguardia debía servir como prueba irrefutable de este hecho, como testigo del resurgir de un Estado que había sido vencido pero que había luchado por mantenerse a flote, ya que pensaban que esa era la única forma de no perder la batalla final, así lo afirmaban ellos mismos en el *Boletín*:

> Hay que ganar, emigrado, la batalla de la emigración. Batalla pacífica para la que España te pide, simplemente, el concurso de tu inteligencia, de tu voluntad, de tu energía, de tus mejores cualidades morales, en beneficio y al servicio del país que, fraternalmente te ha acogido. Si así lo haces y ganas esta batalla, ten la seguridad, emigrado, de que no habrás perdido la guerra.[73]

Como ya advirtió Marc Bloch, solo conocemos en función de lo que el pasado nos ha legado[74] y en esta ocasión el archivo del CTARE nos sirve como un fiel reflejo del organismo productor. Dicho depósito documental es una fuente inagotable para ahondar en la conformación de las distintas imágenes y representaciones que conforman la identidad del exilio español en México. Desde la imagen individual que cada refugiado proyectó de sí mismo tanto en las súplicas como en los expedientes, eligiendo tanto sus palabras como los datos que aportaban, hasta la imagen colectiva que las autoridades republicanas en el exilio quisieron proyectar de su pasado (vinculado con las ideas progresistas que interesaban al presidente Lázaro Cárdenas) y del futuro que querían construir en comunión con el Gobierno que les había acogido y en pos de la defensa de unas instituciones que no daban por perdidas como evidencia que en el fragmento del *Boletín* reproducido líneas atrás se demandase a los refugiados que sirvieran a México puesto que eso era lo que España les pedía.

Así, los refugiados dieron testimonio en sus súplicas de su experiencia de desarraigo, reflejaron en ellas sus problemas, sus inquietudes, sus necesidades e incluso su particular historia. Dicho testimonio llegaba hasta las oficinas del CTARE donde las solicitudes eran sometidas al imprescindible trámite administrativo para su resolución, tras el cual se procedía a su conservación junto al resto de documentos referentes a cada refugiado y que he ido desgranando en las páginas anteriores. Estos testimonios se convirtieron tras su archivo en pruebas documentales al servicio del historiador.[75] Escrituras nacidas de la desigualdad pero que representaban a miles de españoles en México, a esa comu-

[73] *Boletín al servicio de la emigración española*, 1, 15 de agosto de 1939, p. 2. Biblioteca de la UNAM, México D. F.

[74] BLOCH, Marc, *Apología para la historia o el oficio del historiador* (México D. F.: Fondo de Cultura Económica, 2006), p. 82.

[75] La reflexión completa de Paul Ricoeur sobre este proceso puede verse en RICOEUR, *La memoria, la Historia, el Olvido…*, pp. 191-240.

nidad en busca de una nueva identidad. Algo que supieron ver los propios trabajadores del Comité, máxime su director, José Puche, quien puso un especial empeño en que la documentación conservada en el CTARE ni se dispersase ni se moviese del lugar en el que había sido producida puesto que esta era la prueba de la derrota y del desarraigo pero también prueba indiscutible de la voluntad de dicho organismo de mantener unidos a los refugiados en México y de la conciencia de que el archivo del CTARE, era en cierto modo, una parte imprescindible de la memoria del exilio español.[76]

[76] La documentación fue conservada en el domicilio de José Puche, hasta que este fue nombrado presidente del Ateneo español en México en 1947 y la trasladó a dicha institución. Más tarde y, ante el miedo de que fuese enviada a España, donó la misma al INAH en México D. F., en cuya biblioteca y archivo descansa desde 1981. Desde 2012 puede consultarse una copia digital de la misma en los archivos de la Fundación Pablo Iglesias (Alcalá de Henares, Madrid).

Epílogo
Una comunidad articulada en torno a la escritura

> Para no perderse, enajenarse, en el desierto hay que encerrar dentro de sí el desierto. Hay que adentrar, interiorizar el desierto en el alma, en la mente, en los sentidos mismos, aguzando el oído en detrimento de la vista para evitar los espejismos y escuchar las voces [...].
>
> El vivir dentro del desierto el encuentro con patrias que lo pudieran ser, fragmentos, aspectos de la patria perdida, una única para todos antes de la separación del sentido y de la belleza*.

I

> En mi cartera llevo papel y sobres, y conservo mi pluma estilográfica. No necesito más. Sentado en la cuneta y poniendo mi maleta por pupitre, sin dilación doy principio a la carta. En pocas líneas le cuento al primo José nuestra aventura: la huida del hogar con la familia, los incidentes del viaje, nuestra disgregación, mi entrada en Francia con Manola a través del Pertús, nuestra marcha actual por los caminos, en ruta hacia Argelès [...]. Por lo que pueda ser, le pido que nos gire a la estafeta de correos de Perpignan trescientos francos, y termino pidiéndole noticias de los nuestros si, como lo esperamos, le han escrito.[1]

Álvaro de Orriols tenía 45 años cuando cruzó la frontera de los Pirineos en el mes de febrero de 1939 tras la caída de Cataluña. Era poeta y dramaturgo y durante la guerra

* Zambrano, María, *Los bienaventurados* (Madrid: Siruela, 1990), p. 41.

[1] De Orriols, Álvaro, *Las Hogueras del Pertús. Diario de la evacuación de Cataluña* (Moret: Ediciós do Castro, 2008), pp. 170-171.

no fueron pocas las veces que acudió a su pluma para denunciar las injusticias que se estaban cometiendo. Atravesar los Pirineos modificó su vida, cambió su historia. Primero pasó un tiempo en los campos de internamiento, después dejó de usar la pluma como medio para ganarse la vida y comenzó a utilizar el cincel, dedicándose el resto de sus días al tallaje de la madera para poder sobrevivir. No obstante, de una forma o de otra, la escritura siempre estuvo presente en su vida, como muestra el episodio anterior, recogido en sus memorias, publicadas casi cincuenta años después de ser escritas. Ese momento en el que fatigado por el camino decidió parar y descansar, aprovechando el rato de asueto para escribir una misiva a su familia. Con los escasos instrumentos de los que disponía y en las condiciones propias del refugiado que acaba de perderlo todo, redactó unas simples líneas con la esperanza de poder entrar en contacto con sus seres queridos y obtener noticias de ellos. Álvaro no hacía otra cosa, como ya advertí para otros casos, que conectar con su «cuerpo social», como si la escritura fuese ese cordón umbilical que le mantenía unido con su mundo anterior, alimentando de esta forma su identidad.[2]

El paso por la frontera aparece en la mayor parte de las memorias y de las autobiografías de los refugiados españoles, así como en las narraciones más noveladas. Al evocarlo se repiten unos tópicos fácilmente identificables: el frío del mes de enero y febrero de 1939, el hielo y la nieve que les acompañaron por el camino, los últimos bombardeos a una población en huida, la disgregación familiar al cruzar la frontera, etc. Muchos, en sus relatos, recogen también el momento en el que las autoridades francesas, generalmente los senegaleses encargados de la vigilancia en los campos, les despojaron de los bienes que habían arrastrado con ellos: ropa, recuerdos familiares, ajuares, muebles y, con frecuencia, los utensilios necesarios para escribir, como plumas estilográficas, máquinas de escribir, cuadernos… Los refugiados describen con horror el momento en el que estos objetos les eran arrebatados, lo que da idea de la importancia que iban a tener en su nueva vida esos elementos que les ligaban con su pasado.

Otro de los acontecimientos reseñados por la mayor parte de los exiliados que decidieron poner por escrito su vida, así como representado en numerosos testimonios gráficos, tiene que ver con el intercambio epistolar. Por ello es común que la redacción de la primera misiva a casa, al igual que la recepción de la primera carta de España, sean episodios frecuentes en las construcciones autobiográficas de los refugiados. Este hecho constata la importancia que tuvieron para el individuo dichos sucesos, que solían ser los que daban el pistoletazo de salida a su nueva vida, convirtiéndose en verdaderos ritos de paso: sus manos escribían las letras que les transformaban en exiliados al mismo

[2] Boix, Christian, «La notion de patrie dans le discours des réfugiés espagnols des camps d'Argelès et de Saint-Cyprien», en Villegas, *Plages d'exil. Les camps de réfugiés espagnols…*, p. 130.

tiempo que sus pies cruzaban la frontera que les conducía hacia el éxodo, arrastrándolos al desarraigo únicamente calmado con el bálsamo que suponía la escritura.[3]

Escribir como salvación tanto en lo que se refiere a lo psíquico y emocional como a lo físico y material, pues no hay que olvidar que la escritura sirvió a los refugiados para pedir todo aquello que necesitaban a las distintas organizaciones e instituciones de ayuda. Miles de súplicas y peticiones inundaron las oficinas de diversos organismos asistenciales, especialmente durante la primera etapa del exilio español, como evidencian las más de 1.000 peticiones diarias que durante el mes de junio de 1939 llegaron a las Oficinas del SERE en París, como mostré en el capítulo 2. En todas estas solicitudes los refugiados abandonaban la privacidad y el refugio de la correspondencia personal e íntima para entregarse a otro tipo de epístola, la súplica, que tenía una clara dimensión pública e institucional. Dejaban atrás la comodidad del hogar en el que podían desnudarse, despojarse de todo aquello que les preocupaba y dar noticia de ello, para introducirse en el mundo de la apariencia. Redactaban cartas familiares y personales para salvar su universo anterior y escribían miles de solicitudes como forma de construir su nuevo mundo, como evidencian las cientos de cartas analizadas en este estudio.

Si comencé este libro con el testimonio de una adolescente, Laura, quien escribía desde España a su padre exiliado en México cuando el exilio era una realidad con la que se llevaba lidiando varios años, he querido finalizar el mismo con la historia de Álvaro, quien sentado en una cuneta francesa redactaba la misiva que daba inicio a su exilio. La elección de estos testimonios como principio y fin de este trabajo responde al deseo que ha guiado buena parte de estas páginas de mostrar la trayectoria de las escrituras producidas durante el exilio español a través de los tres países elegidos: España, Francia y México. Tres lugares, tres momentos y tres instituciones diferentes; tres ejes unidos por la escritura y por el exilio a pesar de sus divergencias, cuya reconstrucción me ha permitido conocer la evolución de la tipología epistolar que me ocupa a lo largo de estos años convulsos.

II

Son muchas las diferencias y las convergencias que he podido constatar a través de la comparación entre los estudios de casos que articulan el hilo conductor de este libro. Uno de los objetivos planteados era el de conocer mejor a una parte de los exiliados anónimos, concretamente a aquellos que en algún momento decidieron servirse de lo escrito para demandar cuanto solicitaban. El análisis realizado pone de manifiesto que los autores de las peticiones son, por regla general, varones en edad adulta que sabían leer y escribir aunque no siempre de forma correcta. Procedían de lugares distintos y

[3] Este efecto reparador de la escritura puede verse, entre otros, en SIERRA BLAS, «Exilios epistolares. La Asociación de Padres y familiares de los niños españoles refugiados en México...», p. 314.

tenían una formación y un nivel sociocultural muy diverso. Esto es solo una pequeña muestra de la variabilidad y heterogeneidad del exilio español, especialmente de lo que está relacionado con su composición social. No obstante, como hemos visto, la escasa presencia de mujeres, responde a la imposición de algunas instituciones de que las súplicas fueran redactadas a nombre del cabeza de familia, generalmente el varón, siendo tan solo las viudas, las solteras y las mujeres cuyos maridos estaban ausentes las que se dirigían a dichos organismos. Algo, sin embargo, que no sucedió con las solicitudes enviadas a las distintas delegaciones de la Asistencia Social, en las que no había este tipo de limitaciones de género y si se puede constatar una participación mayor de las mujeres. Lo que se relaciona, también, con la propia naturaleza y motivación de las ayudas, puesto que había temas que por su importancia y por la decisión familiar que conllevaban estaban reservados al género masculino.

Otra de las premisas de las que partía era ver cómo el momento de crisis producido por la Guerra Civil y el exilio, así como el avance en libertades y derechos auspiciado por la II República española, influyeron en la redacción de las cartas de súplica. En cuanto a esto, se advierte cómo el propio contenido de las misivas y el diferente momento de producción intervinieron de forma significativa en la apariencia final de la súplica. Por ejemplo, las enviadas a la delegación de la Asistencia Social del País Vasco y a la delegación de la Asistencia Social en Santander son más breves: se limitan a la petición concreta sin incluir datos autobiográficos del peticionario que poco aportan a la solicitud que realizan. Se trata de las peticiones más escuetas y sencillas en cuanto a la temática y a la composición escrita se refiere. Además, son las primeras súplicas que se escriben durante las evacuaciones, el primer contacto de los refugiados con los organismos de ayuda, lo que provocó que los exiliados no fueran conscientes aún de la importancia que el lenguaje, la forma y el contenido de las súplicas tendría en la consecución de lo demandado. En cambio, las peticiones enviadas a la UGT, como intermediaria ante el SERE, y al CTARE, con una temática más variada, responden ya a la lógica del sistema asistencial del exilio español y a la intencionalidad que hay detrás de cada petición, siendo sus propios autores conscientes de que su contenido podía ser determinante para la obtención de su solicitud, como demuestra que algunos refugiados recogieran en sus memorias cómo llegaron a asistir a las «clases de emigración» que se improvisaban en los campos de internamiento en las que se ofrecían consejos sobre cómo redactar las súplicas y qué datos consignar en las mismas para que éstas resultasen más atractivas.[4]

Como he ido desgranando, las características gráficas y lingüísticas de las peticiones también fueron muy diversas, relacionadas directamente con la competencia lecto-escritora de sus autores y con el alto nivel de analfabetismo que existía en España en las décadas de los 30-40.[5] Ello incidió en que muchos tuvieran grandes dificultades

[4] García Gerpe, *Alambradas. Mis nueve meses por los campos...*, pp. 83-87.

[5] Vilanova Ribas y Moreno Julià, *Atlas de la evolución del analfabetismo en España...*, p. 68.

para redactar sus solicitudes lo que acabó determinando la presentación de las mismas. No obstante, no es cuestión ahora de profundizar en estas dificultades que ya han sido descritas en cada estudio de caso, especialmente en el capítulo 3. Lo que sí quiero destacar es que, independientemente de ello, todos utilizaron los recursos que tenían a mano para convencer a los destinatarios de las peticiones, incluido el uso que hicieron de las autobiografías. Esto provocó que la férrea normativa epistolar impuesta para la súplica acabara siendo modificada o adaptada a la situación especial en la que se encontraban los refugiados. La «democratización de lo escrito» que se produce en la Edad Contemporánea y la conversión de la escritura en una práctica de masas acabó por modificar y transfigurar a la súplica, facilitando el acceso a la misma de cualquier persona que estuviera en condiciones de coger un papel y redactar su solicitud.[6]

Fruto de esta democratización asistimos a la relajación de la norma epistolar, también en lo que concierne al lenguaje utilizado, que según se ha constatado, está menos marcado por la deferencia que el autor debe mostrar hacia el destinatario de la petición. En este cambio también influyó la transformación de los organismos asistenciales que comenzaron a concebirse como instituciones que debían dejar atrás su identificación como órganos caritativos para verse a sí mismos como organizaciones al servicio del ciudadano cuyo objetivo era revalorizar la dignidad humana.

Todos estas pequeñas transformaciones introducidas por los peticionarios muestran su particular manera de ver el mundo y de entender a las instituciones a las que se dirigían y encajan a la perfección con el contexto de lucha en el que nos situamos, donde las diferencias sociales se habían desdibujado y los refugiados se sabían dignos merecedores de aquello que solicitaban, como muestra que en numerosas ocasiones en las propias cartas analizadas hicieran alusión a que pedían solo lo que les pertenecía, convirtiendo en ocasiones sus solicitudes en listas de exigencias. Por tanto, los exiliados españoles no se comportaron únicamente como sujetos pasivos ante la redacción de la súplica, en cuanto que acataron las normas que establecieron los organismos asistenciales, adaptándolas a la situación que les envolvía, sino que también fueron sujetos activos porque modificaron el orden epistolar establecido para la tipología que nos ocupa, transgrediendo la norma para influir en la institución a la que iban dirigidas.

III

Benedict Anderson, en su conocida obra sobre las «comunidades imaginadas», afirma que tanto la nacionalidad como el nacionalismo son artefactos culturales de una clase particular que gozan de una profunda legitimidad emocional. En su intento de

[6] En relación a la «democratización de la escritura» véase PETRUCCI, *Scrivere e no. Politiche della scrittura...*. En cuanto a la conversión de la escritura en una práctica de masas a partir del siglo XIX y, especialmente, en el XX, remito a Gibelli, «Emigrantes y soldados. La escritura como práctica de masas...».

justificar dicha legitimidad, él plantea que uno de los rasgos característicos de la nación es que ésta siempre es imaginada como una comunidad en la que, independientemente de las desigualdades, prevalece el compañerismo y la solidaridad entre sus miembros, lo que provoca en los mismos un fuerte sentimiento de pertenencia al grupo imaginado. Para Anderson, es precisamente esta fraternidad la que explica que miles de personas estén dispuestos a morir y a luchar por «imaginaciones tan limitadas» pero que les hacen sentirse parte integrante de un todo.[7]

Es justo ese concepto de fraternidad el que podemos observar en el estudio del universo asistencial del exilio español, donde puede sostenerse la existencia de una «comunidad imaginada» sustentada mediante un ejercicio de reciprocidad construido a través de la lealtad de miles de ciudadanos hacia una causa, una idea y un Estado al que, de una forma o de otra, habían servido, motivo por el cual dicha causa, idea o Estado había adquirido una deuda con ellos que tenía que ser saldada. Este sistema se puso en marcha nada más comenzar las evacuaciones producidas a raíz de la contienda y se fue consolidando durante la primera etapa del exilio, según los refugiados iban asimilando el funcionamiento de los organismos asistenciales y entendiendo mejor este juego de reciprocidades del que formaron parte.

Por ello, en el análisis realizado se constata cómo los suplicantes modifican su forma de representarse ante los organismos de ayuda con el fin de demostrar su pasado republicano y dejar patente el sacrificio realizado en su lucha contra el fascismo. Ello explica que, según avanzase en el tiempo y a medida que los refugiados adquieren experiencia en el funcionamiento de los organismos asistenciales, profundicen más en esta retórica, que, sin embargo, estaba prácticamente ausente en las peticiones enviadas a la Asistencia Social. Los resultados del análisis del discurso que los peticionarios volcaron en sus súplicas demuestra que estamos ante una escritura corporativa en tanto en cuanto los refugiados transformaron el discurso individual para convertirlo en un discurso colectivo, en el que se utilizaban las mismas consignas que las instituciones a las que pedían ayuda con la finalidad clara de conseguir lo que demandaban.

Esto justifica que, en las solicitudes escritas desde los campos de internamiento, haya extensas autobiografías que buscaban reforzar la identidad de los refugiados como «combatientes», «militantes» y «víctimas», para de esta forma influir en el destinatario de la misiva, autolegitimar sus peticiones, impactar con sus argumentos y conseguir así la preciada intermediación para embarcar en los buques que les conducirían rumbo a la libertad. En cambio, en las solicitudes redactadas ya desde México la retórica de «combatientes» y «militantes» se va diluyendo, primando su condición de «víctimas» y de «refugiados». Unifican así sus diferencias, puesto que ya no nos encontramos ante militantes de un partido o sindicato determinado, ni ante combatientes de un batallón o

[7] Anderson, Benedict, *Comunidades imaginadas. Reflexiones sobre el origen y la difusión del nacionalismo* (México D. F.: Fondo de Cultura Económica, 1993 [1983]), pp. 24-25.

de otro, sino ante un grupo de personas víctimas del fascismo. El refugiado ya no busca distinguirse por su pasado militante, sino que trata de representar el sufrimiento común que caracteriza al exilio. Incluso vemos cómo hay episodios y tópicos que se repiten en las argumentaciones y que se acaban configurando como «mitos fundacionales» de las nuevas comunidades de refugiados, a través de los cuales reconstruyen su identidad perdida y conforman una nueva, como demuestra Jorge de Hoyos Puente en su estudio sobre el exilio en México. En dicha obra, el autor afirma que los refugiados que llegaron hasta el país azteca conformaron un colectivo que perseguía proyectar una imagen uniforme de sí mismos. Entre los tópicos que utilizaron para la creación de su discurso destacaban, entre otros, su admiración hacia el presidente Cárdenas, su concepción del éxodo mexicano como un exilio de intelectuales (aunque esto no fuera cierto), el concepto de «transterrados» o la idealización de la República.[8]

Al realizar el análisis sobre las súplicas del exilio español, he comprobado cómo muchos de estos tópicos estaban presentes en el discurso de los refugiados, tales como la idealización de la II República, su definición como víctimas del fascismo, su posicionamiento como «combatientes» o la exaltación de la figura de Cárdenas y del Gobierno mexicano. Lugares comunes que se encuentran también en los boletines y en las publicaciones periódicas producidas dentro de los campos de internamiento por diversos colectivos y sindicatos con la finalidad, no única pero sí primordial, de aunar a los refugiados españoles bajo un ideario común. Nos situamos, por tanto, ante un proceso, cultural y social, lento, en el que los exiliados, al despertar de su largo letargo, fueron tomando conciencia poco a poco de su condición de parte integrante de un todo que, aunque desmembrado, debía ser reconstruido. Como si se tratase de un puzzle compuesto por distintas piezas, una multitud de identidades con las cuales había que conformar una comunidad más grande capaz de unir a todos en su experiencia de desarraigo. En este proceso la escritura fue uno de los principales vehículos de transmisión de dichos tópicos, independientemente del formato del producto escrito (cartas, autobiografías, boletines de prensa, etc.).

Uno de los pilares sobre los que descansaba esa unión era la fidelidad que debían a la causa republicana y la fraternidad que, como miembros pertenecientes a una comunidad, se debían entre ellos, así como la protección que la República les seguía otorgando como una forma de recompensar su sacrificio. De este juego de reciprocidad no solo fueron conscientes los autores de las misivas, sino que desde los propios organismos asistenciales se promovió esta idea de recompensar las lealtades y el servicio a la República. Se explica así tanto la importancia atribuida al desempeño de ciertos cargos o a la participación en hechos relevantes, como que los criterios de selección y de evaluación de las súplicas pasaran por medir el grado de compromiso de sus autores. Al mismo

[8] De Hoyos Puente, *La utopía del regreso. Proyectos de Estado y sueños de nación en el exilio republicano en México...*, pp. 121-170.

tiempo, los organismos asistenciales eran conscientes de que su existencia era de lo poco visible, tangible y material que quedaba de la derrotada República. Convencidos de que el exilio sería breve y de que estaban en un periodo de transición debían empeñarse como nunca en no perder el poco apoyo que les quedaba y sabían que, para ello, tenían que contar con la aprobación de su pueblo, aunque este vagara de un país a otro en busca de un lugar bajo el que cobijarse y poder iniciar una nueva vida.

El comienzo estaba permitido pero no el abandono de las ideas que les habían llevado hasta allí, arrastrándoles hacia el éxodo pero también dándoles la oportunidad de empezar su vida de nuevo en países que les ofrecían una realidad muy distinta a la que habían conocido en España. Así se lo hicieron saber los responsables de los organismos dependientes del Gobierno republicano a los refugiados en los distintos discursos que pronunciaban en los actos oficiales o a través de boletines y periódicos que ellos mismos realizaban con un claro fin propagandístico, algunos de los cuales he reproducido a lo largo de estas páginas. Como ejemplo, basta con recordar unas frases del discurso de despedida del *Mexique*, el día 5 de julio de 1939, a cargo de la Comisión Ejecutiva de la UGT:

> Los que os marcháis, ni rompéis las filas de la UGT, ni debéis consideraros ausentes de los que se quedan en España. [...] Seguid aportando vuestra ayuda, vuestra colaboración a nuestra lucha de independencia, sentíos en todo lugar y momento soldados de la República española, defensores de la independencia patria y de su régimen de libertad.[9]

La expresión «sentíos en todo lugar y momento soldados de la República» nos muestra el interés que había por recuperar a los ciudadanos republicanos, de «reconstruirlos» para que siguieran formando parte de un Estado por encima de las fronteras o del lugar en el que habitasen,[10] para que siguiesen sintiendo esa fraternidad que les unía por encima de cualquier otra cosa. La estrategia seguida mediante las cartas de súplica fue solo uno de los mecanismos puestos en marcha por el Gobierno en el exilio, que, no debemos olvidar, mantuvo sus instituciones hasta 1977 cuando la democracia llegó a España y dieron por finalizada su histórica labor.

IV

El análisis interdisciplinar llevado a cabo me ha permitido conocer mejor esta práctica de escritura y entender el universo asistencial en el que se convirtió el exilio

[9] FPI-AARD, Caja 270, carpeta 2.

[10] Parto del concepto empleado por Pamela Ballinger para denominar al interés de la clase política italiana de «making or remaking italian», especialmente centrado en su estudio sobre los italianos que habitaban en las colonias africanas y que se convirtieron en refugiados tras la pérdida de las mismas en la II Guerra Mundial. Cfr. BALLINGER, Pamela, «Borders of the Nation, Borders of Citizenship: Italian Repatriation and the Redefinition of National Identity after World War II», *Comparative Studies in Society and History*, 49-3 (2007), pp. 713-741.

español, en el que la redacción, gestión, administración y conservación de las súplicas escritas por los miles de refugiados acabó configurando una red de deudas y lealtades que fue una herramienta más para mantener unido al desmembrado estado republicano. Si hasta ahora la escritura epistolar se había estudiado preferentemente como la forma de comunicación por excelencia entre los exiliados, capaz de tejer redes de contactos imprescindibles para su desarrollo político y también para la conformación de una red cultural, este trabajo viene a demostrar que dicha escritura se alimentó también de las peticiones y de las súplicas, insoslayables para entender este proceso en toda su complejidad.

El estudio de las cartas de súplica del exilio español sirve para analizar el poder de la escritura en un momento de crisis, mostrándose como un elemento dinámico capaz de transformar las realidades que le circundan pero también fuertemente influido por estas. Un camino de ida y vuelta en el complejo entramado de la construcción identitaria de un individuo y de un colectivo tras un episodio de desarraigo, así como del restablecimiento de sus relaciones con una nación sin territorio que persigue la manera de hacerse visible ante sus ciudadanos.

Los ejes seguidos me han servido para situar a la súplica como un agente mediador entre el poder y los ciudadanos, con todo lo que ello conlleva, y como una fuente que es capaz de reflejar hasta los mínimos resquicios el comportamiento social de una época. En definitiva, las súplicas no son solo prácticas privativas de sociedades caracterizadas por la estratificación social, como las del Antiguo Régimen, sino que también existen en sociedades de vocación igualitaria como instrumento para limar desigualdades y ofrecer oportunidades a los más desfavorecidos y como elemento de cohesión entre el individuo y el poder. Las peticiones se muestran, por tanto, como un instrumento al servicio de todos y su análisis es fundamental para conocer cómo funciona la sociabilidad del momento en el que son producidas.

Al mismo tiempo, estas páginas pretenden ayudar al lector a conocer mejor a los refugiados comunes, a los dobles derrotados del exilio español, a aquellos que no forman parte de las grandes obras sobre el mismo, pero cuya historia es imprescindible para comprender dicho acontecimiento. El estudio de las súplicas es un análisis de la desigualdad y del sufrimiento, pero sin el mismo sería más difícil acceder a las clases populares, cuya presencia tiende a pasar desapercibida tras los grandes personajes. Al estudiar las peticiones de los refugiados que protagonizan esta investigación he querido rescatar sus voces y sus palabras, construyendo con ellas una historia más justa, más inclusiva, más democrática. Valgan, en fin, estas páginas como recordatorio de todo lo que queda por hacer para recuperar su Historia y como muestra de las posibilidades que encierran las hojas de papel en las que los exiliados ahogaron sus gritos desesperados.

Fuentes y Bibliografía

Archivos y Bibliotecas

Abraham Lincoln Brigade Archive (ALBA), Tamiment Library & Robert F. Wagner Labor Archives, University of New York (Nueva York, EEUU).
— Moscow Microfilm.

Archivo Histórico de la Biblioteca del Instituto Nacional de Antropología e Historia (México D. F., México).
— Archivo del Comité Técnico de Ayuda a los Republicanos Españoles (CTARE).

Archivo Histórico Genaro Estrada (México D. F., México).
— Secretaría de Relaciones Exteriores.

Centro Documental de la Memoria Histórica (Salamanca, España).
— Comité Internacional de la Cruz Roja (copia digitalizada).
— Delegación Nacional de Servicios Documentales de la Presidencia del Gobierno. Sección Político Social.
— Archivo fotográfico de los Hermanos Mayo (copia del AGN, México D. F.).
—Archivo fotográfico de Albert Louis Deschamps.

Fonds photographique Alix (Ville de Bagnères-de-Bigorre) (Francia)

Fundación Pablo Iglesias (Alcalá de Henares, Madrid, España).
— Archivo Amaro del Rosal Díaz.
— Archivo fotográfico de la Fundación Pablo Iglesias.

Fundación Sabino Arana (Bilbao, España).
— Archivo del SERE.
— Archivo del PNV.

Fuentes Hemerográficas

Boletín de los Profesionales de la Enseñanza, Saint-Cyprien (Francia), n.º 28, 10 de agosto de 1939.

Boletín al Servicio de la Emigración Española, México D. F. (México), n.º 1, 15 de agosto de 1939.

— n.º 6, 21 de septiembre de 1939.

— n.º 26, 22 de febrero de 1940.

Diario de la 1.ª expedición de republicanos españoles a México, Sinaia, n.º 18, 12 de junio de 1939. [Reproducido en *Los barcos de la libertad. Diarios de viaje. Sinaia, Ipanema y Mexique (Mayo-julio de 1939)* (México: Colegio de México, 2006)].

Diario El Diluvio. Diario Republicano Democrático Federal, Barcelona, año LXXXI, n.º 13, 15 de enero de 1938.

Diario oficial del País Vasco, n.º 29, 6 de noviembre de 1936.
Exilio, Bram (Francia), n.º 1, 4 de mayo de 1939.
Gaceta de la República, n.º 33, 2 de febrero 1937.
— n.º 49, 18 de febrero de 1937.
— n.º 60, 1 de marzo de 1937.
— n.º 128, 8 de mayo de 1937.
— n.º 138, 18 de mayo de 1937.
— n.º 5, 5 de enero de 1938.
— n.º 6, 6 de enero de 1938.
L'Humanité, n.º 14.464, 26 de enero de 1939.
— n.º 14.653, 2 de febrero de 1939.
— n.º 14.657, 6 de febrero de 1939.
L'Ouest-Eclair, n.º 15.422, 31 de enero de 1939.
El País Semanal, n.º 1.886, 18 de noviembre de 2012.

FUENTES ORALES

Archivo de la Palabra (Instituto Nacional de Antropología e Historia, México D.F. – consulta a través de la copia conservada en el CDMH, Salamanca)
— Entrevista realizada por Dolores Pla Brugat a Pascual Casanova Rius en Guadalajara (México), entre el 17 y el 20 de agosto de 1974.
— Entrevista realizada por Elena Aub a Amaro del Rosal en Madrid entre abril y octubre de 1981.
— Entrevista realizada por Marisol Alonso a Ramón Rodríguez Mata en México D. F. entre marzo y abril de 1979.
— Entrevista realizada por Enriqueta Tuñón a Claudio Esteva Fabregat en Madrid, el 23 de junio y en Barcelona el 6 de diciembre de 1981.
— Entrevista realizada por Enriqueta Tuñón a Daniel Vieitez en México D. F., entre septiembre y noviembre de 1987.
Banco Audiovisual de Testimonios del Memorial Democratic. Repositorio Digital. [consultado en: http://bancmemorial.gencat.cat/web/].
— Entrevista realizada a Joan Gaspar Cirera.

Entrevistas inéditas

— Entrevista realizada por Guadalupe Adámez Castro a José Farreras Borrull en México D. F., el 4 de octubre de 2011.
— Entrevista realizada por Guadalupe Adámez Castro a Purificación Almarza en México D.F., el 8 de octubre de 2011.

FUENTES EDITADAS

Memorias, autobiografías, poemarios y correspondencias

ALMARZA CHAVES, Purificación: *Arrancados de Raíz* (México: autoedición, 2001).
ANDÚJAR, Manuel: *St. Cyprien., Plage... Campo de concentración* (Huelva: El fantasma de la glorieta, 1990).
AUB, Max [ed. de Xelo Candel Vila]: *Diario de Djelfa* (Valencia: Edicions de la Guerra & Café Malvarrosa, 1998).
BALDÓ, Ricardo: *Exiliados españoles en el Sahara. 1939-1943* (Alcoy: Imprenta la Victoria, Santo Tomás, 1977).
BARTOLÍ, Josep y MOLINS I FABREGA, Narcís: *Campos de concentración (1939-194...)* (México: Ediciones Iberia, 1944).
CRESPO MASSIEU, Antonio: *Elegía en Portbou* (Madrid: Bartleby editores, 2011).
DE AZCÁRATE, Pablo [Edición, estudio preliminar y notas de Ángel Viñas]: *En defensa de la República. Con Negrín en el exilio* (Barcelona: Crítica, 2010).
DE BELLMUNT, Domènec: *La revolución y la Asistencia Social. Antecedentes y documentos* (París: Talleres tipográficos de la «Association Hispanophile de France», 1937).
DE ORRIOLS, Álvaro: *Las Hogueras del Pertús. Diario de la evacuación de Cataluña* (Moret: Ediciós do Castro, 2008).
ESPINAR, Jaime: *Argelès-sur-Mer. Campo de concentración para españoles* (Caracas: Elite, 1940).

FELIPE, León: *Español del éxodo y del llanto, Poesías Completas* (Madrid: Visor Libros, 2004).

FERRAN DE POL, Lluís: *Campo de concentración (1939)* (Barcelona: Publicacions de l'Abadia de Montserrat y Ajuntament d'Arenys de Mar, 2003).

FERRER, Eulalio: *Entre Alambradas* (Barcelona: Grijalbo, 1988).

FILLOL, Vicente: *Los perdedores. Memorias de un exiliado español* (Madrid: Gaceta Ilustrada, 1973).

GARCÍA GERPE, Manuel: *Alambradas. Mis nueve meses por los campos de concentración de Francia* (Buenos Aires: Editorial Celta, 1941).

GARCÍA-TERESA, Alberto: *Abrazando vértebras* (Tenerife: Baile del Sol ediciones, 2014).

MACHADO, Antonio [Edición crítica de Oreste Macrì]: *Soledades, Galerías, Otros poemas, Poesías Completas* (Madrid: Espasa-Calpe, 1989).

MARCÓ GIL, Jaime: *De punta de N'Amer a St. Cyprien. La olimpiada del 18 de julio de 1936* (Palma de Mallorca: Autoedición, 1990).

MARTÍ IBÁÑEZ, Félix: *L'assistència social en la revolució* (Barcelona: Oficina de Propaganda de la Conselleria de Sanitat i Assistència Social de la Generalitat de Catalunya, 1937).

— *Obra. Diez meses de labor en Sanidad y Asistencia Social* (Barcelona: Tierra y Libertad, 1937).

MARTÍN, Cristina [Gabriel Paz]: *Éxodo de los republicanos españoles* (México D.F.: Colección Málaga, 1972).

MARTÍNEZ LÓPEZ, Miguel: *Alcazaba del olvido. El exilio de los refugiados políticos españoles en Argelia (1939-1962)* (Madrid: Endymion, 2006 [2004]).

MISTRAL, Silvia [edición a cargo de José F. Colmeiro]: *Éxodo. Diario de una refugiada española* (Barcelona: Icaria, 2008).

MONTAGUT, Lluís: *Yo fui soldado de la República, 1936-1945* (Barcelona: InéditaEditores, 2004).

MONTSENY, Federica: *Mi experiencia en el Ministerio de Sanidad y Asistencia Social, Conferencia pronunciada el 6 de junio de 1937, en el teatro Apolo, Valencia* (Valencia: Ediciones de la Comisión de Propaganda y Prensa del Comité Nacional de la CNT, 1937).

— *Pasión y muerte de los españoles en Francia* (Toulouse: Ediciones Espoir, 1969).

MORAL I QUEROL, Ramón: *Diari d'un exiliat. Fets viscuts. (1936-1945)* (Barcelona: Publicaciones de l'Abadia de Montserrat, 1979).

MORO, Sofía: *Ellos y Nosotros* (Barcelona: Blume, 2006).

OLIVA BERENGUER, Remedios: *Éxodo. Del campo de Argelès a la maternidad de Elne* (Barcelona: Viena ediciones, 2007).

REX, Domingo: *Un español en México. Confesiones de un transterrado* (México D.F.: Talleres Fuentes Impresores, 1983).

SANZ MATEO, Marcelino [edición de Anastasio Sanz Aramburu, Albán Sanz Díaz-Marta]: *Francia no nos llamó. Cartas de un campesino aragonés a su familia en la tormenta de la guerra y del exilio (1939-1940)* (Vinaròs, Castellón: Antinea, 2006).

SARLÉ-ROIGÉ, [Lluís edición y recopilación a cargo de Joseph Marimon y Pere Vigués]: *Ombres de la vida i de la mort. Un exiliat català en els camps de reclusió i els sanatoris franceses* (Barcelona: Editorial Portics, 1981).

SEMPRÚN, Jorge: *La escritura o la vida* (Barcelona: Tusquets Editores, 1995).

SIMEÓN VIDARTE, Juan: *Todos fuimos culpables* (México D. F.: Fondo de Cultura Económica, 1973).

VILANOVA, Francesc (ed.): *Des dels camps. Cartes de refugiats i internats al Midgia francès l'any 1939* (Barcelona: Quaderns de l'Arxiu Pi i Sunyer, 3, 1998).

ZAMBRANO, María: *Los bienaventurados* (Madrid: Siruela, 1990).

Manuales epistolares y atlas históricos

APARICI, Rafael: *Epistolario español o Manual práctico de correspondencia. Sucintas reglas de arte epistolar, seguidas de abundante colección de modelos de cartas referentes a los más variados asuntos de la vida social* (Madrid: Fortanet, [1913?]).

BURGOS, Carmen de (Colombine): *Modelos de cartas. Contiene todas las reglas referentes al estilo epistolar, papel, forma, dirección, abreviaturas, tratamientos e indicaciones necesarias al franqueo. Abundantes modelos de cartas de felicitación, de pésame, de excusas, de agradecimiento, de recomendación, de amor, de familia, de amigos, de negocios, de comercio y de invitación, como asimismo de los documentos más usuales, tarjetas, esquelas, volantes, etc.* (Valencia: Prometeo, [¿1910?]).

CALLEJA FERNÁNDEZ, Saturnino: *Lectura de Manuscritos* (Bilbao: El Paisaje, 2009 [edición facsímile, 1988]).

CHASEUR MILLARES, Agustín (Harmency): *Cómo debe escribir sus cartas la mujer* (Barcelona: Editorial B. Bauzá, 1943).

DUNOIS, M. Armand: *Secretario Universal español. Modelos de cartas sobre toda clase de asuntos* (Barcelona: F. Granada y C.ª, [1912?]).

El arte de escribir cartas. Colección de abundantes modelos de cartas amorosas, familiares, comerciales, memoriales, solicitudes y documentos usuales en la vida de relación social, precedidas de algunas noticias referentes al papel, la escritura, membretes, tratamientos, encabezamientos, principio, cuerpo y finales de las cartas, postdatas, sobres y abreviaturas (Madrid: José Yagües Sanz, 1917).

FERRER Y RIVERO, Pedro: *Tesoro del artesano. Manuscrito para las esquelas de niños y de adultos. Libro segundo. Correspondencia epistolar* (Madrid: Librería de Perlado, Paez y Cia., 1927).

MUÑOZ CORRIPIO, J. y BORI, R.: *Sistema Cots. Correspondencia general. Método práctico* (Barcelona: Editorial Cultura, 1943).

PÉREZ VELÁZQUEZ, Tomás: *El secretario de Casa. Libro enciclopedia de formularios y documentos oficiales y particulares* (Ávila: Sigirano Díaz, 1934).

RABEL, Juan: *Para escribir bien las cartas* (Valencia: Prometeo, 1932).

RIPOLLÉS, J. M.: *Tratado de correspondencia familiar y redacción de documentos* (Barcelona: Armando Baget, editor, 1943).

VALDIVIA, M.: *El arte de escribir cartas* (Madrid: Imprenta de la viuda de J. B. Bergua, 1929).

VILANOVA RIBAS, Mercedes y MORENO JULIÀ, Xavier: *Atlas de la evolución del analfabetismo en España. De 1887 a 1981* (Madrid: Centro de Publicaciones del Ministerio de Educación y Ciencia, 1992).

BIBLIOGRAFÍA

ABOUT, Ilsen y DENIS, Vicent: *Historia de la identificación de las personas* (Barcelona: Ariel Historia, 2011).

ADAM, Jean-Michel: «Le textes et ses composantes. Théorie d'ensemble des plans d'organisation», *Revue de sémio-linguistique des textes et discours,* SEMEN, Presses universitaires de Franche-Comté, 8 (1993) [Consultada en: htpp://semen.revues.org/4341]

— «Hacía una definición de la secuencia argumentativa», *Comunicación, Lenguaje y Educación,* 25 (1995), pp. 9-22.

— y LORDA, Clara Ubaldina: *Lingüística de los textos narrativos* (Barcelona: Ariel Lingüística, 1999).

— «Les genres du discours épistolaire. De la rhétorique à l'analyse pragmatique des pratiques discursives», en Siess, Jürgen (dir.), *La lettre entre réel et fiction* (París: SEDES, 1998), pp. 37-53.

— *Les textes, types et prototypes. Récit, description, argumentation, explication et dialogue* (París: Éditions Nathan, 2001).

— «Types de textes ou genres de discours? Comment classer les textes qui disent de et comment faire?», *Langages,* 35e année, 141 (2001), pp. 10-27.

ADÁMEZ CASTRO, Guadalupe: «La escritura necesaria: el uso de la correspondencia en las memorias y autobiografías de los exiliados españoles», en Ibarra, Alejandra (ed.), *No es país para jóvenes. III Encuentro de Jóvenes Investigadores de la Asociación de Historia Contemporánea* (Vitoria: Universidad del País Vasco/Instituto de Historia Social Valentín de Foronda, 2012), edición digital, sin numerar.

— «Cartas entre alambradas. La organización del correo en los campos de refugiados españoles durante el primer exilio (1939-1945)», en Castillo Gómez, Antonio y Sierra Blas, Verónica (dirs.), *Cartas-lettres-lettere. Discursos, prácticas y representaciones epistolares (siglos XIV-XX)* (Alcalá de Henares, Madrid: Servicio de Publicaciones de la Universidad de Alcalá, 2014), pp. 499-515.

— «"Soy un átomo de escasa percepción..." Peticiones de los refugiados españoles al CTARE», en Castillo Gómez, Antonio y Sierra Blas, Verónica (dirs.), *Cinco siglos de cartas. Historia y prácticas epistolares en las épocas moderna y contemporánea* (Huelva: Universidad de Huelva, 2014), pp. 337-355.

— «La primera prensa del exilio español. La edición de boletines en los campos de internamiento del suroeste francés (1939-1940)», en Gómez Bravo, Gutmaro y Pallol Trigueros, Rubén (ed.), *Posguerras. Actas congreso 75 aniversario guerra civil española* (Madrid: FPI, 2015), edición digital, sin paginar.

— «Un pasaporte hacia la libertad. Súplicas y solicitudes de los exiliados españoles al Comité Técnico de Ayuda a los Republicanos españoles», *Vínculos de Historia*, 5 (2016), pp. 290-308

ALBERCA, Manuel: *La escritura invisible. Testimonios sobre el diario íntimo* (Oiartzun: Sendoa, Colección Tinta Náufraga, 2000).

ALBINO FEDERICO, Maria: «La supplica: procedura per l´approvazione e aspetti formali», en Belloni, Cristina y Nubola, Cecilia, *Suppliche al pontifice. Diocesi di Trento, 1313-1565* (Bolonia: Il Mulino, 2006), pp. 22-30.

ALFONSECA GINER DE LOS RÍOS, Juan B.: *El incidente del trasatlántico Cuba. Una historia del exilio republicano español en la sociedad dominicana, 1938-1944* (Santo Domingo: Archivo General de la Nación, 2012).

ALTED VIGIL, Alicia: «Las consecuencias de la Guerra Civil española en los niños de la República: de la dispersión al exilio», *Espacio, Tiempo y Forma, Serie V, H.ª Contemporánea,* 9 (1996), pp. 207-228.

— «Ayuda humanitaria y reorganización institucional en el exilio», en Cuesta, Josefina y Bermejo, Benito (coord.), *Emigración y exilio. Españoles en Francia, 1936-1946* (Madrid: Eudema, 1996), pp. 202-210.

— GONZÁLEZ MARTELL, Roger y MILLÁN, María José, *El exilio de los niños* (Madrid: FPI, FFLC, 2003).

— *La voz de los vencidos. El exilio republicano de 1939* (Madrid: Aguilar, 2005).

— y FERNÁNDEZ MARTÍNEZ, Dolores: *Tiempos de exilio y solidaridad: la Maternidad Suiza de Elna (1939-1944)* (Madrid: UNED, 2014).

ALTO COMISIONADO DE NACIONES UNIDAS PARA LOS REFUGIADOS [ACNUR]: *La situación de los refugiados en el mundo: Cincuenta años de acción humanitaria* (Barcelona: Icaria Editorial, 2000).

AMELANG, James S. (coord.): «De la autobiografía a los ego-documentos: un fórum abierto», dossier monográfico de *Cultura Escrita & Sociedad,* 1 (2005), pp. 15-122.

ANDERSON, Benedict: *Comunidades imaginadas. Reflexiones sobre el origen y la difusión del nacionalismo* (México D. F.: Fondo de Cultura Económico, 1993 [1983]).

ANGOSTO, Pedro Luis: *La República en México. Con plomo en las alas, 1939-1945* (Salamanca: Espuela de Plata, 2009).

ANTONELLI, Quinto: «Appunti su una scrittura popolare», en Leoni, Diego y Zadra, Camilo, *La città di legno. Profughi trentini in Austria (1915-1918)* (Trento: Editrici Temi, 1982), pp. 203-212.

— y Camillo ZADRA: «Lettere di profughi trentini ai Comitati di Soccorso nella Grande Guerra», en Zadra, Camillo y Fait, Gianluigi (dirs.), *Deferenza, rivendicazione, supplica. Le lettere ai potenti* (Paese-Treviso: Pagus, 1991), pp. 35-41.

ARRIEN, Gregorio y GOIOGANA, Iñaki: *El primer exili dels bascos, Catalunya 1936-1939* (Barcelona/Bilbao: Fundació Ramón Trías Fargas/ FSA, 2001).

ARRIETA ALBERDI, Leyre: *Fondo Gobierno de Euzkadi (1936-1979): Historia y contenido* (Vitoria: Servicio Central de Publicaciones del Gobierno vasco, 2011).

ARTIS GENER, Avel-lí: *La diáspora republicana* (Madrid: Euros, 1975).

BALLINGER, Pamela: «Borders of the Nation, Borders of Citizenship: Italian Repatriation and the Redefinition of National Identity after World War II», *Comparative Studies in Society and History,* 49/3 (2007), pp. 713-741.

BAGGIO, Serenella: «Lettere a Gigliola Cinquetti: aspetti storico-linguistici», en Iuso, Anna y Antonelli, Quinto (eds.), *Scrivere agli idoli. La scrittura popolare negli anni Sessanta e dintorni a partire dalle 150.000 lettere a Gigliola Cinqueti* (Trento: Museo Storico Trentino, 2007), pp. 65-96.

BARTOLI LANGELI, Attilio: *La scrittura dell'italiano* (Bolonia: Il Mulino, 2000).

BEEVOR, Antony: *La guerra civil española* (Barcelona: Crítica, 2005).

BEHRENS, Benedikt: «Las autoridades mexicanas y el SERE en el rescate de los refugiados republicanos en 1939: colaboración y conflictos», *Congreso Internacional 1939: México y España,* 11-13 de marzo de 2009, CIHDE, versión on-line, sin paginar.

BELL, Adrian: *Solo serán tres meses: los niños vascos refugiados en el exilio* (Barcelona: Plataforma, 2011 [1996]).

BENNASSAR, Bartolomé: «L'apport des réfugiés espagnols à l'économie (1939-1941)», en VV.AA, *Républicans espagnols en Midi-Pyrénées. Exil, histoire et mémoire* (Lavaur: Presses Universitaires du Mirail, 2005), pp. 155-161.

BERCÉ, Yves-Marie: *La dernière chance. Histoire des suppliques* (París: Perrin, 2014).

BERGAMASCHI, Myriam (ed.): *«Caro papà di Vittorio...», Lettere al secretario generale della CGIL* (Milán: Edizione Angelo Guerini e Associati, 2008).

BERMEJO, Benito y CHECA, Sandra: *Cartas desde Mauthausen* (Madrid: Espasa Libros, 2016).

BINNS, Niall: *Argentina y la guerra civil española. La voz de los intelectuales* (Madrid: Calambur, Serie Hispanoamérica y la Guerra Civil española, 2012, Vol. 2).

BLANCHE-BENVENISTE, Claire: *Estudios lingüísticos sobre la relación entre oralidad y escritura* (Barcelona: Gedisa, 1998).

BLAS MÍNGUEZ ANAYA, Adrián: *Campo de Agde* (Madrid: Memoria Viva. Asociación para el estudio de la deportación y del exilio español. Monografias del Exilio Español, 2006).

— *Campos de Argelès, Saint-Cyprien y Barcarès, 1939-1942* (Madrid: Memoria Viva. Asociación para el estudio de la deportación y del exilio español. Monografías del Exilio Español, 2012).

BOARELLI, Mauro: *La fabbrica del passato. Autobiografie di militant comunisti (1945-1956)* (Milán: Feltrinelli, 2007).

— «L'écriture de soi sous contrainte. L'autobiographie dans le parti communiste italien (1945-1956)», en Iuso, Anna (dir.), *La face cachée de l'autobiographie* (Carcassonne: Garae Hésiode, 2011), pp. 153-178.

BOIX, Christian: «La notion de patrie dans le discours des réfugiés espagnols des camps d'Argelès et de Saint-Cyprien», en Villegas, Jean-Claude, *Plages d'exil. Les camps de réfugiés espagnols en France – 1939* (Nanterre: Bibliothèque de documentation internationale contemporaine, 1989), pp. 125-132.

BORDES MUÑOZ, Juan Carlos: *El Servicio de Correos durante el régimen franquista (1939-1975). Depuración de funcionarios y reorganización de los servicios postales,* (Madrid: Cinca; FFLC, 2009).

BOTELLA PASTOR, Virgilio: *Entre memorias. Las finanzas del Gobierno español en el exilio* (Sevilla: Renacimiento, 2007).

BOURDIEU, Pierre: «Historia, antropología y fuentes orales» [1986], *Historia, antropología y fuentes orales*, 2 (1989), pp. 27-33.

BOUREAU, Alain: «La norme épistolaire, une invention médiévale», en Chartier, Roger (dir.), *La correspondance. Les usages de la lettre au XIX siècle* (París: Fayard, 1991), pp. 127-157.

BLOCH, Marc: *Apología para la historia o el oficio del historiador* (México D. F.: Fondo de Cultura Económica, 2006).

BRICCHETTO, Enrica: «"Casi Miserandi" Lettere di civili, profughi e militari al Comitato di Assistenza di Alessandria (1915-1918)», en Zadra, Camillo y Fait, Gianluigi (dirs.), *Deferenza, rivendicazione, supplica. Le lettere ai potenti* (Paese-Treviso: Pagus, 1991), pp. 43-52.

BYRNE, Justin: «El archivo de la Spanish Refugee Aid. Otras voces y otras vidas del exilio», en Rodríguez Puértolas, Julio (coord.), *La República y la cultura. Paz, guerra y exilio* (Madrid: Akal, 2009), pp. 645-656.

CABEZA SÁNCHEZ-ALBORNOZ, Sonsoles: *Historia política de la Segunda República en el exilio* (Madrid: Fundación Universitaria española, 1997).

CABRAL BASTOS, Liliana y LEITE DA OLIVEIRA, Maria do Carmo: «Identity and personal/institutional relations: people and tragedy in a health insurance customer service», en de Fina, Anna; Schiffrin, Deborah y Bamberg, Michel, *Discourse and Identity* (Cambridge: Cambridge University Press, 2006), pp. 188-212.

CAFFARENA, Fabio: *Lettere dalla grande guerra. Scritture del quotidiano, monumenti della memoria, fonti per la storia. Il caso italiano* (Milán: Unicopli, 2005).

— y MARTÍNEZ MARTÍN, Laura (eds.): *Scritture migranti. Uno sguardo italo-spagnolo / Escrituras migrantes: una mirada ítalo-española* (Milán: FrancoAngeli, 2012).

CANAL, Jordi (ed.): *Exilios. Los éxodos políticos en la Historia de España, siglos XV-XX* (Madrid: Sílex, 2007).

— y GONZÁLEZ CALLEJA, Eduardo (eds.): *Guerras civiles. Una clave para entender la Europa de los siglos XIX y XX* (Madrid: Casa de Velázquez, 2014).

CAZALS, Rémy: *Lettres de réfugiées. Le réseau de Borieblanque. Des étrangères dans la France de Vichy* (París: Tallandier, 2003).

COBB, Cristopher H.: *Los milicianos de la Cultura* (Bilbao: Universidad del País Vasco, 1995).

CASTILLO GÓMEZ, Antonio: «Tras la huella escrita de la gente común», en Castillo Gómez, Antonio (ed.), *Cultura escrita y clases subalternas: una mirada española,* (Oiartzun: Sendoa, 2001), pp. 9-34.

— *La conquista del alfabeto. Escritura y clases populares* (Gijón: Trea, 2002).

— «De la suscripción a la necesidad de escribir», en Castillo Gómez, Antonio (coord.), *La conquista del alfabeto. Escritura y clases populares* (Gijón: Trea, 2002), pp. 21-52.

— «La corte de Cadmo. Apuntes para una Historia social de la cultura escrita», *Revista de Historiografía,* ½ (2004), pp. 89-98.

— «Escribir para no morir. La escritura en las cárceles franquistas», en Castillo Gómez, Antonio y Montero, Feliciano (coord.), *Franquismo y memoria popular. Escritura, voces y representaciones* (Madrid: Siete Mares, 2006), pp. 17-53.

— *Entre la pluma y la pared. Una Historia Social de la escritura en los siglos de oro,* (Madrid: Akal, 2006).

— y Sierra Blas, Verónica: «Si mi pluma valiera tu pistola. Adquisición y usos de la escritura en los frentes republicanos durante la Guerra Civil española», *Ayer,* 67 (2007), pp. 179-205.

Cate-Arries, Francie: *Culturas del exilio español entre las alambradas. Literatura y memoria de los campos de concentración en Francia, 1939-1945* (Barcelona: Anthropos, 2012 [2004]).

Caudet, Francisco: *Hipótesis sobre el exilio republicano de 1939* (Madrid: FUE, 1997).

Cazorla Sánchez, Antonio: *Cartas a Franco de los españoles de a pie (1936-1939)* (Barcelona: RBA Libros, 2014).

Chartier, Roger: «Des "secrétaires" pour le peuple? Les modèles épistolaires de l'Ancien Régime entre littérature de cour et livre de colportage», en Chartier, Roger (dir.), *La correspondance. Les usages de la lettre au XIXe siècle* (París: Fayard, 1991), pp. 159-207.

— *Escribir las prácticas: discurso, práctica y representación* (Valencia: Fundación Cañada Blanch; Universitat de València, 1998).

Chueca, Josu: *Gurs, el campo vasco* (Navarra: Txalaparta, 2006).

Cordero Olivero, Inmaculada: «El retorno del exiliado», *Estudios de historia moderna y contemporánea de México,* 17 (1996), pp. 141-162.

Cuesta bustillo, Josefina: «Las capas de la memoria. Contemporaneidad, sucesión y transmisión generacionales en España (1931-2006)», *Hispania Nova. Revista de Historia Contemporánea*, 7 (2007), sin paginar [consultado en: http://hispanianova. rediris.es/7/ dossier/07d009.pdf].

— *La odisea de la memoria. Historia de la memoria en España, siglo XX* (Madrid: Alianza editorial, 2008).

— «Derecho humanitario en la Europa de Entreguerras. La Cruz Roja en la Guerra de España», en Alted Vigil, Alicia y Fernández Martínez, Dolores, *Tiempos de exilio y solidaridad: la Maternidad Suiza de Elna (1939-1944)* (Madrid: UNED, 2014), pp. 15-42.

Cruz Orozco, José Ignacio: «Los barracones de cultura. Noticias sobre las actividades educativas de los exiliados españoles en los campos de refugiados», *Clío*, 26 (2002), edición digital, sin numerar.

Dauphin, Cécile: «Les manuels épistolaires au XIXe siècle», en Chartier, Roger (dir.): *La correspondance. Les usages de la lettre au XIXe siècle* (París: Fayard, 1991), pp. 231-239.

— ; Poublan, Danièle y Lebrun-Pézerat, Pierrette: *Ces bonnes lettres. Une correspondance familiale au XIXe siècle* (París: Albin Michel, 1995).

— *Prête-moi ta plume... Les manuels épistolaires au XIXe siècle* (Paris: Éditions Kimé, 2000).

De Hoyos Puente, Jorge: «La construcción del imaginario colectivo del exilio republicano en México: los mitos fundacionales», en Nicolás Marín, María Encarna y González Martínez, Carmen (coord.), *Ayeres en discusión. Temas clave de la H.ª Contemporánea hoy, IX Congreso de la Asociación de H.ª Contemporánea* (Murcia: Universidad de Murcia, 2008), edición digital, sin paginar.

— «Las Españas del exilio, una mirada a las culturas políticas refugiadas en México, 1939-1950», *Estudios Migratorios Latinoamericanos,* 24/69 (2010), pp. 235-262.

— *La utopía del regreso. Proyectos de Estado y sueños de nación en el exilio republicano en México* (Santander/México D. F.: Ediciones Universidad de Cantabria/Colegio de México, 2012).

De Fina, Anna; Schiffrin, Deborah y Bamberg, Michel: *Discourse and Identity* (Cambridge: Cambridge University Press, 2006).

— «Group identity, narrative and self-representations», en de Fina, Anna; Schiffrin, Deborah y Bamberg, Michel: *Discourse and Identity* (Cambridge: Cambridge University Press, 2006), pp. 351-375.

De Luis Martín, Francisco: *La FETE en la Guerra Civil española (1936-1939)* (Barcelona: Ariel, 2002).

Del Rosal, Amaro: *El oro del banco de España y la Historia del Vita* (México D. F.: Grijalbo, 1976).

— *Historia de la UGT de España en la Emigración* (México D. F.: Grijalbo, 1978, Vol. 1).

Del Valle, José María: *Las instituciones de la República española en el exilio* (Chatillon-Sous-Bagneux: Ruedo Ibérico, 1976).

De Vicente Hernando, César: «La República en el exilio: un Gobierno sin pueblo y sin tierra», en Rodríguez Puértolas, Julio (coord.), *La República y la cultura. Paz, guerra y exilio* (Madrid: Akal, 2009), pp. 663-672.

Didier, Fassin: «La supplique. Stratégies rhétoriques et constructions identitaires dans les demandes d'aide d'urgence», *Annales. Histoire, Sciences Sociales*, 55e année, 5 (2000), pp. 955-981.

Dreyfus-Armand, Geneviève: *El exilio de los republicanos españoles en Francia. De la Guerra Civil a la muerte de Franco* (Barcelona: Crítica, 2000).

— y Temime, Émile: *Les Camps sur la plage, un exil espagnol* (París: Éditions Autrement, 1995).

— «De quelques termes employés (camps d'internement, de concentration, d'extermination): de leur signification Historique à leur poids mémoriel», en Bernard Sicot (ed.), *De l'exil et des camps: écrire et peindre, de Max Aub à Ramón Gaya* (París: Université Paris-Ouest Nanterre la Défense, 2008), pp. 19-31.

— «Poblaciones civiles y organizaciones de ayuda humanitaria en el periodo de entreguerras», en Alted Vigil, Alicia y Fernández Martínez, Dolores, *Tiempos de exilio y solidaridad: la Maternidad Suiza de Elna (1939-1944)* (Madrid: UNED, 2014), pp. 43-60.

Domínguez Prats, Pilar: «El exilio republicano a México en los años cuarenta. Una emigración asistida», *Tebeto: Anuncio del Archivo Histórico insular de Fuerteventura,* 2 (1992), tomo 2, pp. 323-342.

— *De ciudadanas a exiliadas. Un estudio sobre las republicanas españoles en México* (Madrid: Cinca, 2009).

Duarte, Ángel: «Monárquicos y derechas», en Canal, Jordi (ed.), *Exilios. Los éxodos políticos en la Historia de España, siglos xv-xx* (Madrid: Sílex, 2007), pp. 217-240.

Durán López, Fernando: «La autobiografía como fuente histórica: problemas teóricos y metodológicos», *Memoria y Civilización*, 5 (2002), pp. 153-187.

Fairclough, Norman y Wodak, Ruth: «Análisis crítico del discurso», en Van Dijk, Teun A. (comp.), *El discurso como interacción social. Estudios sobre el discurso II. Una introducción multidisciplinaria* (Barcelona: Gedisa, 2000), pp. 367-404.

Ferreiro, Emilia; Pontecorvo, Clotilde; Ribeiro Moreira, Nadja y García Hidalgo, Isabel: *Caperucita Roja aprende a escribir. Estudios psicolinguisticos comparativos en tres lenguas* (Barcelona: Gedisa, 1998).

Foucault, Michel: «La vida de los hombres infames» [1977], en Foucault, Michel [traducción y edición a cargo de Julia Varela y Fernando Álvarez Uría], *Obras Esenciales, Vol. II. Estrategias de poder* (Barcelona: Paidós, 1999), pp. 389-407.

Flores, Xavier: «El Gobierno de la República en el exilio. Crónica de un imposible retorno», *Espacio, Tiempo y Forma, Serie V, H.ª Contemporánea*, 14 (2001), pp. 309-350.

Franzina, Emilio: «L'epistolografia popolare e i suoi usi», *Materiali di lavoro*, 1-2 (1987), pp. 21-76.

FRANCHINI, Giuliana: «Leer y escribir en los lager. Modalidades de resistencia de los prisioneros italianos en Alemania durante la segunda guerra mundial», en Castillo Gómez, Antonio y Sierra Blas, Verónica (ed.), *Letras bajo sospecha: escritura y lectura en los centros de internamiento* (Gijón: Trea, 2005), pp. 201-216.

FOSI, Irene: «Rituali della parola. Supplicare, raccomandare e raccomandarsi a Roma nel Seicento», en Nubola, Cecilia y Würgler, Andreas (eds.), *Forme della comunicazione politica in Europa nei secoli XV-XVIII. Suppliche, gravamina, lettere* (Bolonia: Il Mulino, 2001), pp. 329-350.

GABRIELLI, Patrizia: *Mondi di carta. Lettere, autobiografie, memorie* (Siena: Protagon Editori Toscani, 2000).

GARCÍA PAZ, Beatriz; MARTÍ MOTILVA, Carme; MARTÍN NÁJERA, Aurelio y GONZÁLEZ QUINTANA, Antonio: *Catálogo de los archivos donados por Amaro del Rosal Díaz* (Madrid: FPI, 1986).

GARCÍA SÁNCHEZ, Jesús: «La correspondencia de los españoles en Francia (1936-1946)», en Cuesta, Josefina y Bermejo, Benito (coord.), *Emigración y exilio. Españoles en Francia, 1936-1946* (Madrid: Eudema, 1996), pp. 330-343.

GASPAR CELAYA, Diego: «Un exilio al combate: republicanos españoles en Francia. 1939-1945», en Pereira, Victor y Ceamanos Llorens, Roberto (coords.), *Migrations et exils entre l'Espagne et la France. Regards depuis l'Aquitaine et l'Aragon / Migraciones y exilios. España y Francia. Aproximaciones desde Aquitania y Aragón* (Pau: Éditions Cairn, 2015), pp. 117-137.

— *La Guerra continúa. Voluntarios españoles al servicio de la Francia libre. 1940-1945* (Madrid: Marcial Pons, 2015).

GEMIE, Sharif: «The Ballad of Bourg-Madame: Memory, Exile, and the Spanish Republican Refugees of the Retirada of 1939», *International Review of Social History,* 51 (2006), pp. 1-40.

GIBELLI, Antonio: «Lettere ai potenti: un problema di storia sociale», en Zadra, Camillo y Fait, Gianluigi (dirs.), *Deferenza, rivendicazione, supplica. Le lettere ai potenti* (Paese-Treviso: Pagus, 1991), pp. 1-13.

— «Emigrantes y soldados. La escritura como práctica de masas en los siglos XIX y XX», en Castillo Gómez, Antonio (coord.), *La conquista del alfabeto. Escritura y clases populares* (Gijón: Trea: 2002), pp. 189-224.

— *L'officina della guerra. La Grande Guerra e le trasformazioni del mondo mentale* (Turín: Bollati Boringhieri, 2008).

GIMENO BLAY, Francisco: *Scripta Manent. De las ciencias auxiliares a la historia de la cultura escrita* (Granada: Universidad de Granada, 2008).

GONZÁLEZ CARBALLÁS, Lucía: «Clases populares y poder: cartas de emigrantes gallegos», en Rodríguez Gallardo, Ángel, *La escritura cotidiana contemporánea: Análisis lingüístico y discursivo* (Vigo: Servizo de Publicacións da Universidade de Vigo, 2011), pp. 52-53.

GRACIA ALONSO, Francisco y MUNILLA, Gloria: *El tesoro del «Vita». La protección y el expolio del patrimonio histórico-arqueológico durante la Guerra Civil* (Barcelona: Universitat de Barcelona, 2014).

GRANDO, René; QUERALT, Jacques y FEBRÉS, Xavier: *Camps du Mépris, des chemins d'exil à ceux de la résistance, 1939-1945* (Canet: Trabucaire, 2004).

GRATELL, Peter: *The Making of the Modern Refugee* (Oxford: Oxford University Press, 2013).

GROPPO, Bruno: «Los exilios europeos en el siglo XX», en Yankelevich, Pablo (dir.), *México, país de refugio: la experiencia de los exilios en el siglo XX* (México D. F.: INAH, 2002).

GUIXÉ COROMINES, Jordi: *La República perseguida. Exilio y represión en la Francia de Franco (1937-1951)* (Valencia: Universidad de Valencia, 2012).

HEERMA VAN VOSS, Lex (ed.): «Petitions in Social History», suplemento de *International Review of Social History*, 46/S9 (2001).

HERVÁS I PUYAL, Carles: *Sanitat a Catalunya durant la República i la Guerra Civil. Política i Organització sanitàries: l'impacte del conflicte bèl-lic,* Tesis Doctoral defendida en la Universitat Pompeu Fabra, Insitut Universitari d'Història Jaume Vicens i Vives, Barcelona, 2004 [inédita].

HOBSBAWM, Eric: *Historia del siglo XX* (Barcelona: Crítica, 2001 [1998]).

HUSSER, Beate: *Histoire du camp militaire Joffre de Rivesaltes* (París: Lienart, 2014).

IUSO, Anna (dir.): *La face cachée de l'autobiographie* (Carcassonne: Garae Hésiode, 2011).

KETELAAR, Eric: «The Panoptical Archive», en Blouin, Francis X., y Rosenberg, William G. (eds.), *Archives, documentation and institutions of social memory. Essays from the Sawyer Seminar* (Michigan: University of Michigan, 2007), pp. 144-150.

KEREN, Célia: «Négocier l'aide humanitaire : les évacuations d'enfants espagnols vers la France pendant la guerre civile (1936-1939)», *Revue d'Histoire de l'Enfance Irrégulière*, 14 (2013), pp. 167-183.

KERSHNER, Howard E.: *La labor asistencial de los cuáqueros durante la Guerra Civil española y la posguerra. España y Francia. 1936-1941* (Madrid: Siddharth Mehta Ediciones, 2011).

KOTEK, Joël y RIGOULOT, Pierre: *Le siècle des camps. Détention, concentration, extermination. Cent ans de mal radical* (París: Lattès, 2000).

LAJOURNADE, Julien: *Le courrier dans les camps de concentration, 1933-1945. Système et rôle politique* (París: Editions L'Image document, 1989).

LEJEUNE, Philippe: «El pacto autobiográfico», en Lejeune, Philippe, *El pacto autobiográfico y otros estudios* (Madrid: Megazul, 1994 [1975]), pp. 49-89.

LEONI, Diego y ZADRA, Camilo (ed.): *La città di legno. Profughi trentini in Austria (1915-1918)* (Trento: Editrici Temi, 1982).

LEYS, Colin: «Petitioning in the nineteenth and twentieth centuries», *Political Studies*, 3 (1955), pp. 45-64.

LIDA, Clara E.; MATESANZ, José Antonio y ZORAIDA VÁZQUEZ, Josefina: *La casa de España y el colegio de México. Memoria 1938-2000* (México D. F.: El Colegio de México, 2000).

LYONS, Martyn: *The Writing Culture of Ordinary People in Europe, c. 1860-1920* (Cambridge: Cambridge University Press, 2013).

— «QWERTYUIOP: How the Typewriter influenced Writing Practices», *Quaerendo*, 44 (2014), pp. 219-240.

— «Writing Upwards: How the Weak Wrote to Powerful», *Journal of Social History*, 5/48 (2015), pp. 1-14.

MARQUÉS, Pierre: *La croix-rouge pendant la Guerre d'Espagne (1936-1939). Les missionnaires de l'humanitaire* (París: L'Harmattan, 2000).

— «Ayuda humanitaria y evacuaciones de niños», en Alonso Carballés, Jesús J. (ed.), *El exilio de los niños [catálogo de la exposición celebrada en el Palacio Euskalduna, Bilbao del 17 de diciembre de 2003 al 23 de enero de 2004]* (Madrid: FPI/FFLC, 2003), pp. 39-55.

MARQUILHAS, Rita: *A Faculdade das letras. Leitura e escrita em Portugal no séc. XVII* (Lisboa: Imprenta Nacional-Casa da Moeda, 2000).

— «¿Analfabetismo o funcionarios? Vestigio de la tradición burocrática», en Castillo Gómez, Antonio (coord.), *La conquista del alfabeto. Escritura y clases populares* (Gijón: Trea, 2002), pp. 267-286.

— «Eu anda sou vivo. Sobre a edição e análise linguística de cartas de gente vulgar», *Estudos de Lingüística Galega*, 1 (2009), pp. 57-59.

— «A historical digital archive of Portuguese letters», en Dossena, M. y Camiciotti, G. (eds.), *Letter Writting in Late Modern Europe* (Amsterdam/Philadelphia: John Benjamin, 2012), pp. 31-43.

Martín Aceña, Pablo: *El oro de Moscú y el oro de Berlín* (Madrid: Taurus, 2001).

Martínez Aguirre, Rebeca: «La escritura femenina en reclusión», en Rodríguez Gallardo, Ángel, *La escritura cotidiana contemporánea: Análisis lingüístico y discursivo* (Vigo: Servizo de Publicacións da Universidade de Vigo, 2011), pp. 101-123.

— «La escritura de cartas en las cárceles de mujeres durante el Franquismo», en Castillo Gómez, Antonio y Sierra Blas, Verónica, *Cinco siglos de cartas. Historia y prácticas epistolares en las épocas moderna y contemporánea* (Huelva: Universidad de Huelva, 2014), pp. 391-410.

Martínez Cobos, José: «La organización de la UGT en el exilio», en Girón, José (ed.), *UGT Un siglo de historia (1888-1988)* (Oviedo: Fundación Asturias, 1992), pp. 115-131.

Martínez Martín, Laura: «Escribir en cadena. Solidaridad y control en las cartas de los emigrantes», en Castillo Gómez, Antonio y Sierra Blas, Verónica (dirs.), *Cartas-lettres-lettere. Discursos, prácticas y representaciones epistolares (siglos* xiv-xx*)* (Alcalá de Henares, Madrid: Servicio de Publicaciones de la Universidad de Alcalá, 2014), pp. 445-463.

Martini, Juan: «Naturaleza del exilio», *Cuadernos Hispanoamericanos*, dossier monográfico «La cultura argentina de la dictadura a la democracia», 517-519 (1993), pp. 552-555.

Mateos, Abdón (ed.): *Exilio y clandestinidad. La reconstrucción de UGT, 1939-1977* (Madrid: UNED, 2001).

— *De la Guerra Civil al exilio. Los republicanos españoles y México (Indalecio Prieto y Lázaro Cárdenas)* (Madrid: Biblioteca Nueva, 2005).

— *Historia de la UGT Contra la dictadura franquista, 1939-1975* (Madrid: Siglo XXI Editores, 2008).

— *La batalla de México. Final de la Guerra Civil y ayuda a los refugiados, 1939-1945* (Madrid: Alianza Editorial, 2009).

— *¡Ay de los vencidos! El exilio y los países de acogida* (Madrid: Eneida, 2009).

Mazzatosta, Teresa Maria y Volpi, Claudio: *L´italietta fascista (lettere al potere 1936-1943)* (Bolonia: Casa editrici Cappelli, 1980).

Medina, F. Xavier: *Vascos en Barcelona. Etnicidad y migración vasca hacia Cataluña en el siglo* xx (Vitoria-Gasteiz: Servicio Central de Publicaciones del Gobierno Vasco, 2002).

Michonneau, Stéphane: «Les papiers de la guerre, la guerre des papiers. L'affaire des archives de Salamanque», en Artières, Philippe y Arnaud, Annick (coords.), «Lieux d'archive. Une nouvelle cartographie: de la maison au musée», dossier monográfico de *Sociétés et Représentations*, 19 (2005), pp. 250-267.

Miñarro, Anna: «Camp d'Argelers: el rastro (rostre) de la violència», en Barrié, Roger, Camiade, Martine y Font, Jordi (dir.), *Déplacements forcés et exils en Europe au* xxe *siècle. Le corps et l'esprits / Desplaçaments forçosos i exilis a l'Europa del segle* xx*. El cos i l'esperit* (Perpignan: Talaia, 2013), pp. 131-148.

Miralles, Ricardo: *Juan Negrín. La República en guerra* (Madrid: Temas de Hoy, 2003).

Molinari, Augusta: «Storia delle donne e ruoli sessuali nell'epistolografia popolare della grande guerra», en Betri, Maria Luisa y Maldini Chiarito, Daniela (eds.), *«Dolce dono graditissimo». La lettera privata dal Settecento al Novecento* (Milán: FrancoAngeli, 2000), pp. 210-225.

— *Le lettere al padrone. Lavoro e cultura operaie all'Ansaldo nel primo Novecento* (Milán: FrancoAngeli Storia, 2000).

MORAL RONCAL, Antonio Manuel: *Diplomacia, humanitarismo y espionaje en la Guerra Civil española* (Madrid: Editorial Biblioteca Nueva, 2008).

NAHARRO CALDERÓN, José María: *El exilio de las Españas de 1939 en las Américas: ¿adónde fue la canción?* (Barcelona: Anthropos, 1991).

NAÏR, Sami: *Refugiados. Frente a la catástrofe humanitaria, una solución real* (Madrid: Crítica, 2016).

NARANJO OROVIO, Consuelo (coord.): «Los destinos inciertos: el exilio republicano español en América Latina», dossier monográfico de *Arbor: Ciencia, pensamiento y cultura,* 735 (2009), pp. 1-156.

— y PUIG-SAMPER MULERO, Miguel Ángel: «De isla en isla: los españoles exiliados en República Dominicana, Puerto Rico y Cuba», en Naranjo Orovio, Consuelo (coord.), «Los destinos inciertos: el exilio republicano español en América Latina», dossier monográfico de *Arbor: Ciencia, pensamiento y cultura,* 735 (2009), pp. 87-112.

NAVARRO BONILLA, Diego: «La naturaleza del informe como tipología documental: documento gris, documento jurídico y documento de archivo», *Anales de documentación,* 5 (2002), pp. 287-302.

NORA, Pierre (dir.): *Les lieux de mémoire* (París: Gallimard, 2004).

NUBOLA, Cecilia y WÜRGLER, Andreas (eds.): *Forme della comunicazione politica in Europa nei secoli XV-XVIII. Suppliche, gravamina, lettere* (Bolonia: Il Mulino, 2001).

— y WÜRGLER, Andreas (coord.): *Operare la resistenza. Suppliche, gravamina e rivolte in Europa (secoli XV-XIX)* (Bolonia: Il Mulino, 2006).

ORDÓÑEZ ALONSO, María Magdalena: *El Comité técnico de Ayuda a los Republicanos Españoles: historia y documentos, 1939-1940* (México D. F.: INAH, 1997).

OTTE, Enrique: *Cartas privadas de emigrantes a Indias, 1540-1616* (Sevilla: Consejería de Cultura, 1988).

PASSERINI, Luisa: *Torino operaia e fascismo* (Roma-Bari: Laterza, 1984).

PAYÁ VALERA, Emeterio: *Los niños de españoles de Morelia: El exilio infantil en México* (Jalisco: Colegio de Jalisco, 2002).

PENEFF, Jean: «Autobiographies de militants ouvriers», *Revue française de science politique,* 1/29 (1979), pp. 53-82.

PENNETIER, Claude y PUDAL, Bernard: *Autobiographies, autocritiques, aveux dans le monde communiste* (París: Belin, 2002).

— y PUDAL, Bernard: *Le sujet communiste. Identités militantes et laboratoires du «moi»* (Rennes: PUR, 2014).

PESCHANSKI, Denis: *La France des camps. L'internement, 1938-1946* (París: Gallimard, 2002).

PETRUCCI, Armando: *Scrivere e no. Politiche della scrittura e analfabetismo nel mondo d'oggi* (Roma: Editori Riuniti, 1987).

— *Alfabetismo, escritura, sociedad* (Barcelona: Gedisa, 1999)

— «Para la historia del alfabetismo y de la cultura escrita: métodos, materiales y problemas» [1978], en Petrucci, Armando, *Alfabetismo, escritura, sociedad* (Barcelona: Gedisa, 1999), pp. 25-39.

— «Escrituras marginales y escribientes subalternos» [1997], *Signo. Revista de Historia de la Cultura Escrita,* 7 (2000).

— «La petición al señor. El caso de Lucca (1400-1430)», *Anales de historia antigua, medieval y moderna*, 34 (2001), pp. 55-64.

— *La ciencia de la escritura. Primera lección de Paleografía,* Buenos Aires: FCE (2003) [2002].

— *Scrivere lettere. Una storia plurimillenaria,* Roma-Bari: Laterza (2008).

PISCHEDA, Katia: «Supplicare, intercedere, raccomandare. Forme e significate del chiedere nella corrispondenza di Cristoforo Madruzzo (1539-1567)», en Nubola, Cecilia y Würgler, Andreas, *Forme della comunicazione politica in Europa nei secoli XV-XVIII. Suppliche, gra-*

vamina, lettere (Bolonia: Il Mulino, 2001), pp. 351-382.

PLA BRUGAT, Dolores: «Características del exilio en México en 1939», en Lida, Clara E., *Una inmigración privilegiada. Comerciantes, empresarios y profesionales españoles en México en los s. XIX y XX* (Madrid: Alianza Editorial, 1994).

— *Els exiliats catalans. Un estudio de la emigración republicana española en México (*México D. F.: INAH, 1999).

— *Los Niños de Morelia. Un estudio sobre los primeros refugiados españoles en México* (México D. F.: Conaculta; INAH, 1999).

— «La presencia española en México, 1930-1990. Caracterización e historiografía», *Migraciones y exilios,* 2 (2001), pp. 157-188.

— «El exilio republicano en Hispanoamérica. Su Historia e Historiografía», *Historia Social*, 42 (2002), pp. 99-121

— *El aroma del recuerdo. Narraciones de españoles republicanos refugiados en México* (México D. F.: INAH, 2003).

— «Un río español de sangre roja. Los refugiados republicanos en México», en Pla Brugat, Dolores (coord.), *Pan, trabajo y hogar. Exilio republicano español en América Latina* (México D. F.: Centro de Estudios Migratorios, INAH, DGE Ediciones SA de CV, 2007), pp. 35-127.

— *Pan, trabajo y hogar. Exilio republicano español en América Latina* (México D. F.: Centro de Estudios Migratorios, INAH, DGE Ediciones SA de CV, 2007).

— «1939», en Canal, Jordi (ed.), *Exilios. Los éxodos políticos en la Historia de España, siglos XV-XX* (Madrid: Sílex ediciones, 2007), pp. 241-270.

— *Catálogo del fondo de historia oral: Refugiados españoles en México. Archivo de la Palabra* (México D. F.: INAH, 2011).

PONS PRADES, Eduardo: *Los niños republicanos: el exilio* (Madrid: Oberon, 2005).

RAFANEAU-BOJ, Marie-Claude: *Los campos de concentración de los refugiados españoles en Francia (1939-1945)* (Barcelona: Ediciones Omega, 1995).

REPETTI, Paola: «Scrivere ai potenti. Suppliche e memoriali a Parma (secoli XVI-XVIII)», en Chartier, Roger y Messerli, Alfred (eds), *Lesen und Scrheiben in Europa. 1500-1900* (Zurich: Schwabe & Go, 2000), pp. 401-428.

RICOEUR, Paul: *La memoria, la Historia, el Olvido* (Madrid: Editorial Trotta, 2003).

RODRÍGUEZ GALLARDO, Ángel y MARTÍNEZ AGUIRRE, Rebeca: *La escritura femenina en reclusión. Cartas de Enriqueta Otero Blanco* (Santiago de Compostela: Fundación 10 de Marzo, 2009).

— «Tradiciones discursivas epistolares populares del siglo XV al XX», en Assunçao, Carlos; Fernandes, Gonçalo; Loureiro, Marlene (eds.), *Ideias Linguísticas na Península Ibérica* (Münster: Nodus Publikationen, 2010), pp. 783-793.

— «La recepción epistolar: una aproximación crítica», en Castillo Gómez, Antonio y Sierra Blas, Verónica (dirs.), *Cinco siglos de cartas. Historia y prácticas epistolares en las épocas moderna y contemporánea* (Huelva: Universidad de Huelva, 2014), pp. 375-390

RUBALCABA PÉREZ, Carmen: «"Escribo aquello que no sabría decirle a nadie". La escritura en reclusión», en Castillo Gómez, Antonio y Sierra Blas, Verónica (eds.), *Letras bajo sospecha: escritura y lectura en los centros de internamiento* (Gijón: Trea, 2005), pp. 217-236.

— *Entre las calles vivas de las palabras* (Gijón: Trea, 2006).

RUBIO, Javier: *La emigración de la Guerra Civil de 1936-1939* (Madrid: Editorial San Martín, 1977), 3 vol.

— «Política francesa de acogida. Los campos de internamiento», en Cuesta, Josefina y Bermejo, Benito (coord.), *Emigración y exilio. Españoles en Francia, 1936-1946* (Madrid: Eudema, 1996), pp. 87-108.

ROUHART, Jean-Louis: *Lettres de l'ombre. Correspondance illégale dans les camps de concentration nazis* (Liège : Territoire de la Mémoire, 2015).

SAGUI-PIGENET, Phyrné: *Les Catalans espagnols en France au xxème siècle: exil et identités à l'épreuve du temps*, Tesis Doctoral defendida en París 10 y la École doctorale Economie, organisations, société en Nanterre, París, 2014 [inédita].

SÁNCHEZ ALBORNOZ, Nicolás (comp.): *El destierro español en América. Un trasvase cultural* (Madrid: Sociedad Estatal Quinto Centenario; Siruela, 1991).

SÁNCHEZ ZAPATERO, Javier: *Escribir el horror. Literatura y campos de concentración* (Barcelona: Montesinos, 2010).

SCARDAMALIA, Marlene y BEREITER, Carl: «Knowledge Telling and Knowledge Transforming in Written Composition», en Rosenberg, Sheldon (ed.), *Advances in Applied Psycholinguistics: Reading, Writing, and Language Learning* (Cambridge: Cambridge University Press, 1987), vol. II, pp. 142-175.

SEGOVIA, Rafael y SERRANO, Fernando (eds.): *Misión de Luís I. Rodríguez en Francia. La protección de los refugiados españoles de julio a diciembre de 1940* (México D. F.: Colegio de México. Secretaría de Relaciones Exteriores. Consejo Nacional de Ciencia y Tecnología, 2000).

SERRA PUCHE, Mari Carmen; MEJÍA FLORES, José Francisco y SOL AYAPE, Carlos (eds.): *De la posrevolución mexicana al exilio español* (México D. F.: Fondo de Cultura Económica, Cátedra del Exilio, 2011).

— *1945, entre la euforia y la esperanza: el México posrevolucionario y el exilio republicano español* (México D. F.: Fondo de Cultura Económica, Cátedra del Exilio, 2014).

SERRANO FERNÁNDEZ, Secundino: *La última gesta. Los republicanos que vencieron a Hitler (1939-1945)* (Madrid: Aguilar ediciones, El País, 2005).

SERRANO MIGALLÓN, Fernando: *Los barcos de la libertad. Diarios de viaje del Sinaia, el Ipanema y el Mexique (mayo-julio de 1939)* (México D.F.: Colegio de México, 2006).

SCHIFF, Brian y NOY, Chaim: «Making it Personal: Shared Meanings in the Narratives of Holocaust Survivors», en de Fina, Anna; Schiffrin, Deborah y Bamberg, Michel, *Discourse and Identity* (Cambridge: Cambridge University Press, 2006), pp. 398-425.

SHACKNOVE, Andrew: «Who is a Refugee?», *Ethics*, 95/2 (1985), pp. 274-284.

SIERRA BLAS, Verónica: *Aprender a escribir cartas. Los manuales epistolares en la España Contemporánea, 1927-1945* (Gijón: Trea, 2003).

— «Puentes de papel. Apuntes sobre las escrituras de la emigración», en *Horizontes Antropológicos. Cultura escrita e praticas de leitura,* 22/10 (2004), pp. 121-147.

— «"En espera de su bondad, comprensión y piedad". Cartas de súplica en los centros de reclusión de la guerra y posguerra españolas (1936-1945)», en Castillo Gómez, Antonio y Sierra Blas, Verónica (eds.), *Letras bajo sospecha: escritura y lectura en los centros de internamiento* (Gijón: Trea, 2005).

— (coord.): *Alfabetización y cultura escrita durante la Guerra Civil española*, dossier monográfico de la revista *Cultura Escrita & Sociedad*, 4 (2007), pp. 9-202.

— «"Con el corazón en la mano". Cultura escrita, exilio y vida cotidiana en las cartas de los padres de los niños de Morelia», en Castillo Gómez, Antonio (dir.) y Sierra Blas, Verónica (coord.), *Mis primeros pasos. Alfabetización, escuela y usos cotidianos de la escritura (siglos* XIX *y* XX*)* (Gijón: Trea, 2008, pp. 415-458).

— *Letras Huérfanas. Cultura escrita y exilio infantil en la Guerra Civil española*, Tesis Doctoral defendida en la Universidad de Alcalá, Alcalá de Henares (Madrid), 2008.

— *Palabras Huérfanas. Los niños y la Guerra Civil* (Madrid: Taurus, 2009).

— «Del papel al muro. Una aproximación al universo gráfico carcelario de la guerra y la posguerra españolas», en Ortíz, Carmen (coord.), *Lugares de represión. Paisajes de la memoria. Aspectos materiales y simbólicos de la cárcel de Carabanchel* (Madrid: Los Libros de la Catarata, 2013), pp. 327-366.

— «Exilios epistolares. La Asociación de padres y familiares de los niños españoles refugiados en México (1937-1940)», en Castillo Gómez, Antonio y Sierra Blas, Verónica (dirs.), *Cinco siglos de cartas: historia y prácticas epistolares en las épocas moderna y contemporánea* (Huelva: Servicio de Publicaciones de la Universidad de Huelva, 2014), pp. 313-336.

— *Cartas presas. La correspondencia carcelaria en la Guerra Civil y el Franquismo* (Madrid, Marcial Pons, 2016).

Simón, Paula: *Exilio y memoria en los testimonios españoles sobre los campos de concentración y franceses. La escritura de las alambradas* (Vigo: Academia del Hispanismo, 2012).

Skran, Claudena M.: *Refugees in Inter-war Europe: The emergence of a Regime* (Oxford: Oxford University Press, 1995).

Stein, Louis: *Beyond death and exile: The Spanish Republicans in France, 1939-1955* (Massachusetts: Harvard University Press, 1979).

Solé, Felip y Tuban, Grégory: *Camp d'Argelers, 1939-1942* (Barcelona: Cossetània, 2011).

Soo, Scott: «Between Borders: the Remembrance Practices of Spanish Exiles in the South West of France», en Altink, Henrice y Gemie, Sharif (dirs.), *At the Border. Margins and Peripheries in Modern France* (Cardiff: University of Wales Press, 2007), pp. 96-116.

Tcach, César y Reyes, Carmen: *Clandestinidad y exilio. Reorganización del sindicato socialista, 1939-1953* (Madrid: FFLC, 1986).

Thomas, Hugh: *La Guerra Civil española* (México D. F.: Grijalbo, 1976), Vol. 2.

Sierra Valenti, Eduardo: «El expediente administrativo. Esbozo de tipología documental», *Boletín de Anabad,* 29/2 (1979).

Schmidt Blaine, Marcia: «The Power of Petitions: Women and the New Hampshire Provincial Government, 1695-1770», en Heerma van Voss, Lex (ed.), «Petitions in Social History», suplemento de *International Review of Social History*, 46/S9 (2001), pp. 57-78.

Vania Waxman, Zoë: *Writing the Holocaust. Identity, testimony, representation* (Oxford: Oxford University Press, 2006).

Velázquez Hernández, Aurelio: «El exilio republicano español en México: Una emigración subvencionada (1939-1949)», en Barrio Alonso, Ángeles; de Hoyos Puente, Jorge y Saavedra Arias, Rebeca (eds.), *Nuevos horizontes en el pasado. Culturas políticas, identidades y formas de representación* (Santander: Ediciones de la Universidad de Cantabria, 2011), edición digital, sin paginar.

— «El exilio español, ¿Un impulso económico para México? La iniciativa empresarial del CTARE en 1939», Congreso Internacional 1939: México y España, 11-13 de marzo de 2009, CIHDE [consultado en: http://www.cihde.es/sites/default/files/congresos/pdf/aurelio_velazquez.pdf].

— *La otra cara del exilio. Los organismos de ayuda a los republicanos españoles en México (1939-1949*), Tesis Doctoral defendida en la Universidad de Salamanca, Salamanca, 2012.

— *Empresas y finanzas del exilio. Los organismos de ayuda a los republicanos españoles en México (1939-1949)* (México D. F.: El Colegio de México, Colección «Ambas Orillas», 2014).

— «La labor de solidaridad del Gobierno Negrín en el exilio: el SERE (1939-1940)», *Ayer*, 97 (2015), pp. 141-168.

Vilanova i Vila-Abadal, Francesc: «En el exilio: de los campos franceses al umbral de la deportación», en Molinero, Carme; Sala; Margarida y Sobrequés, Jaume (eds.), *Una inmensa prisión. Los campos de concentración y las prisiones durante la Guerra Civil y el Franquismo* (Barcelona: Crítica, 2003), pp. 81-115.

VILLEGAS, Jean-Claude (coord.): *Plages d'exil. Les camps de refugies espagnols en France, 1939* (Nanterre: Bibliotheque de documentation internationale contemporaine (BDIC), 1989).

— «La cultura des sables: presse et édition dans les camps de réfugies», en Claude Villegas, Jean, *Plages d'exil. Les camps de refugies espagnols en France, 1939* (Nanterre: BDIC, 1989), pp. 133-140.

— *Desde el Rosellón: Écrits d'exil.* Barraca et Desde el Rosellon. *Albums d'art de littérature à Argelès-sur-Mer, en 1939, par un groupe de républicans espagnols réfugiés* (Sète: Nouvelles presses du Languedoc, Gap, 2008)

VILAR, Juan B.: «El exilio español de 1939 en el Norte de África», en Mateos, Abdón (ed.), *¡Ay de los vencidos! El exilio y los países de acogida* (Madrid: Eneida, 2009), pp. 71-102.

VIÑAS MARTÍN, Ángel: *El oro español en la Guerra Civil* (Madrid: Instituto de estudios fiscales, Ministerio de Hacienda, 1976).

— «Intervención y no intervención extranjeras», en Malefakis, Edward (dir.), *La Guerra Civil española* (Madrid: Taurus, 2006), pp. 217-238.

— (dir.): *Al servicio de la República. Diplomáticos y Guerra Civil* (Madrid: Marcial Pons, 2010).

WÜRGLER, Andreas: «Voices From Among the "Silent Masses": Humble Petitions and Social Conflicts in Early Modern Central Europe», en Heerma van Voss, Lex (ed.), «Petitions in Social History», suplemento de *International Review of Social History*, 46/S9 (2001), pp. 11-34.

YESTE PIQUER, Elena: «Guerra de archivos: el patrimonio documental de la memoria» en *Cuartas Jornadas Archivo y Memoria. La memoria de los conflictos: legados documentales para la Historia*, Madrid, 19-20 de febrero, [consultado en: http://wwww.archivoymemoria.com].

ZADRA, Camillo y FAIT, Gianluigi (dirs.): *Deferenza, rivendicazione, supplica. Le lettere ai potenti* (Paese-Treviso: Pagus, 1991).

ZARET, David: *Origins of Democratic Culture. Printing, Petitions, and the Public Sphere in Early-Modern England* (Princeton: Princeton University Press, 2000).

ÍNDICE ONOMÁSTICO Y TOPONÍMICO

En este índice onomástico y toponímico están incluidos los nombres propios que aparecen en el presente volumen. Se han incluido tanto los nombres de personajes históricos o de refugiados y refugiadas que aparecen citados en él, los lugares más relevantes que han sido referenciados (lugares, campos de internamiento, refugios...), así como el de las organizaciones de ayuda y partidos políticos a los cuales se hace mención. No se han incluido el nombre de los autores citados puesto que dicha información puede recuperarse fácilmente a través de la bibliografía final.*

* No aparece la información referente a las notas al pie, salvo aquellos casos de nombres de refugiados anónimos cuyo registro no se puede recuperar de otra forma.

Gritos de papel
terminó de imprimirse
en la provincia de Granada
el 14 de abril de 2017
en el 86 aniversario
de la proclamación
de la II República
española